LES CAUSES CÉLÈBRES

VIE ET MORT
DE
JEANNE D'ARC

RÉGINE PERNOUD

VIE ET MORT DE JEANNE D'ARC

Les Témoignages du Procès de Réhabilitation
1450-1456

Préface de
FRÉDÉRIC POTTECHER
Iconographie réunie par
Roger Jean Ségalat

PRÉFACE

Voici le livre de la plus belle histoire de l'Histoire universelle car aucune héroïne, aucun héros dans l'histoire du monde n'a eu la pureté, la jeunesse et l'audace de Jeanne d'Arc. Son aventure est si surprenante, si haute que certains auteurs, à raison d'au moins un tous les deux ou trois ans, tentent de nous démontrer, preuves à l'appui naturellement, que son sang était royal ou princier et que ses parents ne peuvent avoir été de pauvres laboureurs ignares. Il y aurait eu, disent ces curieux historiens, peu après la naissance substitution de bébé; ce n'est pas la fille de Jacques d'Arc et d'Isabelle Romée qui aurait été portée à Domremy, le 6 janvier 1412, sur les fonts baptismaux de l'église Saint-Rémy, mais une autre petite fille, de haute mais secrète naissance. Les parrains de Jeanne: Jean Moreau de Greux, Jean le Langart, Jean Raiguesson; ses marraines Jeannette, femme de Tiercellin le Clerc; Jeannette, femme de Thévenin Royer, et Béatrice d'Estellin ont tous été trompés... Ils ont cru et répété qu'ils étaient parrains et marraines de la fille des époux d'Arc; ils se sont trompés et ils ont menti et il aura fallu au moins cinq cents ans pour que la vérité se découvre! Les témoins qui ont connu Jeanne, petite fille, comme le curé Jean Colin, le laboureur Jean Waterin, le laboureur Durand Laxart qui était son oncle, Gérardin et sa femme Isabellette, Michel Lebuin, Hauviette et Mengette et d'autres, se sont eux aussi trompés car il est "bien évident" que la fille de ces paysans misérables ne pouvait avoir eu ce génie militaire surprenant et une si forte personnalité... Ce n'est pas elle non plus qui fut brûlée à Rouen mais une autre... car s'il y a eu substitution à la naissance, il y a eu aussi substitution à la mort! Etc.

Le premier en date de ces "historiens" déchiffreurs d'énigmes, découvreurs de secrets et colporteurs de révélations évidemment sensationnelles, mais qui n'ont aucun rapport avec la vérité historique, est un sous-préfet en poste à Bergerac nommé Caze, qui publia en 1814 en deux volumes, ce qu'il appelait La Vérité sur l'Histoire de Jeanne d'Arc. Selon ce hardi fonctionnaire, Jeanne serait la fille illégitime de Louis d'Orléans et d'Isabeau de Bavière. Six cents pages bien pleines constituent des "preuves" comme si, après quatre siècles de silence et faute de la découverte d'un document incontestable, il était possible de rapporter une preuve historique d'un secret établi avec soin — on s'en doute ! — sur un événement si particulier...

Il y a eu, depuis les deux volumes de Caze, une floraison extraordinaire de nouvelles révélations sur "le mystère" de Jeanne d'Arc. Certaines de ces publications ont fait malheureusement le tour du monde, car tout ce qui touche à Jeanne d'Arc est "payant".

On ne s'étonnera donc pas de voir de véritables historiens comme l'auteur de ce livre s'élever avec force contre les allégations, suppositions et hypothèses émises par ces découvreurs de "secrets" au sujet des origines, de la vie, des procès et de la mort de Jeanne. Rien n'est plus facile que de controuver des faits; rien n'est plus facile, nous le voyons chaque jour dans les journaux, la télévision, le cinéma, la radio et la publicité, de fausser la nature, la signification, les conséquences de faits sur lesquels on ne possède que des données fragmentaires. A plus forte raison lorsqu'il s'agit de personnes et d'événements vieux de cinq cents ans !

Aussi a-t-on fait dire à la pucelle, et à tous ceux qui sont mêlés à son aventure, des mots qui n'ont pas été prononcés; on leur a prêté des idées et des sentiments qu'ils n'ont pas pu avoir; enfin on leur a attribué des actions qu'ils n'ont pas commises. De telles falsifications de l'histoire finissent par devenir intolérables à la conscience de ceux dont la mission consiste précisément à dire le vrai, à trouver le vrai.

Il se trouve que le livre que nous vous proposons est une

*synthèse exacte de tous les documents sûrs que l'on possède
sur le procès de réhabilitation de 1450-1456.*

*Mlle Régine Pernoud a fait ce que d'autres auraient pu
faire: elle est allée jusqu'au bout de ses recherches, avec
patience, méthode et une rigueur scientifique sans défaut.
Chartiste, elle a exploré et traduit des masses de documents, ce
que d'autres historiens eussent pu entreprendre. Il résulte de ce
travail passionné et sage, un tracé clair, précis de cette vie si
courte, aussi simple que prodigieuse où tous les événements,
même ceux qui surprennent, arrivent logiquement à leur heure,
parfois même à leur minute.*

*Les déclarations des témoins du procès de réhabilitation
nous font vivre avec Jeanne; la rumeur, l'unicité de la vie s'en
dégagent. Péguy qui reproduisit dans sa pièce célèbre le mot à
mot de quelques dépositions des témoins de Domremy l'avait
parfaitement senti.*

*Lorsqu'on referme ce livre, il ne reste pas grand-chose de
l'héroïne en simili-carton-pâte, de l'image d'Epinal que la
légende et ses utilisateurs ont faite de Jeanne d'Arc.*

*Fille d'un petit noble, notable de village (qui savait lire et
écrire) et d'Isabelle Romée, femme de caractère et de force, la
Jeanne de chair et d'os et aussi d'intelligence que Régine
Pernoud dresse devant nous, face à notre imagination, n'a pas
besoin d'être expliquée pour être vraie. Ce que nous apprenons
sur ses parents, ses compagnons, ses premières amies, sur ses
attitudes dans toutes les circonstances de la vie, la rendent
véridique, et surtout humaine, c'est-à-dire hors nature avec un
naturel extraordinaire. Tout est simple, sans l'ombre d'une
obscurité. Ses mots, ses décisions, ses victoires mais aussi ses
défaites — dont on parle si peu — font de Jeanne d'Arc, la
vraie, telle que ce livre nous la montre, un être dont la vérité
au jour le jour déborde la fiction. Nous rentrons presque de
force dans une réalité que toutes sortes d'interpré-
tations, de transpositions, de fictions nobles ou simplement
utilaires ont fait disparaître. Jeanne n'est pas cette image
touchante ou fausse descendue de quelque vitrail ou de quelque niche; échappée de tel ou tel livre douteux, ou de telle ou
telle pièce de théâtre; non... elle est pesante, forte, au sens le*

plus terre à terre du mot, riche de ses humeurs, de son accent, de ses surprenantes intuitions et de ses dons militaires... Elle est comme un animal qui sent ce que les hommes ne sentent pas: le vent qui va tourner, l'orage qui se prépare, la mort qui rôde... Intelligente, instinctive, douée, elle est aussi très bien équilibrée et fort judicieuse dans ses appréciations, ses jugements. Peut-être est-ce ce qui la rend accessible et pourtant insaisissable ?

*

* *

A part les archives qui nous permettent de la retrouver et de la comprendre, il ne reste pas grand-chose de son passage sur la terre... Trois signatures, deux ou trois objets qu'elle a peut-être touchés; ce coin de la maison de Domremy que l'on nous montre aujourd'hui − peut-être, qui sait ? une certaine épée, des anneaux, une armure, un bassinet ? C'est à peu près tout... En revanche, ce que nous voyons ou pouvons voir comme elle l'a vue, c'est la Meuse qui coule doucement à Domremy et dans la plaine de Vaucouleurs. La rivière n'a pas changé et ce sont toujours les mêmes coteaux, la même flore, le même ciel pâle et fuligineux de sa Lorraine. Il reste à Vaucouleurs même, au pied des ruines du château vers la Porte de France[1] et dans la ville même où des fouilles patientes et utiles ont été effectuées, des éléments du monde dans lequel elle a évolué lorsqu'elle s'entêtait à obtenir des hommes d'armes pour l'accompagner jusqu'à Chinon à travers la France occupée. Elle y parvint, nous le savons. Ce que nous ne savons pas, ce sont les démarches, les allées et venues, les efforts qu'elle a dû faire à Vaucouleurs, pendant des semaines, pour amener à elle et entraîner dans sa folle aventure, son oncle, les seigneurs du château et les gens de la ville qui lui donnèrent un cheval. Elle essuya certainement des rebuffades et bien des déceptions avant d'arriver à ses fins. Nous connaissons ceux qui l'accompagnèrent et qui crurent en elle, et furent heureux vingt-sept ans après de pouvoir dire aux enquêteurs de la Commission royale: "Moi j'y étais !" "Moi, je l'ai aidée !" La commission en

[1] C'est par cette voie qu'elle partit pour Chinon, d'où l'appellation de Porte de France.

revanche n'a reçu aucune déclaration de ceux qui refusèrent de l'encourager, rien de ceux qu'elle laissa indifférents, rien de ceux qui se sont peut-être moqués d'elle, le 13 février 1429, lorsqu'elle partit pour Chinon...

Il est vrai que les sceptiques, les gens "raisonnables", ceux qui n'avaient pas cru en elle, en sa sublime destinée, ne devaient plus être très nombreux. Mlle Régine Pernoud écrit quelque part cette petite phrase dont le lecteur qui aborde l'histoire de Jeanne d'Arc devra se pénétrer: "Ses idées étaient celles du temps de Saint Louis, encore vivaces dans sa Lorraine natale." On croyait que la personne du roi était divine, marquée par Dieu; le peuple ne doutait pas de la légitimité du Dauphin et lorsque Jeanne disait que le Dauphin pouvait, au nom de Dieu, prendre la tête de tous ceux qui voulaient bouter les Anglais hors de France, et en finir avec les bandes de pillards anglo-bourguignons, on pouvait être enclins à la croire.

Dans cette phase si importante de son histoire, on ne voit pas qu'il y ait eu autre chose de sa part que de l'entêtement et une volonté inflexible, extraordinaire, d'arriver à ses fins. Elle était merveilleusement convaincue qu'elle avait raison et qu'on devait la suivre. On sait par les minutes du procès de condamnation — celles du moins qui n'ont pas été truquées — et par les dépositions des témoins du procès de réhabilitation, que si elle a eu des mots graves, prémonitoires, bouleversants, elle eut aussi parfois des reparties pleines d'humour, de gaieté, de jeunesse. On la devine, enfant, participant à des rondes innocentes, autour de l'"'arbre des fées", avec Hauviette, Mengette et d'autres fillettes de Domremy ou de Greux... On s'est interrogé pour savoir quel langage elle parlait... Mlle Régine Pernoud répond: le français; un français assez proche de celui usité dans le bassin parisien. Nous ajouterons que dans ce parler traînaillent de-ci de-là des expressions, des locutions, des exclamations héritées de patois divers. Ce n'est pas tout: beaucoup de ces mots aujourd'hui encore vivants étaient infléchis, marqués, nuancés dans leur expression et surtout dans leur signification profonde, par un accent propre à ce pays de Meuse, où le Barrois et la Lorraine se confondent. Aujourd'hui encore à Domremy comme à Neufchâteau ou à Vaucouleurs, *on nuance le doute, la méfiance, l'approbation et bien d'autres choses subtiles, au moyen d'un certain accent dont on trouve l'empreinte dans des documents fort anciens.*

Si Jeanne d'Arc avait un tel accent, on peut être sûr que ses interlocuteurs de Chinon, d'Orléans, de Compiègne, ou de Rouen, ont dû bien souvent lui prêter des intentions d'insolence qu'elle n'avait pas ou des arrière-pensées, des restrictions qui ne la traversaient pas... Le contraire peut aussi être vrai...

Il y a en Lorraine une certaine manière d'appuyer sur les diphtongues, les voyelles, les préfixes et les suffixes qui donne au discours un caractère ironique ou plaisant, insolent ou restrictif comme si, sous les mots qui composent le parler, se déroulait une forte de film de l'humeur, propre à la personne qui parle. Tous les accents locaux donnent à la parole, la couleur locale de l'âme et du caractère des gens. Et nous croyons que le caractère de Jeanne d'Arc peut se préciser, s'apprécier mieux si l'on tient compte de l'accent du terroir.

*

* *

Bernard Shaw pensait qu'elle était grande, forte, bien faite et que ses cheveux étaient bruns sinon noirs. C'est fort possible. Shaw dans la préface qu'il a rédigée pour la publication de sa Sainte Jeanne *nous assure qu'elle avait les yeux ronds et écartés comme les gens qui ont — dit-il — de l'imagination. Cela se peut en effet, mais nous n'en savons rien. Nous n'avons aucune image certifiée exacte ou ressemblante. Le naïf dessin à la plume que l'on trouve dans la marge du registre du Parlement de Paris ne donne aucune idée de son visage[1]. Il n'en est*

---

[1] Voici le texte légèrement abrégé, porté sur cette page du registre du greffier Clément de Fauquembergue: "Ce mardi, dixième jour de mai, fut rapporté et dit à Paris publiquement que dimanche dernier passé, les gens du dauphin en grand nombre, après plusieurs assauts continuellement entretenus par force d'armes, étaient entrés dans la bastide que tenait Guillaume (Glasdal) avec la tour de l'issue du pont d'Orléans par delà Loire... et que ce jour les autres capitaines et gens d'armes tenant le siège... avaient levé leur siège... pour combattre les ennemis qui avaient entre leurs rangs une pucelle seule, ayant bannière entre les dits ennemis..."

pas moins fort émouvant car il "illustre" un texte rédigé sans doute par le greffier Clément de Fauquembergue, à l'occasion de la levée du siège d'Orléans, le 10 mai 1429. On peut imaginer les pensées de ce greffier qui vit à Paris, en zone "occupée" et rêve à cette jeune fille qu'il n'a jamais vue et qui a libéré Orléans. Il ne l'a jamais vue mais il a reproduit avec soin la bannière portant les mots "Jhesus Maria" ce qui atteste que, du moins écrit Régine Pernoud "... certains détails colportés de bouche à bouche étaient exacts..."

*
* *

Mis à part ce naïf dessin, nous n'avons aucune représentation certaine du visage de Jeanne, sauf peut-être ce petit buste admirable retrouvé à Orléans en 1820, dans les déblais de l'église Saint-Eloi-et-Saint-Maurice, et qui est exposé depuis quelques années au Musée des beaux-arts de la ville. S'agit-il là de Jeanne d'Arc? Certaines personnes fort raisonnables le pensent. On voudrait avoir une certitude... Hélas, ce n'est pas possible, car rien jusqu'à présent n'a permis de donner un nom à ce visage sculpté à l'époque de Jeanne par un artiste anonyme. Ainsi en sommes-nous contraints d'inventer un visage qui nous est suggéré dès que l'on aborde cet énorme et si troublant dossier...

En revanche, nous avons un très beau portrait de son contemporain... de son partenaire: l'énigmatique Charles VII. La maîtrise de Fouquet a parfaitement représenté, pour qui sait regarder, tous les détours, les arrière-pensées, les soupçons qui hantent la cervelle de ce prince intelligent mais versatile qui sut être sur le tard, un grand politique mais ne fut jamais un homme de cœur. On le sent capable de peser sur l'Histoire. En face de Jeanne, de ses inspirations soudaines, il y avait ce Charles machiavélique et pourtant léger, ce partenaire froid, toujours sur ses gardes...

On attribue à Jeanne d'Arc ce mot qui est bien dans sa veine: "Avec trois SI on mettrait Paris dans une bouteille." Demandons-nous alors — et pourquoi pas? — ce qui serait advenu de la pucelle et du royaume de France, si Charles VII n'avait été qu'un homme moyen, banal, brave et médiocre au lieu d'être le subtil politique qu'il devint après que Jeanne, dès l'entrevue de Chinon, lui eut donné confiance en lui-même.

Cette entrevue est lourde d'un secret; que se sont dit le prince et la bergère, pendant les quelques minutes qu'ils passèrent absolument seuls dans l'oratoire du prince? Nous ne le savons pas; ce qui est sûr, c'est qu'après ce dialogue secret, Charles décida de lui confier l'armée avec laquelle elle délivra miraculeusement Orléans. Charles suit sans doute avec plaisir ce mouvement de redressement du royaume que Jeanne d'Arc a provoqué et pourtant il reste en perpétuelle défiance, même pendant les foudroyantes victoires de Loire. Plus tard, lorsqu'elle connaîtra des revers, il se gardera de la décourager mais aussi de la réconforter. Il attend la fin dirait-on, comme un homme à la fois las et curieux, un homme qui a peut-être aussi d'autres soucis... En réalité, il y a dans la vie de Charles VII la belle Agnès Sorel.

Et c'est ainsi que lorsque Jeanne d'Arc est prise à Compiègne, il ne bouge pas... Il ne cherche même pas à racheter la liberté de celle à qui il doit son sacre à Reims, ce qui est d'une extrême importance... Charles VII a oublié qu'il doit aussi à Jeanne d'Arc un royaume digne de ce nom.

*
* *

Jeanne est ignominieusement jugée puis brûlée comme hérétique et relapse alors qu'il sait lui, Charles, qu'elle est absolument pure. Que fait-il? Rien! Il ne bronche pas... Ce roi est un monstre d'ingratitude!... Alors que les bourgeois d'Orléans versent une pension à Isabelle Romée et à son fils en reconnaissance de la libération de la ville; alors que tous ceux qui ont assisté le 30 mai 1431 à son supplice et l'ont entendue crier: "Jésus! Jésus!" tandis que des soldats anglais pleuraient devant ce spectacle affreux et disaient d'elle qu'elle était une sainte; tandis que tous ceux enfin, qui s'étaient trouvés là, étaient bouleversés par le feu, les cris, la méchanceté des mauvais juges; alors que tous ces gens racontent un peu partout que ce jour-là, à Rouen, au moment de sa mort, on a *vu "une colombe sortir du côté de France" et que le bourreau n'a jamais pu réduire son cœur en cendres et que tous ceux qui furent coupables de sa mort "mourront de mort fort honteuse", Charles VII lui, n'entend rien, paraît ne rien savoir, ne manifeste ni honte, ni remords, ni peine.*

Dix-neuf ans d'indifférence, de silence, d'ingratitude... Et tout à coup, le 14 février 1450, Charles VII se réveille... Que s'est-il donc passé? Répondons que des événements considérables ont atteint l'homme et le roi: Charles VII vient de faire son entrée solennelle dans Rouen enfin libérée de trente années d'occupation étrangère. Le roi s'en réjouit certes, mais à ce moment Angès Sorel meurt et l'homme souffre. Charles VII a 47 ans, il y a des années qu'il aime Agnès et le vieil amoureux qu'il est, ressent un profond chagrin de la perte qu'il subit.

Mais il n'est plus le fragile roitelet de Bourges ni le "gentil dauphin" impécunieux qu'elle avait connu à Chinon. Il est devenu un roi important, puissant avec lequel le pape doit compter. C'est un roi de France "nouveau style" qui nous apparaît le 15 février 1450 lorsqu'il dicte à l'un de ses conseillers la lettre ordonnant de rechercher comment "... Jeanne la pucelle a jadis été prise et appréhendée par nos anciens ennemis et adversaires les Anglais, et amenée en cette ville de Rouen contre laquelle ils ont fait faire tel procès par certaines personnes à ce commises et députées par eux (...) ils la firent mourir iniquement et contre raison, très cruellement: pour ce nous voulons savoir la vérité dudit procès et la manière selon laquelle il a été conduit et procédé..."

Ne nous y trompons pas, cette lettre est moins l'aveu d'une noire ingratitude qu'un acte politique d'une très haute portée internationale. Cependant, il est certain qu'à Rouen où la lettre a été dictée, tout parle à Charles VII de celle qu'il abandonna jadis... Voici le château où elle fut trompée, dupée par les mauvais juges, où des soldats anglais lui retirèrent à la dernière minute, après l'abjuration, ses habits de femme pour l'obliger à passer ses habits d'homme; où elle fut traitée de sorcière, où le traître Loiseleur capta sa confiance pour mieux la perdre; voici le cimetière Saint-Ouen où lui fut faite la comédie sinistre et mensongère de l'abjuration, et enfin, voici la place du Vieux-Marché où, livrée au bourreau et déjà prise dans les flammes, elle hurla le nom de Jésus... Non, il n'est pas possible que Charles VII à son tour, n'ait pas entendu des voix bien vivantes lui faire reproche de sa terrible indifférence...

*
* *

Ainsi, Charles ordonne l'ouverture de l'enquête qui entraînera l'intervention de l'Eglise, une Eglise qui se doit désormais de le ménager. L'Inquisition reprendra tout le dossier et, le 7 juillet 1456, après des années d'enquêtes, de discussions de procédure, de négociations, après une audience extraordinaire qui se déroula à Notre-Dame de Paris et durant laquelle Isabelle Romée, son fils, et son avocat soutinrent la légitimité de leur plainte en partie civile, il est décidé que "seront détruits, annulés" et "déclarés nuls, sans valeur, sans effet et anéantis" les sentences et le procès de condamnation, lesquels sont "entachés de dol, de calomnies, d'iniquités, de contradictions et d'erreurs manifestes en fait et en droit y compris l'abjuration, l'exécution et toutes leurs conséquences".

Ce livre, passionnant d'un bout à l'autre, n'est pas que le récit de la sublime et très véridique histoire de Jeanne d'Arc, "la petite bergère de Domremy", il est aussi l'une des clés essentielles de la connaissance du Moyen Age.

Frédéric Pottecher

VIE ET MORT DE JEANNE D'ARC

AVANT-PROPOS

E<small>N</small> *1839, l'érudit Vallet de Viriville évaluait à cinq cents le nombre des ouvrages consacrés à Jeanne d'Arc ; cinquante ans plus tard, ce nombre avait quintuplé. Or l'intérêt qu'elle suscitait au XIXe siècle n'est rien comparé à celui qu'elle a soulevé depuis. Sa fête est devenue en notre temps une date à la fois religieuse et nationale, l'Église et l'État s'étant trouvés d'accord pour la mettre sur les autels et sur les places publiques. Et, ce qui compte plus encore que cette reconnaissance doublement officielle, c'est la force de présence, insoupçonnable il y a cent ans, que Jeanne a prise à notre époque. Est-ce d'avoir été vue par les yeux de Péguy ? Toujours est-il qu'aujourd'hui elle nous fait l'effet d'un personnage inépuisable, sans cesse à redécouvrir, et capable d'éveiller les discussions les plus passionnées.*

Il est curieux que, dans ces conditions, on ait négligé, à son sujet, un texte d'importance capitale : si le procès de condamnation de Jeanne a été à plusieurs reprises publié et traduit, au point d'être devenu familier au grand public, on ne peut dire qu'on en ait fait autant à propos du procès de réhabilitation. Bien connu des érudits, utilisé d'ailleurs largement par les historiens (mais c'est le plus souvent en seconde main), il n'est représenté aujourd'hui, en fait d'édition, que par celle de son texte latin due à Quicherat — œuvre admirable mais peu accessible, et d'ailleurs depuis longtemps introuvable non seulement en librairie, mais même dans bon nombre de bibliothèques — ; en fait de traductions, il n'existe que celles, très fragmentaires et d'une lecture difficile, dues à O'Reilly et utilisées par Joseph Fabre, dans des ouvrages datant respectivement de 1868 et 1888 [1].

---

1. Voir, en annexe, la bibliographie.

C'est tout pour le seul grand texte qui, avec le procès de condamnation, apporte des éclaircissements sur Jeanne, sa personne et son épopée, et cela directement, d'après des témoignages vécus, et non vus dans le miroir déformant d'une chronique ou d'un récit. Encore le texte de la condamnation, s'il nous livre le drame de Rouen, laisse-t-il dans l'ombre les détails de l'existence de Jeanne; alors qu'au moment de la réhabilitation apparaissent successivement toutes les étapes, tous les épisodes essentiels, depuis son baptême dans la paroisse de Domremy jusqu'au bûcher, et encore après, avec l'impression qu'elle a laissée sur les foules. Et ce sont ses amis d'enfance, ses compagnons d'armes, ses anciens juges qui viennent tour à tour l'évoquer, ceux-là mêmes qui ont été les acteurs ou, à tout le moins, les figurants du drame dont elle fut l'héroïne.

D'ailleurs, en soi, ce procès de réhabilitation, entrepris une vingtaine d'années à peine après le supplice de Jeanne, représente une page d'histoire assez extraordinaire: il s'agissait d'événements encore récents, teintés de prodiges, et dont on était à même de mesurer le retentissement — car, si nous pouvons, mieux que les contemporains, analyser leur influence sur la structure de l'Europe, en revanche, il n'est pas un petit-bourgeois ou paysan de France dont la vie n'eût été changée plus ou moins selon le sort de ces combats dont dépendait le rattachement de la France à l'Angleterre, ou, au contraire, sa libération. Enfin, la cause remise en question était singulièrement pathétique: il y avait eu une victime, une femme, une jeune fille brûlée vive par décision de justice, et il s'agissait de savoir si cette victime était une héroïne, ou une simple illuminée, voire une dangereuse hérétique.

La plupart des historiens ont, assez inexplicablement, méconnu l'importance de ce procès. Beaucoup, avec une optique toute moderne, n'ont pas su voir ce qu'il avait révélé aux contemporains — tenant pour acquises, dès cette époque, des vérités qui, précisément, n'ont pu apparaître que grâce à la procédure de réhabilitation. Il est pourtant hors de doute que les détails, soit de l'épopée, soit de la condamnation de Jeanne, étaient ignorés du plus grand nombre, suivant qu'ils avaient vécu en zone française ou en zone occupée; que des faits qui nous paraissent, à nous, absolument familiers (par exemple, la falsification ou l'omission de certaines pièces du procès de condamnation) étaient totalement inconnus de

4

ceux-là mêmes qui avaient entrepris la réhabilitation; qu'enfin l'opinion publique, qu'elle fût pour ou contre Jeanne, n'était qu'inexactement au courant de son histoire et que ce fut ce procès qui la mit en lumière. Quelques historiens ont même cru pouvoir présenter tout le procès comme une sorte de comédie habilement montée, soit par l'Église, soit par le roi. Si pourtant on se donne la peine de suivre les étapes d'une affaire dont le déroulement n'occupe pas moins de sept années et mobilise des gens de toutes les contrées de France, comme de toutes les catégories sociales, il apparaît qu'une supercherie de cette envergure eût été difficilement soutenable.

Ce sera, en tout cas, au lecteur d'en juger, d'après les documents de ce procès, que nous tentons ici de lui apporter dans une traduction aussi proche que possible du texte original. Il ne pouvait être question de publier l'ensemble du procès, qui, avec les comptes rendus d'audiences, les pièces de procédure telles que citations, assignations, etc., n'occupe pas moins de 855 pages in-octavo dans l'édition Quicherat — encore a-t-il omis la plupart des mémoires (dix-neuf en tout) rédigés en vue de ce procès, et la Recollectio, ou résumé général de l'ensemble de l'affaire, que fit Jean Bréhal, l'inquisiteur chargé de la conduire, et qui est à elle seule un volume. Nous en avons donc extrait la partie pour nous la plus vivante et la plus précieuse, c'est-à-dire les dépositions des témoins, en supprimant seulement les redites qui eussent alourdi la lecture sans rien apporter de nouveau. Nous avons, d'autre part, remis à la première personne ces témoignages que le greffier, en les traduisant en latin, avait mis à la troisième personne: « Le témoin dit que..., etc. », suivant les formes toujours en usage dans les tribunaux ecclésiastiques.

INTRODUCTION

AVANT LA RÉHABILITATION

JEANNE ET L'OPINION PUBLIQUE

L E 10 décembre 1449, le roi Charles VII faisait une entrée solennelle dans sa ville de Rouen, qui venait d'être libérée après trente années d'occupation étrangère, et dans tout le royaume les cloches s'ébranlaient en signe d'allégresse, à l'annonce de ce pas décisif dans ce que les historiens devaient appeler « le recouvrement de Normandie ».

Quelque temps après cette entrée triomphale, le roi adressait à l'un de ses conseillers, maître Guillaume Bouillé, ancien recteur de l'Université et chanoine de la cathédrale de Noyon, une lettre ainsi conçue :

« Comme jadis Jeanne la Pucelle a été prise et appréhendée par nos anciens ennemis et adversaires les Anglais, et amenée en cette ville de Rouen, contre laquelle ils ont fait faire tel procès par certaines personnes à ce commises et députées par eux ; dans lequel procès ils ont fait et commis plusieurs fautes et abus, tellement que moyennant ce procès et la grande haine que nos ennemis avaient contre elle, ils la firent mourir iniquement et contre raison, très cruellement : pour ce, nous voulons savoir la vérité dudit procès, et la manière selon laquelle il a été conduit et procédé. Vous mandons, commandons et expressément enjoignons que vous vous enquériez et informiez bien et diligemment sur ce qui en est dit ; et l'information par vous sur ce faite, l'apportiez close et scellée devant nous et les gens de notre Conseil..., car de ce faire vous donnons pouvoir, commission et mandement spécial par ces présentes.... Donné à Rouen, le quinzième jour de février, l'an de grâce 1449... (selon l'ancien style, soit, pour nous, 1450). »

À cette date du 15 février 1450, la campagne de Normandie n'était encore qu'ébauchée ; des villes comme Caen ou Cherbourg demeuraient aux mains de l'ennemi, et seule la reddition de Rouen, motivée d'ailleurs par une révolte des habitants qui avaient forcé le gouverneur anglais, Somerset, à quitter précipitamment sa résidence du Vieux Palais pour aller chercher refuge à Caen, permettait au roi ce retour vers un passé encore récent. Vingt ans plus tôt, en effet, s'était déroulée cette série d'événements qui n'a pas encore cessé de stupéfier les historiens et qui avait eu pour théâtre le triangle formé par les trois cités royales : Orléans, Reims, Rouen. Une petite paysanne, venue des marches de Lorraine, délivre d'un siège interminable la cité-clef du royaume, conduit le dauphin, en pleine zone occupée, dans la ville où sont sacrés les rois, puis se trouve prise, vendue et finalement livrée au supplice des hérétiques. Le tout en deux années qui restent celles de toute l'histoire de France qui ont fait couler le plus d'encre et suscité le plus de passions.

On peut se demander ce que représentait, à cette date du 15 février 1450, le personnage de Jeanne d'Arc. Cette page d'histoire, l'une des rares qui aient gardé, au long des siècles, le privilège d'étonner les écoliers, et que déjà commençait à dorer la légende, comment les contemporains la voyaient-ils, eux pour qui elle était de l'histoire vécue ?

A ne vouloir considérer les faits que dans leur exactitude, dans leur réalité objective, Jeanne était alors une hérétique qu'un tribunal ecclésiastique avait régulièrement condamnée — après des exploits, il est vrai, extraordinaires, et dans des conditions qui pouvaient rendre suspecte la décision de ce tribunal, mais l'accusation d'hérésie n'en subsistait pas moins. Celle que nous avons l'habitude de considérer comme la plus officielle de toutes les saintes demeurait sous le coup d'une condamnation infamante. Pour peu que l'on eût le moindre respect de l'autorité, on devait l'assimiler à ces agitateurs qui déjà, un peu partout, avaient répandu leurs doctrines inquiétantes, à un Jean Huss dont les sectateurs étaient devenus si nombreux que l'on avait tenté de soulever contre eux une croisade, ou à

8

ces Lollards contre lesquels le précédent roi d'Angleterre avait justement sévi.

Il est très significatif de voir que ce que le roi ordonne, une fois en possession de cette ville de Rouen qui avait été la dernière étape, et la plus solennelle, de l'histoire de Jeanne, ce n'est ni une cérémonie expiatoire ni un acte de réparation, mais une enquête. Certes, son opinion à lui est faite, et le préambule de sa lettre l'indique assez : Jeanne est une victime de « ses anciens ennemis et adversaires ». Pourtant, et avant tout, ce qu'il désire, pour lui, pour l'opinion, c'est d'être éclairé : « Savoir la vérité dudit procès. » Tant que Rouen demeurait aux mains de l'ennemi, rien d'efficace ne pouvait être entrepris : c'est à Rouen qu'un voile a été jeté sur la claire histoire, que la victoire s'est muée en défaite, l'héroïne en fille du diable, hérétique et relapse. A Rouen seulement la lumière pouvait être faite, et c'est ce que le roi désire : faire la lumière sur une cause qui, jusqu'alors, en toute bonne foi, demeurait trouble et douteuse.

Ce qui pourtant ne fait aucun doute, c'est que le jugement populaire, dans son ensemble, fait écho à celui du roi. Pour le peuple, et dès cette date de 1450 qui précède de six années la réhabilitation officielle de Jeanne, il est évident qu'elle fut une envoyée du Ciel, et l'instrument de la justice de Dieu ; elle a été injustement condamnée par les ennemis du royaume, sur de fausses accusations, et sa mort a été celle d'une martyre. Le sentiment populaire, celui des petites gens, ne marque pas d'hésitations ; cela constituera d'ailleurs, nous le verrons, un précieux appoint pour la réhabilitation proprement dite. Et même Jeanne a eu, elle aussi, ses témoins, ses martyrs : non seulement ce frère mendiant, Pierre Bosquier, condamné à la prison pour avoir émis des doutes sur la sincérité des juges qui l'avaient envoyée au supplice (et cela, quelques semaines à peine après l'exécution), mais surtout cette héroïne ignorée, Perrinaïc, qui fut condamnée au bûcher, à Paris, pour avoir osé faire son éloge.

Dans cette ferveur populaire, il y a d'ailleurs de curieuses nuances — curieuses tout au moins pour nous, qui considérons à cinq cents années de distance des événements à la fois familiers et déformés par les habitudes d'esprit, les erreurs d'optique, les pieuses exagérations ou les préjugés coriaces. A l'époque, elles étaient aisément explicables, les variantes dans cette vénération populaire, dont les témoins au procès de réhabilitation se feront inconsciemment l'écho.

A Rouen, par exemple, le peuple a connu Jeanne sous les traits d'une martyre, d'une jeune prisonnière qui excitait la curiosité (« tout le monde désirait la voir », diront deux témoins, Pierre Daron et Laurent Guesdon), d'une héroïne que l'on vit un jour, conduite au bûcher par une foule d'hommes d'armes, « faisant de si pieuses lamentations » que tous les assistants, même les Anglais, ne pouvaient se tenir de pleurer ; au milieu des flammes, elle ne cessait de clamer le nom de Jésus ; on a vu, lorsqu'elle rendait le dernier soupir, une colombe sortir du côté de France, et le bourreau n'a jamais pu réduire son cœur en cendres. Quant à ceux qui l'ont condamnée, on les connaît bien, et dans la ville on les montre du doigt : des coureurs de prébendes, tous au service de l'Angleterre, gorgés de bénéfices pour prix de leur trahison ; Cauchon, le premier, n'a-t-il pas touché son salaire, sous forme d'une charge de conseiller royal, au traitement de mille livres tournois, sans compter les sept cent soixante-cinq livres qu'il a reçues pour ses négociations, lorsqu'il est allé réclamer la Pucelle pour le compte du roi d'Angleterre ? D'ailleurs, la main de Dieu s'est abattue sur eux ; « tous ceux qui furent coupables de sa mort moururent de mort fort honteuse » ; les trois principaux fauteurs ont connu une fin tragique : Cauchon est mort subitement pendant qu'on lui faisait la barbe ; d'Estivet, son ami intime, le promoteur de la cause, a disparu assez mystérieusement, et l'on a retrouvé son cadavre dans un égout ; enfin leur bras droit, Nicolas Midy, a été atteint de la lèpre quelque temps après l'affaire ; il a dû abandonner les bénéfices que son « dévouement » lui avait acquis et aller mourir, rongé par son mal, dans une léproserie.

Tout cela, on se l'est répété de bouche à oreille, pendant les quelque vingt années d'occupation que Rouen a eu encore à subir entre le supplice de Jeanne et l'entrée du roi. Et l'histoire n'a pas manqué d'entretenir une sorte de résistance clandestine depuis le moment où, dès 1432, l'audacieux Ricarville, à la tête de cent trois compagnons qui, tous, ont payé l'exploit de leur vie, s'empare du château de Rouen, jusqu'à ce jour d'octobre 1449 où, devant la révolte des habitants, le gouverneur anglais a dû fuir et laisser place aux armées royales.

A Orléans, il semble que l'on n'ait voulu garder, de Jeanne, que les souvenirs glorieux. Tous les ans, et cela dès la date de 1435, le peuple se presse à la procession du 8 mai, et célèbre dans l'enthousiasme l'anniversaire de sa délivrance ; c'est là que vivent la mère de Jeanne et ses frères, pensionnés par les bourgeois de la ville. On a vu avec émotion s'accomplir l'une des prophéties de la Pucelle, quand le duc Charles est revenu d'Angleterre, en 1440, après une captivité qui avait duré vingt-cinq ans. Et la nouvelle de la mort de Jeanne n'a été qu'avec peine acceptée ; on semble se refuser à y croire ; on n'est pas loin d'attendre d'elle un retour glorieux « comme si c'était un ange de Dieu » — suivant le mot de l'un des Orléanais au procès de réhabilitation —, un ange devant qui les ennemis se dissiperaient, comme jadis à Jargeau ou à Patay. C'est au point qu'une aventurière a pu exploiter sa ressemblance avec Jeanne et se faire passer pour elle aux yeux des habitants éblouis : ils n'en sont plus à un miracle près !

Dans cette ferveur populaire se mêlent, comme c'est inévitable, des éléments de superstition : on se répète des prophéties qui courent de bouche en bouche ; celle de Marie d'Avignon, qui avait vu l'armure que devait revêtir une jeune fille pour venir au secours du royaume ; celle de Merlin, parlant d'une pucelle qui chevaucherait sur le dos des archers (et il était bien connu que les archers faisaient la principale force des armées anglaises) ; celle encore qui parlait d'une vierge venant du Bois-Chenu. Toutes ces prophéties, on sent confusément qu'elles ont un fond respectable, et même les théologiens en tiendront compte : ne reposent-elles pas plus ou moins sur cette croyance chrétienne, si vivante dans la mentalité médiévale, au pouvoir rédempteur de la femme, de la vierge ? Il s'agit d'un temps où, au tympan des cathédrales, se dresse, précisément, l'image d'une Vierge. L'âge féodal, depuis les chansons des troubadours jusqu'aux romans de chevalerie, avait rendu à la Femme un véritable culte, et c'est d'ailleurs de ce culte qu'était issue la chevalerie elle-même. Il en restait quelque chose à l'époque de Jeanne. En réalité, elle était attendue par son temps ; les esprits étaient préparés à cette déroutante apparition.

Mais, dans la vie courante, ces notions, si hautes soient-elles, sont facilement adultérées : les faux thaumaturges et les fausses inspirées ne manquent pas en cette période de troubles, où, depuis près de trois quarts de siècle déjà, se succèdent les guerres, les famines, les épidémies et leurs séquelles de misères. Comment, à première vue, distinguer une Jeanne d'Arc d'une Catherine de la Rochelle, ou de ce malheureux Guillaume, le berger du Gévaudan, dont un Regnault de Chartres lui-même, l'archevêque du sacre, disait qu'il « n'en faisait ni plus ni moins que Jeanne la Pucelle. . », assertion aussitôt démentie par la fin lamentable de l'aventure, à peine commencée, mais qui montre bien le désarroi régnant. En toute bonne foi, ceux qui tentaient d'y voir clair, ceux qui refusaient de suivre aveuglément l'instinct populaire pouvaient trouver dans l'histoire de Jeanne des éléments de doute.

Et peut-être, à leur doute, se mêlait-il quelque scandale : cette virago, habillée en homme, qui chevauchait au milieu des soldats, ne correspondait guère à l'idée qu'on peut se faire couramment d'une vierge chrétienne. Telle est cependant l'image que nombre de gens, surtout dans les territoires occupés, où l'on n'a rien su que par ouï-dire, où l'on a été davantage influencé par l'opinion anglaise, auront gardée de Jeanne.

D'ailleurs, ses prédictions ne se sont pas toutes réalisées : Paris a bien été repris, en 1436, et le duc d'Orléans délivré quatre ans plus tard ; mais elle avait prédit aussi que tous les Anglais seraient « boutés hors de France », et voilà qu'après vingt ans ou presque, ils sont toujours maîtres de la Guyenne, tandis que le « recouvrement de Normandie », qui s'esquisse, commence seulement à ébranler les esprits sceptiques. Vingt ans — peu de chose à distance, mais, dans une vie d'homme, quelle épreuve pour les impatients !

D'autant plus que l'on peut toujours se demander où est le bien-fondé de ces luttes fratricides qui déchirent deux royaumes traditionnellement unis. Où est le bon droit ? Où est la justice ? La Normandie n'a-t-elle pas été, deux siècles et davantage, le fief des rois d'Angleterre ? Qu'il s'agisse du Bâtard ou du Plantagenet, n'ont-ils pas eu en légitime domaine toute une partie de la France, de la Seine aux Pyrénées ? Ils reconnaissaient pour ces territoires la souveraineté du roi et lui prêtaient hommage, il est vrai ; mais leurs sujets n'ont eu qu'à se louer de leur administration : témoins les vignerons et les commerçants du Bordelais, dont ils ont fait la fortune. Et qu'y a-t-il de juste dans ces querelles dynastiques qui divisent les princes ? Charles, renié par sa propre mère, est-il bien celui qui doit régner sur les lis ? Mille fables contradictoires circulent dans le peuple à ce sujet ; certains murmurent, et murmureront longtemps encore : « Il n'est pas *du lieu* », il n'a pas eu, en naissant, la fleur de lis marquée sur sa poitrine, comme l'a toujours l'héritier du trône, etc. — racontars sans grande portée, qui peuvent faire hausser les épaules, mais qui, néanmoins, font leur chemin ; encore après sa victoire, Charles VII aura l'occasion de gracier un bonhomme qui les aura répétés après boire et s'est fait pour cela appréhender par les sergents royaux, preuve qu'on leur accordait une certaine importance.

Et cette arrivée fulgurante du roi Henry V sur le sol de France, cette victoire d'Azincourt, où, dit-on, cinq mille archers anglais ont couché au sol, à un contre six, toute la chevalerie de France, n'était-elle pas voulue par le Ciel ? Et son fils Henry VI, né d'une princesse de France en légitime mariage, n'a-t-il pas seul droit au titre de roi de France, que lui a reconnu son grand-père Charles VI ? Jeanne n'est-elle pas venue contrarier une histoire dont le jugement de Dieu avait fixé le cours ?

Ces doutes-là, et bien d'autres, partagent l'opinion publique — du moins lorsqu'on a le loisir d'y penser, car il n'est guère de région en France où l'on ne sente cruellement le besoin de faire face aux nécessités les plus immédiates, sans trop chercher plus loin ; la vie quotidienne est pour le plus grand nombre la seule question urgente à résoudre. Il s'agit de tirer sa nourriture d'un sol ravagé, où se sont multipliées les terres en friche, où les vivres ne circulent plus sur des chemins livrés aux gens d'armes ; dans les villes, le ravitaillement est un problème, et le coût de la vie ne cesse de monter ; dans les campagnes, les bandes d'Écorcheurs sèment la panique ; et pas seulement sur le théâtre des opérations de guerre : un aventurier comme Rodrigue de Villandrando, l' « empereur des pillards », pourra rançonner à son aise le midi de la France, désoler le pays albigeois, tenir en échec les baillis royaux impuissants contre une soldatesque déchaînée ; jusqu'aux magistrats des villes — ceux de Bergerac, par exemple — qui se font rançonner ouvertement par les brigands. Ce mot même de « brigand », qui vient de *brigandine*, apparaît dans notre langue à cette époque : triste legs des années peut-être les plus sombres de notre histoire, celles où, effectivement, le brigandage était roi, où les paysans affolés se réfugiaient dans les cavernes et se creusaient des demeures souterraines, où le peuple se trouvait, de toutes parts, « mangé et oppressé ». Et comme il arrive toujours, aux horreurs de la guerre s'ajoutaient celles de l'épidémie : la peste, qui avait fait, un siècle plus tôt, son apparition en Europe, avait eu des retours terrifiants durant ces années noires : en 1439, elle avait encore enlevé, à Paris seulement, cinquante mille personnes.

A toutes ces causes de confusion s'était jointe pendant longtemps une navrante certitude, celle de ne pouvoir compter sur l'autorité royale. Celui qui trop longtemps avait été le dauphin sans espoir, le dérisoire roi de Bourges, l'adolescent renié, sur qui avait pesé par surcroît la terrible responsabilité de l'assassinat de Jean sans Peur, semblait être aussitôt après l'épopée de Jeanne retombé dans son apathie ; même après la libération de Paris, il avait mis dix-huit mois pour se décider à faire son entrée dans une capitale où tout l'attendait. Du moins, chaque retour à l'action avait-il été, les dernières années, marqué d'une victoire.

Or, au milieu de tant de misères et de confusion, une vérité apparaît clairement aux contemporains . l'histoire de Jeanne est associée à celle du roi Charles ; cela ne fait de doute pour personne. En le désignant comme « vrai héritier du trône », en le faisant sacrer à Reims, elle a lié sa cause à celle du prince. Et, non moins clair, ce sentiment que l'efficacité reste la pierre de touche : un bon arbre produit de bon fruit ; or, pour l'immense majorité, le bon fruit, c'est la paix que procurera la victoire, définitive, de l'une ou de l'autre partie : tenants de la double monarchie anglaise et tenants du roi de France ont plus ou moins consciemment assimilé la justice de leur cause avec l'issue des combats.

Cela, les Anglais l'avaient compris dès le début. On s'était plu à présenter le triomphe d'Azincourt comme le signe de la faveur divine ; on s'est acharné de même à détruire l'effet moral des victoires de Jeanne. Les arrêter, c'était arrêter les progrès de Charles VII ; mais cela ne suffisait pas. Il fallait la faire condamner comme une pitoyable aventurière, une hérétique obstinée, rebelle aux saintes lois de l'Église : alors la cause royale se trouverait à tout jamais compromise pour s'être servie des maléfices d'une illuminée. C'est bien ainsi qu'au fameux jour de l' « abjuration » de Jeanne, au cimetière Saint-Ouen, l'avait proclamé maître Guillaume Érard, dans son emphatique apostrophe : « Ah ! maison de France ! tu n'avais jamais connu de monstres jusqu'ici ; à présent te voilà déshonorée pour avoir prêté foi à cette femme magicienne, hérétique, superstitieuse.... » Et Jeanne avait aussitôt relevé l'astuce, en interrompant vivement : « Ne parle pas de mon roi, il est bon chrétien. »

C'est bien ainsi que le comprennent aussi les opportunistes, les politiciens de tous ordres. Le roi rentré à Rouen, la cause de Jeanne leur apparaît sous un jour tout nouveau ; les plus compromis ont fui en Angleterre, et leurs biens ont été confisqués ; pour les autres, une amnistie générale a été décrétée par Charles VII dès ses premières étapes sur le sol normand ; mais ils n'en suent pas moins la peur, ceux qui, vingt ans plus tôt, ont fait le mauvais choix ; on les verra accumuler excuses et prétextes à leur décharge, alléguer la crainte, les menaces, les pressions anglaises — ce qui, d'ailleurs, n'a été que trop vrai en bien des cas.

Il y en a pourtant qui ne s'avoueront pas vaincus : tout le clan des universitaires, des docteurs en Sorbonne. Pour eux, la cause avait été entendue avant d'être jugée. Certes, leur attachement personnel au parti anglais suffirait à rendre compte du ressentiment qu'ils éprouvent ; mais ce n'est pas seulement parce qu'elle était remplie des créatures de Bedford que la Sorbonne a témoigné contre Jeanne d'un tel acharnement, qu'elle a réclamé comme un privilège le droit de la juger, qu'elle a délégué à Rouen, lors du procès, ses plus habiles docteurs, un Guillaume Érard, un Thomas de Courcelles, et que, vingt ans plus tard, une sourde rancune percera encore dans les propos des juges qui survivent. C'est aussi, c'est peut-être surtout parce que le personnage même de Jeanne — ses « faits et ses dits », ses paroles et son comportement — heurtait de front la sagesse de ces sages : une simple femme qui, à la guerre, se trouvait plus experte qu'un capitaine, une paysanne ignorante qui se conduisait comme si elle en savait plus que ces docteurs détenant la clef de la science, une fillette de moins de vingt ans qui prétendait se fier à ses visions plus qu'à leurs lumières à eux : eux, les flambeaux de l'Église, eux qui allaient bientôt s'arroger le pouvoir de déposer le pape. Ceux-là, même la peur ne pourra leur faire oublier semblable outrecuidance, même leur défaite ne les fera pas changer d'avis ; les plus modérés — et parmi eux quelques-uns qui n'ont pas été impliqués dans l'affaire — resteront toujours sceptiques quand on leur parlera de la mission de Jeanne. Si du moins elle n'avait pas fait si grand cas de ses apparitions... ; mais parler de miracle et invoquer des visions sans y être autorisée par la seule autorité valable, celle de la Sorbonne, quelle arrogance intolérable !

L'ENQUÊTE ROYALE

Tel est à peu près l'état d'esprit régnant, au moment où Charles VII ouvre son enquête. L'événement a dû produire, dans la ville, un certain remous. Guillaume Bouillé, qui en était chargé, paraissait très qualifié pour remplir sa tâche : longtemps proviseur du collège de Beauvais, à Paris, il avait été, en 1439, donc quelque temps après la libération de la ville, nommé recteur d'une Université épurée. Charles VII l'avait choisi pour en faire l'un des membres du Grand Conseil. C'était, chose remarquable, une âme désintéressée : il devait renoncer volontairement aux bénéfices que lui avait valus son activité, et plus tard prescrire à ses exécuteurs testamentaires de l'enterrer sans aucune pompe. Enfin — et ce dernier trait justifie mieux que tout le reste le choix du roi — il avait apporté personnellement un vif intérêt à la cause posthume de Jeanne, puisque, avant d'être chargé de l'enquête, c'est lui qui avait rédigé le premier en date des mémoires écrits contre la validité du procès de Rouen. Il était bien l'homme du moment, celui que tout désignait pour poser la première pierre du monument de la réhabilitation.

Cela, il le prouva aussitôt par le choix des témoins qu'il assignait à comparaître, et aussi par la promptitude avec laquelle il les convoqua et entendit. Vingt jours ne s'étaient pas écoulés depuis la lettre citée que, le 4 mars 1450, le premier témoin appelé faisait sa déposition.

Il s'agissait de maître Guillaume Manchon, personnage d'importance capitale dans l'affaire, puisqu'il avait été le principal notaire au procès, et avait consigné toute la procédure, du début à la fin. Personne ne pouvait mieux que lui renseigner sur la façon dont les débats avaient été conduits ; aussi bien son audition occupe-t-elle seule la journée du 4 mars, tandis que les six autres témoins furent entendus le lendemain. C'étaient quatre frères domini-cains, appartenant tous au couvent Saint-Jacques de Rouen, dont deux, frère Martin Ladvenu et frère Isambart de la Pierre, avaient joué un rôle de premier plan, puisque le premier avait été le confesseur de Jeanne, et que l'un et l'autre l'avaient assistée continuellement à son dernier jour ; les deux autres, frère Guillaume Duval et frère Jean Toutmouillé, avaient pris part à quelques séances sur la fin du procès, et celui-ci avait accompagné Martin Ladvenu quand il avait administré à Jeanne le Saint Sacrement. Il s'agissait donc là des témoins des derniers instants, ceux qui pouvaient le mieux attester le comportement de Jeanne à l'heure suprême, qui aurait pu être celle d'une rétracta-tion escomptée par les juges : si Cauchon était resté là jusqu'au dernier moment, si, contrairement à la coutume, on n'avait pas bâillonné Jeanne, n'était-ce pas parce qu'on attendait d'elle un désaveu public qui eût définitivement ruiné la croyance en sa mission, et, par-delà, la cause royale ?

Enfin, deux autres personnages avaient été convoqués par Guillaume Bouillé ; personnages antithétiques : l'un est Jean Massieu, prêtre de mœurs douteuses, deux fois condamné pour mauvaise conduite, et qui exerçait au procès la charge d'huissier, ce qui signifie qu'il allait cher-cher Jeanne et l'escortait dans ses déplacements entre la prison et le lieu du procès ; or ce piètre individu s'est montré accessible à la pitié ; sans doute accumule-t-il à présent les détails qui peuvent le faire voir sous un jour favorable ; mais il semble en tout cas avoir été sincèrement ému par le sort de Jeanne et, à ses derniers moments, il est, avec Ladvenu et Isambart, le seul qui ait osé l'assister de tout son pouvoir. L'autre, Jean Beaupère, a été l'un des juges au procès de condamnation : c'est un universitaire gonflé de science et de logique, un très important prélat qui s'est distingué, tout au long de l'interminable concile de Bâle, par l'ardeur qu'il a mise, à la tête du clan des universitaires franco-anglais, à combattre le pouvoir pontifical ; et celui-là est de ceux qu'aucun sentiment de pitié n'atteindra jamais : il est sûr de détenir la vérité, et cette certitude lui suffit ; une seule trace de sentiment chez lui : la rancune. Il a souvent interrogé Jeanne, et c'est à lui qu'elle a fait quelques-unes de ses plus belles réponses — celle, par exemple, sur l'état de grâce : « Si j'y suis, Dieu m'y garde, et si je n'y suis, Dieu veuille m'y mettre » ; s'être fait ainsi remettre à sa place par une fille ignorante, il ne l'a pas pardonné, et ses réponses, maintenant qu'il est interrogé à son tour, sont pleines de fiel : « Elle était bien subtile, de subtilité appartenante à femme.... » Ajoutons, pour que rien ne manque au tableau, qu'il est, par son avarice, le digne émule de Cauchon : c'est pour venir revendiquer sa prébende de chanoine que Beaupère, qui résidait alors à Besançon, s'était rendu à Rouen juste à temps pour y être cité comme témoin.

Tels sont ceux qu'interrogea Guillaume Bouillé les 4 et 5 mars 1450 ; à eux sept, ils suffisaient, tant par leur personnalité que par les renseignements qu'ils étaient capables de fournir, pour que fût restituée l'atmosphère du procès et rappelée à grands traits la physionomie de Jeanne lors du jugement et du supplice. Or il en ressortait clairement que le procès de condamnation, tout en respectant, en apparence, les règles de droit et de procédure, comportait en réalité de graves irrégularités d'ordre juridique, qu'il était vicié quant au fond par l'évidente partialité des juges, que des pressions avaient été exercées jusque sur les greffiers ; en fin de compte, toute la condamnation reposait sur la reprise par Jeanne de l'habit d'homme, après qu'elle y avait renoncé : mais les témoins attestaient que cet habit d'homme, auquel les juges affectaient d'attacher une telle importance, Jeanne ne l'avait repris que pour se soustraire aux violences de ses geôliers.

En somme, tout ce procès n'avait été qu'une sombre comédie, montée pour discréditer la cause que Jeanne avait embrassée, et pour couper court à ses succès. C'est ce que put constater le roi lorsqu'on lui apporta, sous forme de lettres closes et scellées, les résultats de l'enquête qu'il avait ordonnée. Son sentiment ne l'avait pas trompé : l'invalidité du procès de condamnation en ressortait clairement. Et non moins clair, pour lui, ce sentiment qu'à travers Jeanne c'était la cause du roi de France qu'on avait voulu atteindre et déshonorer.

Il possédait désormais, sous forme de sept témoignages émanant tous de personnalités étroitement mêlées à l'affaire, tous les éléments nécessaires pour faire considérer la condamnation de Jeanne comme nulle et non avenue. Pourtant, l'entreprise était loin d'être à sa fin. Le roi se trouvait, en l'occurrence, parfaitement impuissant à faire officiellement effacer cette condamnation : il n'appartenait pas à ses tribunaux de dénouer ce qu'un tribunal ecclésiastique avait noué. Jeanne avait été condamnée par l'Inquisition ; elle était accusée d'hérésie : de cette accusation seule l'Église pouvait la laver. L'enquête de 1450 demeure donc tout officieuse et sans portée réelle ; mais elle a remué l'opinion, ramené l'attention sur le fait le plus extraordinaire de l'interminable guerre et ouvert les voies au procès de réhabilitation proprement dit.

LA FRANCE ET LA CHRÉTIENTÉ
A L'ÉPOQUE DE LA RÉHABILITATION

Or cette même année 1450 allait être une année décisive, tant pour la France que pour la Chrétienté.

D'abord, elle voit s'achever le « recouvrement de Normandie » à un rythme tout à fait imprévisible. Au moment même où les témoins cités comparaissaient devant Guillaume Bouillé, les 4 et 5 mars, Henry VI, inquiet de la tournure que prenaient les événements militaires, mettait au point le débarquement d'une nouvelle armée, destinée à arrêter l'avance française et à secourir Somerset, toujours retranché à Caen depuis la révolte des Rouennais. Il s'agis sait de frapper un grand coup. Le roi d'Angleterre voyait littéralement s'effriter sa puissance en Normandie ; depuis six mois, les villes tombaient les unes après les autres. Ç'avaient d'abord été Fougères, puis Verneuil, où Dunois et Talbot s'étaient trouvés face à face, comme jadis à Patay — mais Talbot n'avait même pas livré bataille — ; ensuite Pont-l'Évêque, Pont-Audemer ; à Lisieux, l'évêque de la ville, Thomas Basin, avait lui-même ouvert aux Français les portes de la vieille cité épiscopale et négocié sa reddition ; un peu partout ses collègues l'imitaient ; déjà l'ennemi occupait Coutances, Granville, Saint-Lô.

Henry VI, dont les finances étaient alors mal en point, décida de faire le plus grand effort de son règne et mit en gage les joyaux de la couronne. Il confia à Thomas Kyriel le débarquement et la conduite de l'expédition, qui toucha terre à Cherbourg, le 15 mars. Elle s'avança jusqu'à Formigny, où les forces du comte de Clermont l'obligèrent à se retrancher. Kyriel, sûr de lui, se préparait à y attendre Somerset qui, de Caen, devait opérer sa jonction avec les troupes fraîchement débarquées. Mais ce fut Richemont qui survint, balayant littéralement l'armée équipée à si grands frais. La journée de Formigny, le 15 avril 1450, était une réplique à celle d'Azincourt : les chiffres officiels fixaient à 3 774 le nombre des morts du côté anglais, et celui des prisonniers à 1 400, parmi lesquels Thomas Kyriel lui-même.

Le recouvrement de Normandie allait se poursuivre par la prise de Caen et la capture de Somerset, le 24 juin ; puis, le 12 août, par la conquête de Cherbourg. La Normandie, et avec elle la France septentrionale tout entière étaient redevenues françaises. Et le Mont-Saint-Michel, seul point demeuré obstinément fidèle au roi de France, voyait récompensée une résistance qui avait duré plus de trente ans, et cesser son grandiose isolement. Chose curieuse, celui qui avait, durant la plus grande partie de ce temps, assumé la défense de l'irréductible forteresse, Louis d'Estouteville, était le propre frère du prélat qui allait prendre en main la cause de Jeanne d'Arc et mener à bien sa réhabilitation.

Guillaume d'Estouteville se trouvait alors à Rome, où, quelque temps auparavant, il avait été nommé cardinal au titre de Saint-Martin-des-Monts, de Rome ; c'était un bénédictin, qui, entré au prieuré de Saint-Martin-des-Champs, à Paris, y avait acquis le grade de docteur en droit canon avant d'être, à la cour de Rome, l'un des soutiens d'Eugène IV pendant un des pontificats les plus tourmentés de l'histoire. Comme Normand et comme proche parent de Charles VII (cousin issu de germain, sa grand-mère maternelle était la sœur du roi Charles V), il devait suivre avec attention les événements qui se déroulaient alors dans sa patrie.

A ce moment-là, d'ailleurs, Rome était tout entière absorbée par la célébration de l'année jubilaire, au milieu d'une affluence de pèlerins et dans un déploiement de ferveur qui surprenaient les autorités ecclésiastiques elles-mêmes : pour citer un exemple, la seule ville de Danzig voyait partir plus de deux mille pèlerins pour Rome.

Or la papauté sortait à peine de la longue crise dans laquelle l'avaient plongée, au lendemain même du Grand Schisme, les erreurs et les exigences du concile de Bâle. Nicolas V, élu en 1447, recueillait les fruits de la fermeté de son prédécesseur, cet étonnant Eugène IV, dont tout le pontificat avait été marqué d'événements dramatiques : assiégé dans Rome par les Colonna, il lui avait fallu faire face à la fois au désarroi d'une population barricadée dans la ville, à la défection de ses troupes, aux conspirations ourdies jusque dans le château Saint-Ange — et cela, quelques semaines à peine après son élection, d'ailleurs au moment même où se déroulait, à Rouen, le procès de Jeanne (mars-mai 1431) — ; frappé d'hémiplégie trois mois plus tard, en août 1431, malade, à demi impotent, il n'en avait pas moins tenu tête pendant seize ans aux pères du concile, contre la faction qui voulait mettre la papauté en tutelle et se trouvait conduite, précisément, par ceux-là mêmes qui venaient de condamner Jeanne : les Jean Beaupère, les Thomas de Courcelles, les Nicolas Midy, les Guillaume Érard, toute l'Université anglophile de Paris. Il avait même préparé l'abdication de l'antipape élu par le concile, ce Félix V, qui n'était qu'un seigneur laïque, d'ailleurs père de neuf enfants (Amédée VIII, duc de Savoie), quand les pères, en pleine fureur de rébellion, vinrent le chercher dans son château de Ripaille, sur les bords du lac Léman, pour le substituer au pontife qui osait leur résister. Le roi de France avait pris une part active à cette abdication, et, chose curieuse, l'un des négociateurs envoyés par lui à l'antipape pour le persuader de se soumettre n'est autre que Dunois, le compagnon de Jeanne.

Face aux désordres de cette assemblée de Bâle, à l'orgueil de ces universitaires, à l'avarice de ces politiciens qui la composaient, le peuple chrétien, lui, montrait un extraordinaire renouveau de foi et de piété, que cette année sainte de 1450 lui donnait l'occasion de manifester. Après les relâchements du début du siècle, c'était une reprise inattendue, suscitée en particulier par les frères mendiants — franciscains et dominicains — dont la prédication remuait les foules. Du temps même de Jeanne, deux prédicateurs fameux avaient soulevé de véritables vagues humaines, et leur piété personnelle — autant que leur zèle de convertisseurs — devait les faire canoniser peu de temps après leur mort : saint Vincent Ferrier, qu'on appelait l'Ange du Jugement, et dont on avait sollicité l'avis pour mettre fin au Grand Schisme, et cet étonnant saint Bernardin de Sienne, qui fascinait les foules par le prestige que lui valaient à la fois son exceptionnelle beauté et son absolue chasteté. Peut-être est-ce à des influences comme la leur qu'il faut attribuer l'élan qui, en 1450, rassemblait à Rome des foules enthousiastes, dont la présence paraissait ratifier la victoire toute récente de la papauté sur les mauvais bergers.

Tout un ensemble de circonstances se trouve ainsi favoriser les étapes de la réhabilitation de Jeanne : rétablissement du royaume, rétablissement du pouvoir pontifical ; et comme Charles VII avait toujours soutenu sincèrement celui-ci contre les factieux de Bâle et leur antipape, les voies étaient singulièrement aplanies vers le dénouement d'une affaire qui ne pouvait être tranchée que sur l'initiative de l'Église.

Il ne s'écoulera pourtant pas moins de six années entre la première et la dernière étape de la réhabilitation, entre l'enquête officieuse de Guillaume Bouillé en mars 1450 et les cérémonies officielles qui, le 7 juillet 1456, marqueront la plus grande victoire de Jeanne, celle qu'elle remporta sur ses juges. Années lourdes d'histoire, qui composent un arrière-plan shakespearien à ce passionnant procès de réhabilitation.

D'abord, elles voient s'achever l'accomplissement des

prophéties de Jeanne. La campagne de Guyenne, entreprise dès 1449, se trouve close en 1453, quand, le 19 octobre, Bordeaux, ville pourtant plus qu'à demi anglaise, fait retour au roi de France ; les dernières armées anglaises quittaient la ville, adressant au passage un salut mélancolique à cette tour de Cordouan, que leur Prince Noir avait fait élever jadis à l'entrée de la Gironde. Les Anglais se trouvaient « boutés hors de France » par une série de victoires propres à ébranler les pires scepticismes : Talbot lui-même, le fameux Talbot, l'adversaire de Jeanne, dont elle avait fait jadis un prisonnier à Patay, avait trouvé la mort sur le champ de bataille de Castillon, le 17 juillet 1453. Pour l'ex-roi de Bourges, le chétif adolescent réduit à la misère et à la solitude, dont le trésorier, dira-t-on au procès, « n'avait alors quatre écus, soit du roi, soit du sien », quelle étonnante revanche ! Charles d'Orléans pouvait s'écrier, lui qui savait mieux qu'un autre ce que signifiaient pareilles victoires :

> Réjouis-toi, franc royaume de France,
> A présent Dieu pour toi se combat...

Et sa voix faisait curieusement écho aux derniers vers qu'écrivit Christine de Pisan — elle qui avait eu, juste avant sa mort, le temps d'apprendre la délivrance d'Orléans, et à qui l'on doit le seul poème français consacré à Jeanne de son vivant :

> L'an mil quatre cent vingt et neuf
> Reprit à luire le soleil...
> Car toi, Pucelle bien heurée
> Tu as la corde déliée
> Qui tenait France étroit liée...

Enfin arraché à ses doutes, Charles VII fit frapper par la Monnaie de Paris plusieurs médailles commémoratives dont les légendes rendent un son triomphant : « Gloire et paix à toi, roi Charles, et louange perpétuelle. La rage des ennemis a été vaincue, et ton énergie, grâce au conseil du Christ et au secours de la loi, refait le royaume ébranlé par une crise si longue. »

Dans le même temps, une terrible nouvelle venait désoler la Chrétienté : les Turcs s'étaient emparés de Constantinople. Le dernier bastion de la Chrétienté en

Orient s'était effondré sous la pression ottomane, après une résistance héroïque, au matin du 29 mai 1453 ; on avait retrouvé, parmi les cadavres des combattants, celui du dernier empereur byzantin, Constantin Dragasès, et l'envahisseur impitoyable en avait fait embaumer la tête pour l'envoyer successivement comme trophée dans les principales villes de son nouvel empire ; dans l'ivresse de la victoire, Mahomet II avait fait massacrer les femmes et les enfants qui avaient cherché refuge dans la basilique de Sainte-Sophie et avait aussitôt transformé en mosquée ce haut lieu de la Chrétienté, en récitant, debout sur l'autel, les versets du Coran. Réponse tragique aux appels que, depuis plus d'un siècle, les souverains pontifes lançaient sans espoir aux princes chrétiens. Leur seule réaction devant la catastrophe sera, à la cour de Bourgogne, un an plus tard, un banquet : le fameux festin du « Vœu du Faisan », où, dans un grand déploiement d'argenterie, d'étoffes précieuses et de mets compliqués, fut apporté sur la table un faisan « tout vif et orné d'un très riche collier d'or, très richement garni de pierreries et de perles », sur lequel Philippe le Bon fit — une fois de plus — l'inutile serment de se croiser. Les princes d'Occident ne devaient comprendre — à peine — que lorsqu'ils virent le Croissant sous les remparts de Vienne. Seule, semble-t-il, la papauté mesura ce qu'avait d'irréparable cette rupture entre l'Orient et l'Occident ; elle arrivait à un moment où l'on avait cru pouvoir réaliser cette union entre l'Église orthodoxe et l'Église romaine, tant de fois projetée, et qui semblait toute proche sous Eugène IV, dans le même temps où les prélats du concile de Bâle, complètement insensibles aux intérêts de l'Église universelle, tentaient de provoquer un nouveau schisme. Le grand déchirement de 1453 allait rendre définitif le repli de l'Orient sur lui-même.

PREMIÈRE ÉTAPE DE LA RÉHABILITATION: L'ENQUÊTE ECCLÉSIASTIQUE

Si étonnant que cela puisse paraître, ces vastes événements qui mettaient l'Église et la Chrétienté en péril auront leur répercussion sur la cause de Jeanne. C'est, avant tout, parce qu'il sentait l'imminence du péril turc que Nicolas V, reprenant une fois de plus les projets de croisade, tentait de ménager la paix entre les princes chrétiens et, pour cela, décidait, le 13 août 1451, d'envoyer en France, comme légat, Guillaume d'Estouteville. Celui-ci eut tôt fait de comprendre qu'une question restait pendante, qu'il fallait trancher à tout prix : le procès de Jeanne d'Arc, par lequel on avait voulu atteindre la légitimité de la cause du roi de France. De toute évidence, Charles VII tenait à ce que la revision du procès fût entreprise ; il y avait personnellement intérêt, sa cause s'étant trouvée liée à celle de Jeanne.

Nombreux sont les historiens qui en concluent que, dès lors, ce procès de réhabilitation fut affaire purement politique. Quelques-uns vont plus loin et ne voient dans l'ensemble que pur opportunisme : l'Église condamne Jeanne quand c'est la fortune du roi d'Angleterre qui semble l'emporter, elle s'empresse de la réhabiliter quand le roi de France triomphe.

Ces vues apparaissent bien sommaires pour peu qu'on pénètre le détail du procès. Il est hors de doute que le roi tenait à la réhabilitation de Jeanne ; c'est même une action tout à son honneur (et il n'y en a pas tellement dans son existence pour qu'on passe celle-ci sous silence) que d'avoir fait ce qui était en son pouvoir pour l'entreprendre dès l'instant où il l'a pu : soit moins de deux mois après la libération de Rouen [1]. Il a pris à sa charge les frais du procès — ce qui était somme toute la moindre des choses. A-t-il réellement pesé sur son déroulement, a-t-il « dirigé » de loin les interrogatoires ou influé sur les juges ? Peut-on, le moins du monde, comparer son action avec celle d'un Warwick, gouverneur du roi d'Angleterre, pour ne citer que celui-là, sur les juges de Rouen ? En ce cas, on peut s'étonner de son manque d'efficacité : comment a-t-il fallu plus de six années pour faire reviser un procès qui avait été mené en trois mois ? Et comment se fait-il que certains des anciens juges, interrogés pour la réhabilitation, aient persisté à nier la sainteté des révélations de Jeanne ? Il faut croire qu'en ce qui les concerne le « dirigisme »

---

1. Sa lettre à Guillaume Bouillé est datée, nous l'avons vu, du 15 février 1450 : c'était six jours après la mort d'Agnès Sorel, et l'on sait combien le roi pleura la « Dame de Beauté ». On peut en déduire qu'il méditait depuis longtemps déjà d'entreprendre cette enquête.

royal n'allait pas très loin, pas plus qu'il ne réussissait à activer les lenteurs de la cour de Rome.

Quant à l'Église, elle ne donne nullement l'impression de « s'empresser » pour complaire au roi : on aurait plutôt le sentiment contraire, celui de retards qui, à distance, étonnent dans une cause qui nous paraît, à nous, si aisément jugée. Et, il faut bien le remarquer, au moment où la réhabilitation est entreprise, les Anglais sont encore, en France, maîtres de toute la Guyenne, et rien ne peut faire prévoir, après tout, que la cause du roi de France est définitivement gagnée. Mieux : c'est au moment où, en 1453, la victoire de Castillon chasse l'ennemi que l'affaire marque un temps : deux années s'écoulent sans qu'aucun progrès soit accompli.

S'il est raisonnable de penser que Charles VII donna l'impulsion première au procès — ce qui était d'ailleurs son rôle et, mis à part son intérêt personnel, constituait un geste de réparation élémentaire —, il semble que l'on puisse, tout aussi raisonnablement, laisser aux enquêteurs et aux juges de la réhabilitation le bénéfice d'une entière bonne foi et aussi d'une vraie liberté d'opinion. Guillaume d'Estouteville n'a peut-être entrepris sa tâche que pour complaire au roi, mais on peut penser que les sentiments personnels de ce Normand de vieille souche correspondaient assez à ceux du roi, et aussi à ceux du peuple, qui, incontestablement, voyait en Jeanne « la bonne Lorraine » ; s'il mit du dévouement au service de sa cause, ce n'est peut-être pas seulement par basse flatterie. L'évolution qu'a suivie le procès nous montrera d'ailleurs, plus d'une fois, les enquêteurs dépassés par leur enquête, et étonnés eux-mêmes de ce qu'elle leur fait découvrir.

Toujours est-il que, reçu par le roi, à Tours, en février 1452, Guillaume d'Estouteville, deux mois plus tard, se dirigeait vers Rouen.

Le procès de condamnation de Jeanne avait été mené par un tribunal d'Inquisition ; or il ne pouvait être fait appel de l'Inquisition ; seule l'Inquisition elle-même pouvait prendre l'initiative d'une procédure qui annulerait la première. Guillaume d'Estouteville se mit donc en rapport avec l'inquisiteur général de France.

Il n'eut vraisemblablement pas de peine à l'intéresser à la cause : le dominicain Jean Bréhal, qui venait d'être désigné pour occuper cette haute fonction, était, comme lui, un Normand, et tout ce que l'on sait de sa vie et de sa personne dénote une activité vigoureuse en même temps que de profondes qualités morales. Sans cesser d'exercer sa charge, il allait être désigné par ses frères comme prieur du couvent Saint-Jacques de Paris (ce couvent des « Jacobins » qui eut par la suite son heure de célébrité), et, beaucoup plus tard, sur la fin de son existence, c'est à lui que l'on confiera le soin de réformer le couvent d'Évreux, où lui-même avait jadis fait sa profession.

Pour nous, sa vie est marquée surtout par les deux grandes affaires qu'il réussit à mener à bien, simultanément, montrant dans l'une et l'autre autant d'assiduité que de courage : le procès de réhabilitation de Jeanne et la querelle des ordres mendiants. Deux affaires dans lesquelles il fait face à la même ennemie : l'Université de Paris, et qui contribueront d'ailleurs à jeter sur les docteurs de la Sorbonne un discrédit dont profiteront, par la suite, les érudits de la Renaissance.

On sait comment, depuis deux siècles déjà, les séculiers de l'Université avaient tenté, avec des fortunes diverses, d'interdire aux frères mendiants — dominicains, franciscains, carmes et augustins — d'enseigner et même de confesser. Des troubles parfois sanglants, des grèves qui s'étaient étendues sur des années entières, avaient marqué les phases d'une lutte qui venait d'être ravivée par une bulle de Nicolas V, confirmant, en 1448, les lettres apostoliques délivrées l'année précédente par Eugène IV aux frères mendiants que la papauté avait toujours soutenus dans leurs revendications. La présentation de cette bulle déchaîna des tempêtes auxquelles Jean Bréhal, en sa qualité de mendiant et d'inquisiteur, fit front avec autant d'audace que d'adresse, puisqu'il sut intéresser à la cause le connétable Arthur de Richemont en personne et qu'en fin de compte, en 1457, le pape ayant encore une fois cassé les décisions de l'Université de Paris, les frères se trouvèrent intégralement rétablis dans leurs privilèges. On peut penser que les Jean Beaupère, les Thomas de Courcelles, anciens juges de Jeanne, suppôts de la Sorbonne et adversaires de la papauté, ne l'eurent pas en odeur de sainteté.

Quoi qu'il en soit, c'est avec une promptitude allègre

qu'à la demande de Guillaume d'Estouteville, nous voyons Jean Bréhal, à la fin d'avril 1452, s'atteler à une cause dont il poursuivra d'un bout à l'autre et personnellement l'exécution, celle de la réhabilitation de Jeanne.

Pour pouvoir ouvrir régulièrement le procès, il fallait d'abord qu'une enquête fût faite sur les causes et les conditions de la condamnation. Sauf accusation formelle ou dénonciation, tout procès d'Inquisition devait obligatoirement s'appuyer sur cette enquête préalable. Celle de Guillaume Bouillé n'ayant pas été menée par un tribunal ecclésiastique et suivant les formes requises, on ne pouvait en tenir compte ; pourtant les prélats se la firent remettre, ainsi que les pièces du procès de condamnation. Guillaume d'Estouteville avait amené avec lui en France deux jurisconsultes romains, Paul Pontanus et Théodore de Leliis, l'un secrétaire, l'autre consulteur de la légation ; de passage à Rouen, ils prirent connaissance de ces mêmes documents et ils devaient, par la suite, verser leur consultation au dossier de la réhabilitation.

L'enquête ecclésiastique s'ouvrit sans tarder, dès le 2 mai 1452. Cette fois, les interrogatoires allaient être conduits suivant les formes régulières ; il ne s'agit plus, comme dans l'enquête royale menée deux ans auparavant, de recueillir des souvenirs, mais d'élucider les causes et les conditions d'une condamnation portée vingt ans plus tôt. On dressa donc, comme cela se fait aujourd'hui encore dans les tribunaux d'officialité, un interrogatoire sur lequel les témoins cités étaient appelés à fournir leur réponse. La tâche des deux prélats, en dressant cet interrogatoire, consistait à faire le procès du procès, puis à reprendre les principaux chefs d'accusation pour examiner leur bien-fondé.

Quelles étaient au juste les raisons qui avaient fait condamner Jeanne comme hérétique ? La sentence de condamnation en énumérait douze, que l'on peut ramener aux conclusions suivantes :

— Jeanne prétend avoir eu des visions : saint Michel, sainte Catherine, sainte Marguerite lui apparaissent corporellement et leurs révélations lui permettent de connaître l'avenir ;

— Elle porte un habit d'homme et s'est mêlée de guerres et de batailles ;

— Elle se dit en état de grâce et sûre de son salut ;

— Elle refuse de soumettre ses actes et ses croyances à la juridiction de l'Église militante.

Autrement dit, aux yeux des juges de la condamnation, Jeanne était coupable d'erreurs de foi, de blasphèmes et de rébellion envers l'Église. D'autre part, après avoir reconnu et abjuré son erreur, elle y était retombée, et c'est en tant que « relapse » qu'elle avait subi la peine du feu.

L'interrogatoire dressé pour l'enquête de 1452 devait permettre de réfuter ces accusations ; on y reconnaît aisément la main de Guillaume Bouillé, car il s'appuie en grande partie sur les irrégularités et les causes d'invalidité que son enquête, à lui, avait mises en évidence. Ce premier questionnaire comporte douze articles [1], destinés à faire ressortir :

— Les vices de fond du premier procès, soit la partialité des juges, provenant tant de leurs sentiments personnels que de leur collusion, prouvée par les faits, avec le parti anglais ;

— Les vices de forme, en particulier le fait que Jeanne, tout en étant poursuivie et jugée par un tribunal ecclésiastique, demeurait détenue en prison laïque, et le fait de l'incompétence de Cauchon ; celui-ci avait réclamé l'affaire en tant qu'évêque de Beauvais, sous prétexte que Compiègne, où Jeanne avait été faite prisonnière, relevait de l'évêché de Beauvais, mais, selon les règles du droit canonique, Jeanne ne pouvait être jugée pour hérésie que par l'évêque du lieu dont elle était originaire, ou de celui où elle aurait commis l'hérésie ;

— L'innocence de Jeanne quant aux prétendues accusations : sa fidélité personnelle, sa soumission au pape et à l'Église ;

— Le prétexte invoqué pour la condamner comme relapse, soit les raisons qui la déterminèrent à reprendre l'habit d'homme ;

— Enfin, dernier point, très significatif de la mentalité

---

1. Plusieurs historiens ont insisté sur ce parallélisme entre les douze articles de l'accusation et les douze articles de la réhabilitation, mais, comme on va le voir, ce questionnaire en douze articles n'a été, en réalité, que très peu utilisé : deux jours exactement ; le questionnaire qui a réellement servi de base à la procédure de réhabilitation, tant pour l'enquête préalable que pour le procès, comporte vingt-sept articles.

médiévale, la notoriété de chacun de ces faits. C'est l'un des traits spécifiques du Moyen Age, tout au moins dans sa grande époque — et il en restait quelque chose au temps de Jeanne —, que d'accorder à la parole cette confiance que nous n'accordons qu'aux écrits : on pourrait presque expliquer le contraste avec l'époque classique par le fait que celle-ci développe une civilisation littérale, par opposition à la civilisation verbale qui fleurit à l'âge féodal. Quoi qu'il en soit, on persistait alors, et notamment dans les tribunaux ecclésiastiques, plus conservateurs que les autres, à prêter une grande attention à la renommée publique, à la *vox populi*, à l'ouï-dire ; de même que tous les procès d'inquisition étaient précédés d'une *inquisitio famœ*, enquête portant spécialement sur la réputation dont jouissait l'accusé aux lieux où il avait vécu ; de même, ici, l'un des points du questionnaire est-il destiné à établir si « toutes et chacune des choses susdites, à savoir la condamnation de Jeanne, la haine et la partialité déréglée des juges, furent et sont de notoriété publique et de commune assertion, notoirement dites et connues dans la cité et diocèse de Rouen et dans tout le royaume de France ».

C'est sur ce questionnaire que, les 2 et 3 mai, furent interrogés, en présence de Guillaume d'Estouteville et de Jean Bréhal, cinq témoins, dont trois avaient déjà comparu devant Guillaume Bouillé : Guillaume Manchon, le notaire, Martin Ladvenu, le confesseur, et Isambart de la Pierre ; avec eux comparurent l'un des assesseurs du premier procès, Pierre Miget ou Migier, et un simple bourgeois de Rouen, le maçon Pierre Cusquel, qui avait ses entrées au château de Rouen, grâce à son maître « Jean Son » (Johnson), le maître d'œuvre, c'est-à-dire l'architecte ou l'entrepreneur de maçonnerie, et qui dans cette affaire représente assez bien la voix populaire (« tout le monde avait pitié d'elle... », « les gens disaient que la seule raison pour laquelle elle était condamnée, c'était parce qu'elle avait repris l'habit d'homme... »).

Guillaume d'Estouteville fut, sur ces entrefaites, obligé de quitter Rouen pour se rendre à Paris ; il désigna en son lieu et place, pour poursuivre les interrogatoires, le trésorier de la cathédrale, Philippe de la Rose ; c'est avec celui-ci que Jean Bréhal allait achever l'enquête commencée.

Dès le 4 mai, il lançait dix-sept nouvelles assignations à comparaître ; les témoins étaient cités pour le lundi suivant, 8 mai. Mais, dans l'intervalle, les deux ecclésiastiques, jugeant sans doute que le questionnaire, dans sa forme condensée, était insuffisant, le développèrent en vingt-sept articles qui demeurèrent par la suite la base de toute la procédure de réhabilitation.

Ces vingt-sept articles reprennent les points essentiels du premier questionnaire, mais en insistant sur certains et en y ajoutant quelques faits qui avaient passé inaperçus. Ils font ressortir notamment :

— La haine que les Anglais portaient à Jeanne ;

— Le manque de liberté qui en découlait, pour des juges étroitement surveillés par eux ;

— En particulier, les menaces et pressions dont les notaires furent l'objet ;

— Le défaut d'avocat, contraire au droit ;

— La détention de Jeanne en prison laïque, irrégulière elle aussi ;

— Les moyens employés pour l'exciter, en sous-main, à la rébellion envers l'Église ;

— La façon dont furent menés les interrogatoires ;

— Les sentiments réels de Jeanne : sa piété, sa soumission au pape et à l'Église ;

— Le subterfuge employé par les juges, se gardant de dissiper l'ignorance de Jeanne quant au terme d' « Église militante » ;

— Les discordances entre le texte latin et le texte français du procès ;

— L'incompétence des juges ;

— L'étonnante contradiction par laquelle on accorda, à une hérétique, ou jugée telle, les derniers sacrements ;

— Le défaut de sentence séculière avant l'exécution ;

— L'attitude de Jeanne à ses derniers moments ;

— La cause réelle du procès, soit le désir de discréditer le roi de France ;

— Enfin, la notoriété publique de chacun de ces faits.

Lorsqu'on compare ces deux questionnaires [1], on mesure l'immense progrès que deux journées d'enquête avaient fait accomplir dans l'esprit des juges. La plupart des

1. Nous en donnons en annexe le texte original.

articles ajoutés ne font, en effet, que formuler ce que les témoins ont affirmé les 2 et 3 mai, et ce sont des causes de nullité auxquelles les enquêteurs n'avaient pas songé tout d'abord. Ainsi les menaces et pressions exercées sur les notaires, ou même sur les juges du procès de condamnation, lorsqu'ils ne montraient pas envers Cauchon toute la docilité voulue ; ou encore le désir des Anglais de discréditer la cause royale, faisant désormais l'objet de l'article XXVI. Tout l'ensemble du questionnaire se trouve rédigé en termes beaucoup plus assurés, comme si les juges considéraient dorénavant, sinon comme acquises, du moins comme méritant examen, des causes de nullité auxquelles ils ne s'étaient pas arrêtés. Il devait d'ailleurs se produire, au cours de ce procès de réhabilitation, nombre de révélations qui, toutes, jouèrent en faveur de Jeanne ; elles donnent à l'ensemble de l'affaire son allure si vivante : on a l'impression d'un constant progrès vers la vérité.

Sur ces bases nouvelles, on reprit donc l'interrogatoire à la date du 8 mai. Les témoins que l'on venait d'interroger comparurent de nouveau ; d'autres furent convoqués — qui pour la plupart auraient visiblement donné beaucoup pour n'être pas là : il s'agit d'anciens assesseurs au procès de condamnation, inégalement coupables, mais qui font tous triste figure [1].

Ce que les enquêteurs conclurent d'après les dépositions entendues, on en aura quelque idée si l'on sait que, un mois plus tard, le 9 juin, se trouvant de passage à Orléans, Guillaume d'Estouteville, en sa qualité de légat du Saint-Siège, accordait des indulgences à tous ceux qui assisteraient à la procession et aux cérémonies qui avaient lieu dans cette ville le 8 mai, jour anniversaire de la levée du siège, en l'honneur de Jeanne. C'est donc que son opinion à lui était faite.

A la même époque, Bréhal et Bouillé passèrent par Orléans, où ils furent reçus avec enthousiasme par la municipalité, qui leur offrit un vin d'honneur.

1. On lira leurs dépositions (chapitre VIII : *Les Témoins de Rouen*, p.   ). Il s'agit surtout de Nicolas Caval, André Marguerie, Richard du Grouchet, Jean Fabri, Guillaume du Désert, assesseurs de Nicolas Taquel, notaire ; quelques-uns n'ont joué aucun rôle actif, comme Jean Favé, Jean Riquier, Thomas Marie ; un seul est un ancien juge qui a eu le courage de résister à Cauchon et qui a été emprisonné pour cela : Nicolas de Houppeville.

Ils se rendaient alors, après avoir conféré avec d'Estouteville lors de leur passage à Paris, au château de Cissay où résidait le roi, pour lui faire part du tour que prenaient les choses ; il avait du reste été informé officiellement de leur venue par une lettre du légat, datée du 22 mai. On peut penser qu'il fut fort satisfait des résultats d'une enquête qui venait confirmer celle que lui-même avait ordonnée deux ans plus tôt. Dès, ce moment il faisait verser à Jean Bréhal une somme de cent livres pour l'indemniser des frais du procès, et, un peu plus tard, toujours pour ses frais de voyage et autres, une indemnité de vingt-sept livres.

Dans les premiers jours de juillet 1452, il accordait une audience à Guillaume d'Estouteville, au château de Mehun ; cette entrevue précédait d'un an presque jour pour jour la fameuse bataille de Castillon, livrée le 17 de ce même mois, et au cours de laquelle Talbot, l'ex-adversaire de Jeanne, devait trouver la mort ; le parallélisme est curieux entre ces deux dates.

L'enquête terminée, la réhabilitation de Jeanne entrait dans une seconde phase, plus spécialement juridique et théologique ; il s'agissait d'examiner les données qu'elle fournissait à la lumière du droit, tant civil que canonique, et de la théologie. C'est alors que Jean Bréhal rédige son *Summarium*, résumé de l'affaire, destiné à être examiné par les docteurs et juristes pour solliciter leur avis. Telle était la procédure régulière en matière de foi, et Cauchon lui-même l'avait respectée en recueillant de même, sur les assertions de Jeanne, l'avis des spécialistes ; mais le texte de base qu'il leur avait fourni était alors vicié : « Elle se prétend en état de grâce..., elle refuse de se soumettre à la détermination de l'Église », ainsi présentait-on, en les déformant, les réponses de l'accusée.

Dans son *Summarium*, Bréhal reprend, l'un après l'autre, les chefs d'accusation ; pour chacun d'eux, il expose le fait, puis, extraites des procès-verbaux de la condamnation, les réponses s'y rapportant ; ensuite, il pose une question : doit-on, d'après ces réponses, tirer la même conclusion que celle qu'en tirèrent les juges de Rouen, et qui est contenue dans la sentence de condamnation ?

Puis il se mit en devoir de recueillir sur la question des avis autorisés ; un grand nombre de docteurs et de canonistes furent ainsi consultés, dont les mémoires allaient être versés au dossier de la réhabilitation. Citons en particulier, en dehors des deux jurisconsultes romains déjà mentionnés, Paul Pontanus et Théodore de Leliis, maître Robert Cybole, ancien recteur de l'Université et chancelier de Notre-Dame de Paris : Élie de Bourdeilles, frère franciscain, alors évêque de Périgueux, et surtout Thomas Basin, évêque de Lisieux et futur historien de Charles VII. On s'adresse aussi à maître Pierre L'Hermyte, sous-doyen de Saint-Martin de Tours, à Guy de Vorseilles, de Tours également, à Jean de Montigny, canoniste de l'Université de Paris. Jean Bréhal alla jusqu'à consulter des docteurs étrangers, par exemple, le frère Léonard de Brixenthal, dominicain et professeur à l'Université de Vienne.

Par la suite, les enquêteurs allaient étudier de même le mémoire de Jean Gerson, écrit dès 1429 à la gloire de Jeanne, ainsi que celui de l'archevêque d'Embrun, Jacques Gélu, qui date de la même époque. Enfin, ils allaient solliciter des consultations de Martin Berruyer, évêque du Mans, et de Jean Bochard, évêque d'Avranches. Il n'y a pas un canoniste en renom qui n'ait dit son mot sur l'affaire, et cela suffirait à indiquer dans quel esprit consciencieux elle fut étudiée.

Sur ces entrefaites, et dès la fin de l'année 1452, Guillaume d'Estouteville était retourné à Rome, où il dut mettre Nicolas V au courant de ses travaux ; il y a, évidemment, une relation de cause à effet entre la tâche qu'il avait entreprise et sa nomination à l'archevêché de Rouen, qui date du 30 avril 1453.

Pourtant l'affaire marque un temps. Non pas tellement en ce début de l'année 1453, occupée, on l'a vu, par les consultations, mais plutôt dans la suite. Il est vrai que la cour de Rome avait alors d'autres préoccupations, puisque la chute de Constantinople y fut apprise le 8 juillet de cette année. Les historiens se sont interrogés sur les retards apportés alors à la réhabilitation ; certains ont voulu y voir le reflet des hésitations de Nicolas V. Ne peut-on pas penser, plus simplement, que pour le pape l'affaire passait alors au second plan, devant l'ampleur des événements d'Orient ? Tout l'effort des dernières années de son pontificat semble avoir été consacré à susciter une croisade contre les Ottomans. Aux sollicitations de Guillaume d'Estouteville, Charles VII avait opposé un semblant d'adhésion qui, visiblement, n'était qu'un refus déguisé ; Henry VI, un refus formel ; mais la cour de Bourgogne semblait disposée à fournir un effort ; dans l'église Saint-Donatien de Bruges, Philippe le Bon faisait placer un tronc destiné à recevoir « les aumônes de Turquie » ; il allait même se croiser avec éclat, quoique sans effet ; et que ne pouvait-on attendre, après tout, de ce prince, le « grand-duc du Ponant », le plus puissant sans conteste de la Chrétienté. L'espoir de voir ses efforts aboutir ne suffirait-il pas à expliquer que Nicolas V ait négligé tout ce qui ne concernait pas directement la croisade ?

Quoi qu'il en soit, on ne voit pas que l'affaire ait avancé pendant une année environ. Le 28 juillet 1454, Guillaume d'Estouteville fait son entrée solennelle à Rouen, où il est intronisé dans son archevêché. A peu près à la même époque, on constate que Jean Bréhal fait un voyage à Rome, et les comptes qui en mentionnent le remboursement disent expressément que c'est pour aller « devers N. S. P. le pape touchant le procès de feu Jeanne la Pucelle ».

On a supposé — et l'hypothèse ne paraît pas sans fondement — que ce fut lors de ce voyage que Bréhal remit au souverain pontife le texte de la supplique demandant l'ouverture du procès de réhabilitation. Le pape seul, en effet, pouvait prendre la décision de l'ouvrir : encore fallait-il qu'il fût officiellement saisi d'une demande dans ce sens. L'un des docteurs dont on avait sollicité la consultation, Jean de Montigny, émettant un avis entièrement favorable à Jeanne, avait ajouté : « Bien que plusieurs personnes puissent être partie civile, comme tous ceux que la chose regarde sont à entendre, et qu'elle regarde plusieurs personnes en général et en particulier, toutefois pour le présent, il nous semble que les proches parents de la Pucelle défunte doivent avoir le pas sur les autres et doivent être admis à ce procès comme poursuivant l'injure faite à l'une des leurs dans le meurtre et le lamentable étouffement de ladite Pucelle. » Il y avait là toute une procédure esquissée. C'est celle que l'on eut la sagesse de suivre.

Le père de Jeanne, Jacques Darc, son frère aîné Jacques ou Jacquemin, et sa petite sœur Catherine, étaient morts tous les trois ; mais sa mère Isabelle Romée et ses deux frères Pierre et Jean vivaient toujours. Ils habitaient Orléans, où la municipalité pensionnait la mère de Jeanne ; Charles d'Orléans, à son retour de captivité, avait fait don à Pierre (anobli, ainsi que son frère, sous le nom de du Lys) de l'île aux Bœufs, située sur la Loire. C'est à eux que l'on confia le soin de se porter partie civile, et cela donne à tout le procès de réhabilitation un intérêt humain qui eût manqué à propos de la personne si simplement humaine que fut Jeanne. La famille devait se choisir pour avocat maître Pierre Maugier, docteur en droit canon et ancien recteur de l'Université ; elle désigna, de plus, divers fondés de pouvoir au cours du procès, pour la représenter aux audiences qui eussent nécessité de trop longs déplacements ; le principal et le plus assidu de ces procureurs fut un nommé Guillaume Prévosteau, un Normand, conseiller de l'Échiquier, qu'en 1452, Guillaume d'Estouteville avait désigné comme promoteur de la cause.

On ne sait exactement où en était la procédure lorsque Nicolas V mourut, le 24 mars 1455. Néanmoins, il est vraisemblable qu'elle se trouvait en bonne voie, car son successeur n'occupait le trône pontifical que depuis deux mois à peine lorsqu'il délivra à Isabelle Romée et à ses fils, le 11 juin 1455, le rescrit qui les autorisait à engager le procès. Calixte III, de son nom Alphonse Borgia, allait être à la fois le pape de la réhabilitation et celui du triomphe des frères mendiants sur l'Université ; c'était une personnalité vigoureuse ; il s'était déjà signalé pendant le Grand Schisme et aussi après, en ramenant à l'unité de l'Église son compatriote Gilles Muños, l'antipape de Peñiscola, qui avait quelque temps porté la tiare sous le nom de Clément VIII. Saint Vincent Ferrier avait exercé sur lui une profonde influence et lui avait jadis, à Valence, prédit son élévation au pontificat.

Le rescrit du 11 juin faisait droit à la supplique de la famille d'Arc et désignait trois commissaires chargés de « faire rendre en dernier ressort une juste sentence » ; le choix de la papauté était en l'occurrence particulièrement heureux : il s'agissait de Jean Jouvenel des Ursins, archevêque de Reims, et précédemment évêque de Beauvais, où il s'était trouvé le successeur immédiat de Cauchon ; de Guillaume Chartier, évêque de Paris, et frère d'Alain Char-

tier qui, jadis, avait célébré les exploits de Jeanne dans
une lettre enthousiaste, et de Richard Olivier, évêque de
Coutances et membre du chapitre cathédral de Rouen
— tous trois prélats éminents, et qui, tant par leur personne que par les charges qu'ils exerçaient, devaient être
amenés à porter un vif intérêt à la cause de Jeanne. Tous
avaient été dans le passé partisans résolus du roi de France ;
Richard Olivier avait même pris une part active au retour
de Charles VII à Rouen.

Le vrai procès de Jeanne allait enfin commencer.

LE PROCÈS DE RÉHABILITATION

Il s'ouvrit sur une scène extraordinairement pathétique.
La première audience solennelle, après d'inévitables délais
nécessaires pour permettre aux divers intéressés de prendre
contact, avait été fixée au 7 novembre 1455. Elle eut lieu
à Notre-Dame de Paris. Dans ce sanctuaire où se sont ins-
crites, plus ou moins, toutes les grandes pages de notre
histoire, au matin, les commissaires pontificaux (à l'excep-
tion de Richard Olivier, alors en ambassade auprès du duc de
Bourgogne), accompagnés de Jean Bréhal, vinrent occuper
leurs sièges, à l'entrée de la grande nef.

On vit alors s'avancer une vieille paysanne, soutenue
par ses fils, et entourée de tout un groupe de prélats et de
simples gens : c'était Isabelle Romée, qu'escortaient, avec
ses fils Pierre et Jean (les procès-verbaux définitifs ne
mentionnent que le premier, mais leur rédaction primitive
mentionne aussi la présence du second fils Jean), tout un
cortège d'habitants d'Orléans. Elle se prosterna « avec de
grands soupirs et gémissements », et, « en une plainte
lamentable et lugubre supplication », tendit aux commissaires, en exposant sa requête, le rescrit pontifical, que l'un
des assistants lut à sa place.

Or l'annonce de cette audience avait attiré dans la
cathédrale une foule qui grossissait à chaque instant.
Les plaintes d'Isabelle, reprises par le groupe qui l'entou-
rait, trouvèrent bientôt dans cette foule un écho qui
remplit la vaste nef. Une fois de plus, Jeanne soulevait
l'émotion populaire ; ces foules qui avaient été, à Orléans,
à Reims, à Rouen, témoins de ses exploits, de son triomphe

et de son martyre, venaient une fois de plus témoigner pour elle à Notre-Dame, au cœur du royaume. Il est extraordinaire de penser au pouvoir d'émotion populaire que n'aura cessé de posséder, pendant sa vie et après sa mort, cette fille du peuple ; chaque acte important de sa vie a déplacé des foules et, depuis cinq cents ans, on l'honore par des processions et des cortèges ; c'est vainement qu'on chercherait, dans nos annales, un exemple comparable.

Quoi qu'il en soit, les manifestations devinrent si violentes que les prélats s'en trouvèrent débordés (« tous les assistants vociféraient avec elle », écrivent les procès-verbaux). Ils durent en hâte se réfugier dans la sacristie pour se soustraire à l'agitation et au vacarme, entraînant avec eux Isabelle et ses conseillers ; là, ils lui prodiguèrent les paroles de consolation, l'interrogèrent sur elle-même et sur sa fille, l'assurèrent enfin de leur sollicitude et de celle du Saint-Siège à son endroit, se déclarant prêts à tout mettre en œuvre pour faire ressortir l'innocence de Jeanne, et la justice de sa cause.

Après cette journée intensément émouvante, assignation fut donnée aux parties pour le 17 novembre, dans la grande salle des audiences de l'évêché de Paris. Isabelle Romée comparut de nouveau avec ses fils, toujours accompagnée de ses amis d'Orléans et de l'avocat de la famille, Pierre Maugier. L'assistance était imposante : autour de l'archevêque de Reims, de l'évêque de Paris, et de l'inquisiteur du royaume avaient pris place les abbés des grandes abbayes parisiennes : Saint-Denis, Saint-Germain-des-Prés et Saint-Magloire, ceux de Saint-Lô au diocèse de Coutances, de Saint-Crépin au diocèse de Soissons, et de Cormeilles au diocèse de Lisieux. Guillaume Bouillé était là, lui aussi ; enfin deux greffiers, qui, déjà, avaient été présents à Notre-Dame, prenaient des notes pour les procès-verbaux des séances : Denis Lecomte et François Ferrebouc, tous deux gradués en droit canon.

Il est tentant d'établir un parallèle entre cette assemblée et celle qui, à Rouen, vingt-quatre ans plus tôt, avait prononcé la condamnation de Jeanne. L'une et l'autre sont également composées de prélats, d'abbés, de docteurs. Mais, à Rouen, celui qui présidait n'était qu'un évêque en rupture d'évêché, qui, Français, avait fui par deux fois, à Reims et à Beauvais, devant l'approche des armées

françaises ; il avait abandonné son diocèse, tout comme
le promoteur d'Estivet ou comme le juge Jean Jolivet,
abbé du Mont-Saint-Michel, qui avait abandonné sa glorieuse abbaye ; quant au vice-inquisiteur, il n'assistait
au procès — les témoignages sont unanimes à ce sujet —
que contraint et forcé. Il serait facile, mais superflu, de
poursuivre, car le procès des juges de Jeanne a été fait
depuis longtemps, qu'il s'agisse des créatures avouées du
parti anglais, comme Beaupère, Loiseleur ou Nicolas Midy,
des coureurs de bénéfices comme Zanone de Castiglione,
d'universitaires desséchés comme Thomas de Courcelles
ou Guillaume Érard, ou simplement de lâches dans le
genre de Pierre Miget ou d'André Marguerie.

Ce qui est surtout remarquable, c'est la différence d'atmosphère : à Paris, l'audience est publique, et toutes les séances
auront lieu au grand jour, alors qu'à Rouen on jugeait à huis
clos, dans une forteresse ; l'accusée n'avait même pas eu un
avocat pour se défendre, alors qu'ici les héritiers de Cauchon pourront se constituer un procureur qui réclamera
pour la succession de l'évêque le bénéfice de l'amnistie
accordée par Charles VII à son entrée sur le sol normand ;
enfin et surtout, aux menaces, aux pressions exercées lors
du premier procès s'oppose la liberté dont jouissent indé-
niablement les témoins partout où on les interrogera : que
certains d'entre eux se soient empressés de tourner casaque
pour se faire bien voir, c'est chose courante et qui ne juge
qu'eux-mêmes, mais il est impressionnant qu'un Nicolas
Caval, qui était l'ami personnel de Cauchon, qui avait
conduit ses obsèques et fait exécuter ses dispositions
testamentaires, ait pu en toute tranquillité venir déposer et
rester sur ses anciennes positions, sans même se déjuger
ou rétracter quoi que ce soit.

Une circonstance, évidemment, l'emporte sur toutes les
autres : le procès de condamnation s'était déroulé au plus
fort de la guerre, dans une région fermée sur elle-même, où
l'occupation ennemie entraînait son inévitable cortège de
bassesses, de trahisons, d'étouffantes misères, matérielles
et morales ; la réhabilitation bénéficie d'une paix radieuse,
dans un pays rendu à lui-même, où les communications
sont redevenues faciles, où déjà revient la prospérité, où
l'amnistie générale a provoqué une détente immédiate.

Audiences et dépositions vont donc se poursuivre, selon

une procédure sereine et bien ordonnée ; elles vont refaire, en émouvantes étapes, les chemins que Jeanne avait elle-même suivis, et appeler tour à tour, à la barre des témoins, le plus déconcertant défilé de prélats et de paysans, d'hommes de guerre et d'hommes de loi, de princes du sang et de « laboureurs »; tous auront leur mot à dire sur Jeanne, tantôt d'humbles souvenirs — ceux chez qui elle venait filer à la veillée —, tantôt de stupéfiants faits d'armes, et tantôt de tragiques histoires de prison et de bûcher. Chacun parlera son langage — langage précis de juriste, langage direct de guerrier, langage laborieux et un peu monotone d'homme de la terre — et tous contribueront, par petites touches, à tracer le plus étonnant portrait de notre histoire : celui d'une fillette qui n'avait pas vingt ans et ne savait *a* ni *b*, mais qui a ressuscité un royaume et désigné son roi.

CHAPITRE PREMIER

LE PROCÈS DU PROCÈS

C'EST à ces témoins du procès de réhabilitation que nous laisserons la parole désormais. Rien de plus pathétique que de suivre à travers leurs dépositions les progrès d'une vérité qui se fait jour peu à peu dans l'esprit des commissaires chargés de la réhabilitation, de découvrir avec eux ce qui était demeuré caché ou obscur pour l'opinion publique, de sentir leurs soupçons se muer en convictions établies sur les faits révélés à l'audience. Même lorsqu'il s'agit d'un événement aussi connu que le procès de Jeanne d'Arc, la lecture directe du texte présente avec les meilleurs récits toute la différence qui existe entre un tableau et la meilleure des reproductions.

La question qui se posait pour les commissaires du Saint-Siège était alors : Jeanne était-elle hérétique? Pour nous, celle qui vient à l'esprit serait plutôt : comment était-on arrivé à faire de Jeanne une hérétique? Les premières audiences de la réhabilitation fournissent la réponse à l'une et à l'autre, en nous dévoilant les dessous du premier procès, qu'un très petit nombre de témoins étaient seuls à connaître.

Ces audiences eurent lieu à Rouen, car il avait été décidé que la procédure de réhabilitation se poursuivrait dans la même ville qui avait été le théâtre de la condamnation. Les commissaires pontificaux s'y transportèrent ; Isabelle Romée et ses fils y constituèrent des procureurs, et l'on assigna toutes les personnes intéressées à comparaître du 12 au 20 décembre. Des affiches furent mises aux portes des églises, des proclamations lues dans les rues, comme il était habituel en pareil cas.

Les principaux témoins cités recevaient d'autre part des sommations personnelles, ce qui entraîna, par exemple, à

Beauvais, une scène singulière : un chanoine de la cathédrale, maître Jean de Frocourt, chargé de faire les citations aux successeurs respectifs des principaux acteurs du procès, Cauchon, d'Estivet et le vice-inquisiteur Jean Lemaître, se transporte au palais épiscopal ; il rencontre par hasard, se promenant ensemble sous une galerie du palais, ceux qu'il devait joindre : Guillaume de Hellande, alors évêque de Beauvais, et le promoteur du diocèse, maître Réginald Bredouille, qui avait pris la suite du promoteur Jean d'Estivet ; avec eux se trouvait le prieur des dominicains de la ville, frère Germain de Morlaines ; il leur lit l'acte d'assignation, et aussitôt les trois interlocuteurs de se récrier : ni les uns ni les autres ne tenaient à prendre la défense de leurs prédécesseurs.

En ce qui concernait le prieur des dominicains, la position était délicate : on lui demandait en effet de pressentir le vice-inquisiteur Jean Lemaître ; il déclara qu'il ne connaissait aucun vice-inquisiteur de son ordre, ni à Beauvais ni dans le diocèse. Lemaître vivait-il encore ? C'est douteux ; son existence est attestée en janvier 1452, mais après cette date on n'en trouve plus trace. Peut-être cachait-il sa honte et ses remords au fond de quelque couvent : incontestablement, il avait autrefois essayé de se dérober, et c'est d'ailleurs par dérogation spéciale qu'il avait assisté au procès : sa charge en effet n'était valable qu'auprès de l'archevêque de Rouen, or Cauchon était évêque de Beauvais, mais il lui fallait de toute nécessité un représentant de l'Inquisition pour valider le procès. En tout cas, s'il vivait encore, ce n'était certainement pas à Beauvais.

Une séance très importante eut lieu le 15 décembre 1455, dans la grande salle du palais archiépiscopal de Rouen : c'est alors que fut désigné, pour remplir les fonctions du ministère public, maître Simon Chapitault, licencié en droit canon.

Reconnu dans l'assemblée, celui qui avait été notaire au procès de condamnation, Guillaume Manchon, fut invité à remettre entre les mains du tribunal toutes les pièces qu'il détenait encore.

Ce sont les dépositions de ce notaire Guillaume Manchon, faites tant au cours des enquêtes préliminaires dont nous avons parlé qu'au cours du procès lui-même (en particulier le 17 décembre 1455, séance presque entièrement consacrée à l'audition du personnage) qui permettent le mieux de suivre les étapes du « procès du procès », de se rendre compte des méthodes employées par les juges pour tendre à Jeanne les pièges dans lesquels elle devait succomber, et aussi des truquages apportés à la procédure par Cauchon et ses complices.

Au moment où il comparaît à Rouen devant les commissaires apostoliques, Manchon exerce toujours sa charge de notaire à l'officialité de cette ville ; il est aussi curé de la paroisse Saint-Nicolas-le-Paincteur, et jouit d'une prébende de chanoine à la collégiale Notre-Dame-d'Andely. Un honnête homme, visiblement ; son honnêteté lui avait même valu d'être mal vu des Anglais ; c'est ce qu'attestera, plus tard, un témoin, Jean Favé :

« J'ai entendu dire que les Anglais furent mécontents de messire Guillaume Manchon, notaire en cette cause, et qu'ils le tinrent pour suspect et favorable à Jeanne, parce qu'il ne venait pas volontiers et ne leur obéissait pas au doigt et à l'œil.... »

Au moment de la réhabilitation, Manchon est âgé d'une cinquantaine d'années. Voici comment il s'explique sur l'office qu'il a rempli :

GUILLAUME MANCHON

J'ai été notaire au procès de Jeanne depuis le commencement jusqu'à la fin, et avec moi maître Guillaume Colles, dit Boisguillaume.... En écrivant ce procès, je reçus souvent des reproches de monseigneur de Beauvais et des juges qui voulaient me contraindre à écrire selon leur imagination et contre l'entendement de Jeanne. Quand il y avait quelque chose qui ne leur plaisait pas, ils défendaient de l'écrire en disant que cela ne servait pas au procès ; mais je n'écrivis jamais que selon mon entendement et conscience.

Or des procédés inavouables ont été employés pour extorquer à Jeanne prétendus aveux et les enregistrer :

43

A mon avis (*c'est toujours Manchon qui parle*) tant de la part de ceux qui avaient la charge de mener et conduire le procès, c'est-à-dire monseigneur de Beauvais et les maîtres qu'on envoya querir à Paris pour cette cause [1], et aussi les Anglais en l'instance desquels le procès se faisait, on procéda par haine et mépris à l'égard du roi de France comme il apparaît pour la raison qui suit :

Premièrement, un nommé maître Nicolas Loiseleur, qui était familier de monseigneur de Beauvais et tenait extrêmement le parti des Anglais (car autrefois, le roi étant devant Chartres [2], il alla querir le roi d'Angleterre pour faire lever le siège), feignit qu'il était du pays de la Pucelle et par ce moyen trouva manière d'avoir actes, entretien et familiarité avec elle [3], en lui disant des nouvelles du pays à elle plaisantes, et demanda être son confesseur ; et ce qu'elle lui disait en secret, il trouvait moyen de le faire venir à l'ouïe des notaires. Et de fait, au commencement du procès, moi-même et Boisguillaume, avec témoins, fûmes mis secrètement en une chambre proche, où était un trou par lequel on pouvait écouter, afin que nous puissions rapporter ce qu'elle disait ou confessait audit Loiseleur. Et il me semble que ce que la Pucelle disait ou rapportait familièrement à Loiseleur il nous le rapportait, et de ce était fait mémoire pour trouver moyen de la prendre captieusement....

Au commencement du procès, pendant cinq ou six jours, comme je mettais par écrit les réponses et excuses de la Pucelle, quelquefois les juges me voulaient contraindre,

---

1. Les maîtres délégués par l'Université de Paris, Jean Beaupère, Thomas de Courcelles, Nicolas Midy, Jacques de Touraine, Pierre Maurice et Gérard Feuillet.

2. Allusion au siège de Chartres en 1421, que fit lever le roi d'Angleterre Henry V ; c'est alors que Nicolas Loiseleur, chanoine de Chartres, passa dans le camp anglais. Il devint peu après chanoine de Rouen et fut l'un des principaux artisans du procès, avec Beaupère et Midy, aux ordres de Cauchon.

3. Dans sa prison.

en traduisant en latin, à mettre en d'autres termes, en changeant le sens de ses paroles, ou d'autre manière que je ne l'entendais. Et furent mis deux hommes du commandement de monseigneur de Beauvais en une fenêtre près du lieu où étaient les juges ; et il y avait un rideau de serge, passant par-devant la fenêtre afin qu'ils ne fussent pas vus. Ces hommes écrivaient et rapportaient ce qui était à la charge de Jeanne, en taisant ses excuses. Et il me semble que c'était Loiseleur (qui était caché). Et après la séance, en faisant collation de ce qu'ils avaient écrit, les deux autres rapportaient en autre manière et ne mettaient point les excuses de Jeanne. A ce sujet monseigneur de Beauvais se courrouça grandement contre moi. Et dans les parties où l'on trouve au procès la mention *Nota*, c'était où il y avait controverse et où il convenait de recommencer de nouvelles interrogations ; et l'on trouvait que ce qui était écrit par moi était vrai.

Une autre partie de sa déposition, revenant sur le sujet, révèle qui étaient ces hommes cachés, tout au moins l'un d'entre eux.

Au début du procès, quand Jeanne était interrogée, il y avait des notaires cachés dans une fenêtre, dissimulés derrière des rideaux pour qu'on ne les voie pas. Je crois que maître Nicolas Loiseleur était caché avec eux et qu'il regardait ce qu'écrivaient ces notaires ; ils écrivaient ce qu'ils voulaient, en omettant les excuses de Jeanne. Moi-même j'étais aux pieds des juges avec Guillaume Colles et le clerc de maître Jean Beaupère qui écrivait ; mais il y avait de grandes différences dans nos écritures, si bien qu'entre nous naissaient de vives contestations ; et à cause de cela, comme je l'ai déjà dit, là où les points étaient douteux, j'écrivais un *Nota* pour que Jeanne soit de nouveau interrogée à ce sujet.

La vilaine besogne dont s'était chargé ce Nicolas Loiseleur est confirmée par d'autres témoins ; en particulier par celui qui fut l'huissier au procès.

JEAN MASSIEU

J'ai entendu dire que maître Nicolas Loiseleur, feignant d'être un Français prisonnier des Anglais, entra parfois secrètement dans la cellule de Jeanne et lui persuada de ne pas se soumettre au jugement de l'Église, autrement elle s'en trouverait trompée.

Un autre l'atteste aussi : Guillaume Colles, dit Boisguillaume, qui avait été le second notaire au procès.

GUILLAUME COLLES

Maître Nicolas Loiseleur, feignant être prisonnier du parti du roi de France et du pays de Lorraine, entrait parfois dans la prison de Jeanne en lui disant de ne pas croire ces gens d'Église « car si tu les crois, tu mourras ». Je crois que l'évêque de Beauvais savait bien cela, car autrement ce Loiseleur n'aurait pas osé faire des choses pareilles ; aussi beaucoup de ceux qui assistaient au procès murmuraient contre ce Loiseleur.

Effectivement l'un des anciens juges, Pierre Miget, avait protesté.

PIERRE MIGET

J'ai entendu dire que, durant le cours du procès, il y avait des gens cachés derrière les rideaux dont on disait qu'ils écrivaient quelques-uns des aveux et des paroles de Jeanne ; mais qu'est-ce qui a été fait au juste, je ne sais ; j'ai entendu dire cela par maître Guillaume Manchon....

Je m'en suis plaint au juge, disant que cela ne me paraissait pas une bonne manière d'agir. Quoi qu'il en soit de ces notaires qui étaient cachés, je crois qu'il est tout à fait vrai que les notaires qui signèrent le procès furent fidèles, et que c'est fidèlement qu'ils ont rédigé ce qui est contenu dans le procès.

En homme soigneux qu'il était, Guillaume Manchon avait conservé la minute française du procès, rédigée au moment même des interrogatoires. Invité à la remettre entre les mains du tribunal, on revint sur toutes les surcharges qu'elle portait, notamment les mentions : « *Nota* », qui revenaient souvent en marge. Manchon s'en expliqua une fois de plus.

GUILLAUME MANCHON

Dans les premiers interrogatoires de Jeanne, il y eut grand tumulte, aux premiers jours, dans la chapelle du château de Rouen, et presque chaque parole de Jeanne était interrompue, quand elle parlait de ses apparitions, car il y avait là certains secrétaires du roi d'Angleterre, deux ou trois, qui enregistraient comme ils le voulaient les dits et dépositions de Jeanne, omettant ses excuses et ce qui pouvait être à sa décharge. Je me suis donc plaint de cela, disant que, à moins qu'on n'introduise un autre ordre, je ne me chargerais plus de la tâche d'écrire en cette matière ; à cause de cela, le lendemain, on changea d'endroit, et l'on se réunit dans une cour du château près de la grande cour ; il y avait deux Anglais pour garder la porte. Et comme quelquefois il y avait difficulté sur les réponses et les dits de Jeanne, et que certains disaient qu'elle n'avait pas répondu comme je l'avais écrit, là où il y avait difficulté, je mettais : *Nota*, en tête, de façon qu'elle soit interrogée de nouveau et que la difficulté soit éclaircie. Voilà d'où viennent ces *Nota*, mis en tête des articles.

Il possédait aussi l'un des exemplaires authentiques du procès, en latin, qu'il fut invité à reconnaître officiellement au moment où il le déposait au tribunal.

J'affirme que c'est le vrai procès fait au cours de la cause et je reconnais ma signature et celle de mes compagnons ; il contient la vérité ; moi-même l'ai fait avec les deux autres exemplaires, dont un fut donné à monseigneur l'inquisiteur, un autre au roi d'Angleterre et un autre à monseigneur l'évêque de Beauvais. Ces textes du procès ont été faits d'après la minute en français que j'ai donnée aux seigneurs juges et qui est écrite de ma propre main. Ces procès furent ensuite traduits de français en latin par maître Thomas de Courcelles et moi-même dans la forme qu'ils ont à présent, aussi bien que cela put se faire et selon la vérité, longtemps après la mort et l'exécution de Jeanne.

Ainsi l'instrument définitif, le texte officiel du procès, celui auquel on aurait eu recours, le cas échéant, si l'on avait voulu étudier ce procès, ou en contrôler la procédure, n'avait été mis en forme que longtemps après la mort de Jeanne, et c'est maître Thomas de Courcelles, l'un des universitaires délégués à Rouen par la Sorbonne, qui avait été chargé de le traduire en latin. Le fait, nous le verrons, allait prendre une certaine importance.

En attendant, comme tout demandait à être soigneusement contrôlé, les commissaires soumirent ces textes aux autres notaires du procès de condamnation, qui, en audience, garantirent publiquement leur authenticité. D'abord celui que nous avons déjà nommé : Guillaume Colles, surnommé Boisguillaume, greffier, comme Manchon, près l'officialité de Rouen.

GUILLAUME COLLES

On lui montre un exemplaire du procès dans lequel il reconnaît sa signature à la fin et qu'il identifie comme l'un des exemplaires originaux sur les cinq qui ont été faits, à ce qu'il dit.

Il y avait comme autres notaires dans ce procès, messire Guillaume Manchon et messire Nicolas Taquel, qui rédigèrent fidèlement interrogations et réponses comme il est contenu dans cet exemplaire du procès ; le matin nous enregistrions interrogations et réponses, et après déjeuner nous en faisions ensemble collation ; et nous autres notaires n'aurions rien fait pour quoi que ce soit, car nous ne craignions personne à ce sujet.

Ce Nicolas Taquel dépose ensuite ; il n'avait pas assisté aux premières séances de la condamnation.

NICOLAS TAQUEL

... J'ai eu connaissance de Jeanne pendant le procès qui fut mené contre elle sur matière de foi ; j'ai été dans ce procès l'un des notaires, bien que je n'y aie pas été au début, comme cela apparaît d'après ma souscription ; je ne l'ai pas été non plus dans le temps où le procès avait lieu dans la grande cour, mais seulement au moment où le procès eut lieu dans la prison. A ce qu'il me semble, j'ai commencé à m'en mêler le 14 mars 1431, comme il ressort de ma lettre de commission à laquelle je me rapporte. Depuis ce moment-là, j'ai été présent en tant que notaire aux interrogatoires et réponses de Jeanne, bien que je n'écrivisse pas. Mais j'entendais et m'en référais aux deux autres notaires, c'est-à-dire Boisguillaume et Manchon qui écrivaient, surtout Manchon.

On lui montre un exemplaire du procès signé de son seing manuel, et il reconnaît ce seing et déclare avoir apposé son seing sur cet exemplaire et avoir certifié ce qui y était contenu ; il reconnaît également le seing manuel de Manchon et de Boisguillaume ; il déclare que ce procès fut rédigé dans la forme dans laquelle il est longtemps après la mort de Jeanne ; mais à quel moment, au juste, il ne le sait pas.

J'ai eu pour mes peines et travaux dix francs, bien qu'il m'eût été dit que j'en aurais vingt. Ces dix francs m'ont été donnés par la main d'un certain *Benedicite* [1], mais d'où venait l'argent, je n'en sais rien.

LES DOUZE ARTICLES DE LA CONDAMNATION

Or l'examen des pièces ainsi déposées entre leurs mains et solennellement reconnues par les divers greffiers, allait provoquer au sein du tribunal quelques surprises.

En particulier, la question des articles qui avaient servi de base à la condamnation leur parut nécessiter des éclaircissements. A la suite des interrogatoires, le promoteur Jean d'Estivet avait extrait, des réponses de Jeanne, soixante-dix articles sur lesquels devaient se fonder les délibérations et la sentence ; procédure absolument régulière en pareil cas ; dans les causes d'Inquisition, on rédigeait ainsi, sous forme de propositions soumises ensuite aux juges, la doctrine de l'accusé telle qu'elle ressortait de ses réponses. Mais, chose singulière, au lieu de ces soixante-dix articles, c'était un texte assez court, ne contenant plus que douze articles, qui avait servi de base aux consultations et entraîné la sentence finale. Les commissaires s'adressèrent à Manchon pour obtenir des éclaircissements sur la rédaction de ces douze articles, et le dialogue suivant s'engagea :

Comment se fait-il que, bien que le promoteur ait dressé soixante-dix articles contre Jeanne, ces articles se soient trouvés, à la fin du procès, réduits à douze? Qui a fait les douze articles, et pourquoi les articles rédigés par le promoteur n'ont-ils pas été insérés dans la sentence...?

1. C'était le surnom du promoteur, Jean d'Estivet.

— Bien avant que les articles contenus dans le procès eussent été rédigés, Jeanne avait été interrogée plusieurs fois et avait fait de nombreuses réponses ; sur ces interrogations et réponses furent faits, avec le conseil des assistants, les articles que rédigea le promoteur, pour que les matières sur lesquelles elle avait été interrogée, qui étaient dispersées, fussent mises en ordre ; et ensuite elle fut interrogée sur toutes et il fut conclu par les conseillers, et surtout par ceux qui étaient venus de Paris, que, comme de coutume, de tous les articles et réponses, il fallait faire quelques courts articles et résumer les principaux points pour présenter la matière en bref afin que les délibérations pussent se faire mieux et plus rapidement ; c'est pour cela que furent rédigés les douze articles ; mais ce n'est pas moi qui les ai faits, et je ne sais qui les a composés ou extraits.

— Comment a-t-il pu se faire qu'une telle multitude d'articles et de réponses aient été réduits en douze articles, surtout dans une forme si éloignée des confessions de Jeanne, car il n'est pas vraisemblable que des hommes si importants aient voulu composer de tels articles ?

— Je crois que, dans le texte principal du procès fait en français, j'ai inséré la vérité des interrogatoires et des articles dressés par le promoteur et les juges, et des réponses de Jeanne ; quant aux douze articles, je m'en rapporte à ceux qui les ont composés, à qui je n'aurais pas osé contredire, pas plus que mon compagnon.

— Quand ces douze articles ont été insérés, avez-vous fait collation de ces articles avec les réponses de Jeanne pour voir s'ils correspondaient à ces réponses ?

— Je ne me souviens pas.

Manchon aurait dû se souvenir. A cet instant on lui mit sous les yeux une feuille écrite de sa main, tirée du dossier qu'avaient réuni l'avocat et les procureurs de la famille d'Arc. Sur cette feuille, le notaire avait relevé, dans la rédaction des douze articles, des discordances avec les réponses de Jeanne, qui allaient parfois jusqu'à contredire purement et simplement celles-ci ; ainsi, la phrase fameuse de Jeanne, disant qu'elle se soumettait à l'Église, « Dieu premier servi », devenait : « Elle ne veut pas se soumettre à la détermination de l'Église militante, mais à Dieu seul. » Le notaire avait donc proposé, après confrontation des articles avec les réponses contenues au procès, diverses additions et corrections ; cette notule, portant les corrections de sa main, était datée du 4 avril 1431, deux mois donc avant la conclusion du procès. Or, il n'en avait été tenu aucun compte, et c'est sans aucune correction que les articles avaient été soumis aux consultations de juristes et de théologiens auxquels Cauchon s'était adressé, comme il était obligatoire de le faire en pareil cas.

On fit venir les trois notaires, Manchon, Boisguillaume et Taquel, qui reconnurent sans hésiter l'écriture de Manchon sur la notule, et l'interrogatoire se poursuivit en ces termes :

Pourquoi les articles n'ont-ils pas été corrigés ? Comment se fait-il qu'ils aient été insérés au procès sans corrections ? Furent-ils, à votre connaissance, portés à la délibération des juges avec corrections ou sans corrections ?

LES NOTAIRES

— Cette notule est écrite de la main de Manchon ; qui a fait les douze articles, nous n'en savons rien ; il fut dit à ce moment-là que c'était la coutume de rédiger des articles tels que ceux-ci et de les extraire des confessions de ceux qui étaient accusés en matière d'hérésie ; et que c'était ainsi qu'avaient coutume de faire, à Paris, en matière de foi, les maîtres et docteurs en théologie. Nous croyons que, en ce qui concerne la correction à faire à ces articles, ce fut transcrit comme il apparaît dans la notule qui nous a été montrée et que nous avons reconnue ; quant à savoir si cette correction a été ajoutée dans les articles envoyés tant à Paris qu'ailleurs, pour en délibérer, nous n'en savons rien ; nous croyons que non, car il ressort d'une autre notule écrite de la main de maître Guillaume[1] d'Estivet, promoteur de la cause, qu'ils furent transmis le lendemain par ce d'Estivet sans correction. Pour le reste, on s'en rapporte au procès.

On demande à Manchon s'il croit que ces articles ont été composés en esprit de vérité, car il y a une grande différence entre ces articles et les réponses de Jeanne :

MANCHON

Ce qui est dans mon texte du procès est vrai ; quant aux articles, je m'en rapporte à ceux qui les ont faits, car ce n'est pas moi qui les ai faits.

— Les délibérations furent-elles faites sur tout le procès, ou sur ces douze articles ?

— Je crois que les délibérations n'ont pas été faites sur tout le procès, car il n'était pas encore mis en forme, et ne fut rédigé dans la forme dans laquelle il est qu'après la mort de Jeanne ; mais les délibérations ont été faites sur ces douze articles.

— Ces douze articles ont-ils été lus à Jeanne ?

— Non.

On imagine, à ce moment-là, un silence dans l'assemblée.

— Vous êtes-vous aperçu de la différence entre ces articles et les réponses de Jeanne ?

— Je ne me souviens pas ; ceux qui les exhibaient disaient que c'était la coutume d'extraire des articles de ce genre. Mon attention n'a pas été attirée là-dessus, et

1. Erreur du greffier pour : Jean d'Estivet.

d'ailleurs, je n'aurais pas osé en remontrer à de si importants personnages.

On lui montre l'instrument de la sentence, signé de sa main et de celle des autres notaires, dans lequel ces articles avaient été introduits.

— Avez-vous signé cela, et pourquoi avez-vous introduit là les douze articles et non la rédaction du promoteur ?

— J'ai signé cet instrument, ainsi que mes compagnons ; quant à ce qui est dit dans la sentence, je m'en rapporte à ce que disaient les juges ; pour les articles il a plu aux juges qui ont voulu cela de les faire ainsi.

Appelé à confirmer ces dires, Boisguillaume reste évasif :

BOISGUILLAUME

... Je sais bien que, dans le procès, il y a douze articles; mais qui les a faits, et s'ils sont étrangers aux confessions de Jeanne, je m'en rapporte au procès ; car ce n'est ni moi ni les autres notaires qui les fîmes.

Et Taquel se récuse aussi :

TAQUEL

J'ai entendu les notaires parler de certains articles qui devaient être faits ; mais qui les fit, je n'en sais rien. Je sais qu'ils furent envoyés à Paris ; s'ils furent signés ou non, je ne m'en souviens pas. Je crois ne les avoir pas signés, mais je ne me souviens pas d'avoir jamais signé quoi que ce soit, si ce n'est le procès et la sentence.

On lui demande si, une fois ces articles extraits et vus par les juges, il fut décidé qu'ils seraient corrigés.

Je ne me souviens pas.

Ainsi, les douze articles sur lesquels reposait toute la condamnation n'étaient que des propositions mensongères, qui déformaient la pensée de Jeanne qu'elles étaient censées reproduire, et qu'au surplus on ne lui avait même pas montrées. Quels étaient les responsables de cette falsification ? Le promoteur Jean d'Estivet avait rédigé les soixante-dix articles, et Thomas de Courcelles devait plus tard désigner, comme ayant forgé les douze articles mensongers, Nicolas Midy, celui-là même qui fit à Jeanne, au pied de l'échafaud, une ultime harangue. Le notaire Boisguillaume, résumant l'impression populaire, donnait ainsi, à l'audience, son avis sur les deux personnages :

BOISGUILLAUME

Ce d'Estivet était promoteur, et, en cette cause, il était très zélé pour les Anglais, auxquels il cherchait beaucoup à plaire. C'était un mauvais homme, cherchant toujours pendant ce procès à calomnier les notaires et ceux qu'il voyait procéder selon la justice ; et il adressait beaucoup d'injures à Jeanne, l'appelant paillarde, *ordure*. Je crois que Dieu l'a puni sur la fin de ses jours, car c'est misérablement qu'il a fini ses jours : il a été trouvé mort dans un égout, au-delà de la porte de Rouen. Et j'ai entendu dire que tous ceux qui furent coupables de la mort de Jeanne moururent de mort fort honteuse : exemple, maître Nicolas Midy lui-même, qui fut frappé de lèpre quelques jours après, et l'évêque qui mourut subitement au moment où il se faisait faire la barbe.

LA CÉDULE D'ABJURATION

Ce n'était pas tout. Un autre truquage, plus habile encore, allait être révélé par l'examen des pièces du procès. Les douze articles énuméraient les « erreurs » de Jeanne, mais, ces « erreurs », elle les avait « abjurées » publiquement, et c'est même ce qui avait permis de lui faire subir le supplice des *relaps*, de ceux qui retombent dans des erreurs qu'ils avaient abjurées. Toute une mise en scène avait été montée pour cela ; Jeanne avait été conduite au cimetière Saint-Ouen, où, devant la foule, et en présence des juges, l'un des maîtres délégués par la Sorbonne, Guillaume Érard, lui avait fait un sermon d'exhortation ; après quoi on avait invité Jeanne à abjurer, en signant une cédule préparée d'avance, faute de quoi on la menaçait de condamnation immédiate. Manchon raconte ainsi la scène :

MANCHON

Il fut décidé qu'elle serait prêchée ; et elle fut mise sur une petite tribune, assistée du conseil de maître Nicolas Loiseleur, qui disait : « Jeanne, croyez-moi, car si vous le voulez, vous serez sauvée ; prenez votre habit et faites tout ce qui vous sera ordonné ; sinon vous êtes en péril de mort. Et si vous faites ce que je vous dis, vous serez sauvée, et vous en aurez beaucoup de bien, et n'en aurez pas de mal ; mais vous serez remise à l'Église. » Elle fut alors conduite sur un échafaud, ou chaire ; et il y avait deux sentences de composées, une d'abjuration, et une autre de condamnation, que l'évêque avait avec lui. Et, tandis que l'évêque lisait la sentence de condamnation, maître Nicolas Loiseleur disait à Jeanne qu'elle fasse ce qu'il lui avait dit, et qu'elle prenne habit de femme. Et comme il y eut alors un petit intervalle de temps, l'un des Anglais qui étaient là dit à l'évêque qu'il trahissait. L'évêque lui répondit qu'il mentait. Et pendant ce temps Jeanne répondit qu'elle était prête à obéir à l'Église. Ils lui firent alors dire une abjuration qui lui fut lue ; mais je ne sais pas si elle parlait après celui qui lisait, ou si, une fois qu'on la lui eut lue, elle dit qu'elle l'acceptait. Elle souriait. Il y avait le bourreau avec un char dans le voisinage, attendant qu'on la lui livre pour la brûler. Je n'ai pas vu faire la lettre d'abjuration ; mais elle a été faite après conclusion des délibérations, et avant qu'ils arrivent à cet endroit ; je ne me souviens pas que cette lettre d'abjuration ait jamais été expliquée à Jeanne, ni qu'on la lui ait donnée à comprendre, ni lue, si ce n'est à l'instant même où elle a fait cette abjuration. Cette première prédication, sentence et abjuration furent faites le jeudi après la Pentecôte, et la sentence la condamnait à la prison perpétuelle.

Qu'est-ce que Jeanne avait abjuré au juste ? Le notaire Taquel, dans sa déposition, donnait le détail suivant :

TAQUEL

J'étais présent à Saint-Ouen quand fut faite la première prédication, mais je n'ai pas été sur la tribune avec les autres notaires. J'étais pourtant assez près et à un endroit où je pouvais entendre ce qui se faisait et se disait ; je me souviens bien que j'ai vu Jeanne quand lui a été lue la cédule d'abjuration ; c'est messire Jean Massieu qui la lui a lue ; il y avait environ six lignes de grosse écriture. Cette lettre d'abjuration était en français, commençant par : « *Je Jeanne*, etc. » Après cette abjuration elle fut condamnée à la prison perpétuelle et conduite au château. Par la suite j'ai été mandé à l'interroger à ce qu'on disait ; mais du tumulte survint, et je ne sais ce qui en fut fait....

De son côté, un autre témoin devait déclarer :

GUILLAUME DE LA CHAMBRE

J'ai été présent au sermon fait par maître Guillaume Érard ; je ne me souviens pas cependant de ce qui était contenu dans ce sermon, mais je me souviens bien de l'abjuration que fit Jeanne, bien qu'elle eût beaucoup différé à la faire ; maître Guillaume Érard la décida pourtant à la faire, en lui disant qu'elle fasse ce qui lui était conseillé, et qu'alors elle serait délivrée de la prison. Et c'est sous cette condition et non autrement qu'elle la fit, lisant ensuite une autre petite cédule contenant six ou sept lignes sur une feuille de papier pliée en deux ; j'étais si près que je pouvais facilement voir les lignes et comment elles étaient disposées....

> Personne évidemment ne pouvait témoigner à ce sujet plus exactement que l'huissier Jean Massieu, celui qui avait lu à Jeanne la fameuse cédule ; voici comment il s'exprime :

JEAN MASSIEU

... En ce qui concerne l'abjuration, quand elle fut prêchée par maître Guillaume Érard à Saint-Ouen, Érard tenait en main une cédule d'abjuration et dit à Jeanne : « Tu abjureras et signeras cette cédule » ; alors cette cédule me fut remise pour que je la lise, et je l'ai lue à Jeanne. Et je me souviens bien que, dans cette cédule, il était noté qu'à l'avenir elle ne porterait plus ni armes, ni habit d'homme, ni les cheveux rasés, et beaucoup d'autres choses dont je ne me souviens plus. Et je sais bien que cette cédule contenait environ huit lignes, pas davantage ; et je sais absolument que ce n'était pas celle dont il est fait mention au procès, car celle que je lui ai lue est différente de celle qui fut insérée dans le procès, et c'est celle-là que Jeanne a signée.

> Un acte aussi capital que cette cédule d'abjuration devait, en effet, être contenu obligatoirement dans le texte officiel du procès ; elle y figurait, mais, comme le disait Massieu, sous une forme totalement différente de celle que décrivaient les témoignages : c'était une très longue abjuration, en latin, énumérant toutes sortes d'erreurs contre la foi, de blasphèmes et d'impiétés que Jeanne aurait commis et auxquels elle aurait déclaré renoncer.

La clef du mystère devait être fournie par l'interrogatoire de Thomas de Courcelles, cet universitaire qui avait été chargé de traduire le procès en latin.

THOMAS DE COURCELLES

Qui a fait la cédule d'abjuration qui est contenue au procès, et commence par : « Toi Jeanne[1] » ?

— Je ne sais pas ; je ne sache pas non plus qu'elle ait été lue à Jeanne ou qu'on la lui ait expliquée. Un sermon lui fut fait à Saint-Ouen par maître Guillaume Érard ; je me trouvais sur la tribune, derrière les prélats ; je ne me souviens cependant pas des paroles du prédicateur, si ce n'est qu'il disait « *l'orgueil de cette femme* ». Ensuite l'évêque commença à lire la sentence ; je ne me souviens pas de ce qui fut dit à Jeanne, ni de ce qu'elle répondit. Cependant je me souviens bien que maître Nicolas de Venderès fit une cédule qui commençait par : « Quand l'œil du cœur » ; mais, si c'est celle-là qui est contenue dans le procès, je n'en sais rien. Je ne sais pas si j'ai vu cette cédule entre les mains de maître Nicolas avant l'abjuration de la Pucelle ou après, mais je crois que c'est avant ; et j'ai bien entendu dire que quelques-uns des assistants parlèrent à l'évêque de Beauvais parce qu'il n'appliquait pas sa sentence, et qu'il recevait Jeanne à se repentir ; mais quant aux paroles dites et qui les a dites, je ne me souviens pas.

La cédule insérée au procès commence par : *Quotiens humanæ mentis oculus ;* c'est bien celle que Thomas de Courcelles avait vue entre les mains de Nicolas de Venderès, et qu'il avait transcrite ; ce n'est pas celle qui avait été lue à Jeanne au cimetière Saint-Ouen, et qu'elle avait signée.

Ainsi toute l'affaire s'éclairait ; dans son réquisitoire, le promoteur de la réhabilitation, Simon Chapitault, pourra s'écrier qu'il s'agissait d'une abjuration « fabriquée artificiellement » ; il y avait eu substitution d'un

1. Inexactitude du greffier pour « Je Jeanne. »

texte à un autre, et le procès de relapse reposait sur un faux.

Cette révélation jetait un jour nouveau sur la scène finale du procès de Jeanne, celle de la condamnation. En effet, lorsque fut débattue la cause de relapse, cinq jours après la sinistre comédie du cimetière Saint-Ouen, Cauchon réunit les docteurs pour leur exposer que, Jeanne étant revenue aux erreurs qu'elle avait abjurées, il convenait de prendre une décision à son endroit. Or, sur les quarante juges qui se trouvaient là, trente-six se rallièrent à l'opinion de l'abbé de Fécamp, Gilles de Duremort, qui demandait que l'on relût à Jeanne la formule d'abjuration pour être sûr qu'elle l'avait bien comprise, et qu'elle persistait dans ses errements. C'était mettre Cauchon dans un curieux embarras, et l'on ne s'étonne pas de trouver Nicolas de Venderès parmi les quatre qui furent d'avis que Jeanne devait être remise sans plus au bras séculier, puisque c'était lui qui avait substitué une fausse cédule à celle qui avait été réellement lue. L'évêque passa outre à l'opinion de la majorité — ce qui était évidemment le seul moyen pour lui d'éviter que l'imposture ne fût découverte. Ainsi, on peut considérer que, sur les quarante docteurs qui composaient le tribunal, quatre seulement furent les artisans véritables de la condamnation, et cela, grâce à un atroce subterfuge dont les autres ne furent pas conscients.

En somme, que restait-il du « beau procès » que Cauchon s'était jadis vanté de faire ? Après les audiences de décembre 1455, les commissaires apostoliques comprenaient que, quoique revêtu en apparence de toutes les garanties que peut offrir une procédure régulière, le texte qu'ils avaient entre les mains n'était que truquage et œuvre de faussaires. L'innocence de Jeanne ressortait dès à présent des procédés employés pour la confondre.

A vrai dire, ils n'étaient pas au bout de leurs découvertes. Cependant, les fêtes de Noël approchant, le tribunal se sépara, après avoir entendu un premier réquisitoire du promoteur Simon Chapitault, qui n'eut pas de peine à démontrer que le procès de condamnation avait été vicié quant au fond et à la forme.

CHAPITRE II

LES TÉMOINS DE L'ENFANCE

A VANT de regagner Paris pour les fêtes de Noël, les commissaires apostoliques avaient fixé dans ses grandes lignes la procédure à suivre. Sur la requête du promoteur Simon Chapitault, il avait été décidé que la première enquête du procès proprement dit serait menée au lieu d'origine de Jeanne, soit à Domremy, dans ce petit hameau, aux confins de la Lorraine et du Barrois, où quelque quarante ans plus tôt (l'an 1412 très probablement), le 6 janvier, jour de l'Épiphanie, était venue au monde une petite fille « comme les autres » ; il y avait déjà trois enfants au foyer de ses parents, Jacques Darc et Isabelle Romée : trois garçons, Jacques, Jean et Pierre, et, un an après la naissance de Jeanne, naquit encore une petite fille, Catherine. Pendant les seize à dix-sept ans qu'elle avait vécu, là, en famille, d'une calme vie de petite paysanne ni riche ni pauvre, quels avaient été son comportement, ses occupations, ses jeux ? Quelle éducation avait-elle reçue ? Y avait-il eu un trait quelconque qui décelât sa prodigieuse vocation ?

Quelques points, d'ailleurs, demeuraient obscurs, qui ne pouvaient être élucidés qu'à Domremy. Ainsi la question de l' « arbre aux fées ». La sentence de condamnation portait : « Jeanne dit avoir souvent entendu ses voix auprès d'un arbre appelé « l'arbre aux fées. » Sans rien préciser explicitement, c'était insinuer qu'il pouvait bien y avoir, derrière les prétendues révélations, quelque histoire de sorcellerie. Les procès en sorcellerie étaient encore assez rares au début du XVe siècle, mais nul doute que, cinquante ou cent ans plus tard, c'est pour faits de sorcellerie qu'on l'eût condamnée.

D'autre part, les articles de la condamnation présentaient Jeanne comme une fille rebelle et insoumise, causant le désespoir de ses parents ; c'était même l'un des points sur lesquels le notaire Manchon avait jugé utile d'apporter l'une de ces rectifications dont il a été question au chapitre précédent : « Là où il est dit : « Ses parents en furent presque « fous de désespoir », corriger et mettre qu'ils furent mécontents de son départ. » Il fallait donc connaître l'attitude de Jeanne à l'égard de ses parents, et les circonstances de ce départ.

On avait essayé également de jeter un doute sur la conduite de Jeanne durant l'exode des habitants de Domremy à Neufchâteau, lors d'une échauffourée entre gens d'armes ennemis, qui sema dans la région une courte panique ; cet épisode se place en juillet 1428, deux mois après la première tentative de Jeanne auprès de Baudricourt, et peut-être l'alerte eut-elle quelque influence sur le revirement qui se manifesta dans l'esprit du capitaine — qui tenait cette place de Vaucouleurs pour le roi de France dans un total isolement — lorsque Jeanne revint à la charge un peu plus tard.

Enfin, le promoteur Chapitault avait acquis la certitude que, contrairement à ce qu'on croyait, une enquête avait été faite par Cauchon au pays lorrain, selon la procédure régulière ; mais cette enquête, trop favorable à l'accusée, il l'avait fait disparaître, et ce n'était pas, nous le verrons, sa seule omission. L'interrogatoire [1] dressé à l'intention des témoins de Domremy et de Vaucouleurs avait donc aussi pour but de recueillir quelques renseignements sur cette enquête de 1431.

On imagine assez l'émotion qui dut se produire dans le petit village, lorsque furent lues, du haut de la chaire, et dans les rues, les proclamations qui annonçaient le transfert du tribunal à Domremy et convoquaient à venir déposer tous ceux qui avaient connu « Jeanne la Pucelle ». Au matin du 28 janvier, un mercredi, dans le presbytère de la petite église dédiée à saint Remy, s'installaient de graves personnages. Il y avait là le promoteur Simon Chapitault, venu de Paris pour conduire l'enquête ; les autres membres étaient des personnalités de l'endroit,

---

1. On trouvera en annexe le texte de l'interrogatoire destiné à l'enquête en pays lorrain.

auxquelles les commissaires pontificaux avaient délégué leurs pouvoirs, comme il est d'usage en pareil cas ; c'étaient le doyen de l'église Notre-Dame de Vaucouleurs, maître Réginald Chichery, et un chanoine de la cathédrale de Toul, Wautrin Thierry. De plus, un clerc de Toul, Dominique Dominici, faisait office de greffier.

Le premier témoin appelé à déposer est le parrain de Jeanne, à défaut de sa proche famille. Son père, Jacques Darc, était mort en effet, ainsi que son frère aîné et sa petite sœur Catherine ; sa mère, Isabelle Romée, et ses deux frères, Jean et Pierre, s'étant portés partie civile, ne pouvaient déposer. Or, après les parents, ce sont les parrains et marraines que l'on considère, à l'époque, comme étant les plus proches et les plus directement responsables de la personne qu'ils ont tenue sur les fonts baptismaux ; chaque enfant a plusieurs parrains et marraines, d'abord pour multiplier autour de lui ce sentiment de protection, ensuite, à des fins pratiques : parce qu'en un temps où le témoignage oral l'emporte sur le témoignage écrit, où registres d'état civil et même registres paroissiaux n'existent pas encore, il est plus sûr d'avoir de nombreux témoins pour attester de l'identité de la personne, de son baptême, de son âge (que d'ailleurs on ne se préoccupe jamais de savoir exactement ; la formule consacrée, pour le témoin interrogé sur son âge, est de répondre : tel âge, ou environ).

LE PARRAIN DE JEANNE

JEAN MOREAU
(De Greux près Domremy [1], laboureur. — 70 ans ou environ.)

Jeannette dont il s'agit est née à Domremy et a été baptisée dans l'église Saint-Remy, paroisse de ce lieu. Son père s'appelait Jacques d'Arc et sa mère Isabellette, de leur vivant laboureurs à Domremy ; à ce que j'ai vu et su, c'étaient de bons et fidèles catholiques et de bons labou-

---

1. Le hameau de Greux est tout proche de celui de Domremy ; après le sacre, Jeanne demanda au roi et en obtint l'exemption de tout impôt pour les deux paroisses.

reurs, de bonne réputation et d'honnête conversation, selon l'état de laboureur ; car plusieurs fois j'ai conversé avec eux. J'ai été moi-même l'un des parrains de Jeanne ; et ses marraines furent la femme d'Étienne Royer, et Béatrice, veuve d']Estellin], demeurant dans la ville de Domremy, et Jeannette, veuve de Tiercelin de Viteau, demeurant dans la ville de Neufchâteau.

Jeannette, en son premier âge, était bien et convenablement élevée dans la foi et les bonnes mœurs, et telle que presque tous les habitants de Domremy l'aimaient ; et Jeannette connaissait sa croyance, le *Notre Père*, l'*Ave Maria*, comme le savent les fillettes de son âge.

Jeannette était d'honnête conversation, comme peut l'être une fille de son état, car ses parents n'étaient pas bien riches ; et dans sa jeunesse et jusqu'au moment où elle a quitté la maison de son père, elle allait à la charrue et gardait parfois les animaux aux champs ; et faisait les ouvrages de femme, filer et tout le reste.

Jeannette allait volontiers et souvent à l'église et à l'ermitage de Notre-Dame de Bermont près de la ville de Domremy, quand ses parents croyaient qu'elle était à la charrue, aux champs ou ailleurs. Quand elle entendait sonner la messe et qu'elle était aux champs, elle s'en venait à la ville et à l'église pour entendre la messe, comme je l'ai vue faire.

Je l'ai vue se confesser au temps pascal et autres fêtes solennelles ; elle se confessait à messire Guillaume Front [1], alors curé de l'église paroissiale Saint-Remy de Domremy.

Quant à l'arbre qu'on appelle l'arbre des Dames, j'ai entendu dire parfois que des femmes et enchanteresses, qu'on appelait *fées*, allaient autrefois danser sous cet arbre ; mais, à ce qu'on dit, depuis qu'on lit l'évangile de

---

1. Il était mort à l'époque de la réhabilitation ; on attribue en partie à l'influence de ce saint prêtre, imbu des idées franciscaines, la prédilection de Jeanne pour les ordres mendiants.

1. La maison natale de Jeanne d'Arc à Domremy (Vosges).

2. Judith, Holopherne et Jeanne d'Arc. Miniature du "Champion des Dames" de Martin Le Franc (1451). C'est la première image qui repré-sente Jeanne d'Arc.

saint Jean, elles n'y vont plus. En notre temps, le dimanche où l'on chante en la sainte église de Dieu, à l'*introït* de la messe, *Lætare Jerusalem* [1] (appelé en nos régions : dimanche des *Fontaines*), les jeunes filles et jeunes gens de Domremy s'en vont sous cet arbre danser (et quelquefois aussi au printemps et en été, les jours de fête), et parfois ils y mangent et, en revenant, ils vont à la fontaine aux Rains [2], en se promenant et en chantant ; ils boivent de l'eau de cette fontaine et jouent à l'entour, et cueillent des fleurs, Jeanne la Pucelle et les autres filles y allaient quelquefois, et elle faisait comme les autres ; je n'ai jamais entendu dire que Jeannette y ait été seule et pour autre cause, soit à l'arbre, soit à la fontaine (car la fontaine est plus près de la ville que l'arbre), si ce n'est pour se promener et jouer comme les autres fillettes.

Quand Jeanne a quitté la maison de son père, elle est allée deux ou trois fois à Vaucouleurs pour parler au bailli ; j'ai entendu dire que le seigneur Charles, alors duc de Lorraine, a voulu la voir et lui a donné un cheval, de poil noir à ce qu'on disait. Et je n'en saurais dire davantage, si ce n'est que, au mois de juillet, je suis allé à Châlons, car on disait que le roi s'en allait à Reims pour se faire couronner, et là j'ai trouvé Jeanne et elle m'a donné une veste rouge qu'elle portait.

Quand Jeanne fut à Neufchâteau à cause des gens d'armes, elle a toujours été en compagnie de son père et de sa mère qui demeurèrent quatre jours à Neufchâteau et revinrent ensuite à Domremy. Et cela je le sais, car j'ai été avec les autres de la ville à Neufchâteau et j'ai vu alors Jeannette et ses père et mère.

---

1. Quatrième dimanche de carême.
2. Aujourd'hui fontaine des Groseilliers.

UNE MARRAINE DE JEANNE

BÉATRICE

(Veuve d'Estellin, laboureur de Domremy. — 80 ans.)

Jeanne est née à Domremy, des époux Jacques d'Arc et Isabellette, laboureurs, vrais et bons catholiques, probes et vaillants selon leur pouvoir, mais pas bien riches ; et Jeannette fut baptisée sur les fonts de l'église de Saint-Remy ; et furent ses parrains Jean Moreau de Greux et Jean le Langart, et feu Jean Rainguesson ; et ses marraines Jeannette, veuve de Tiercelin Le Clerc, Jeannette, femme de Thévenin Royer, et moi-même.

Jeannette était bien et suffisamment instruite en la foi catholique comme les autres filles de son âge ; et depuis sa petite enfance et son adolescence jusqu'à son départ de la maison paternelle, elle a été élevée dans les bonnes mœurs, fille chaste, de bonne conversation, fréquentant souvent et pieusement l'église et les lieux saints ; et, quand la ville de Domremy fut brûlée [1], Jeannette, aux jours de fête, allait toujours entendre la messe en la ville de Greux ; elle se confessait volontiers, les jours qu'il fallait et surtout aux jours de la très sainte fête de Pâques, ou Résurrection de Notre-Seigneur Jésus-Christ ; et, à ce qu'il me semblait, il n'y avait pas meilleure dans les deux villes. Elle s'occupait aux divers travaux dans sa maison paternelle, et parfois filait le chanvre ou la laine, allait à la charrue, à la moisson quand c'était le temps, et parfois, quand c'était le tour de son père, elle gardait les animaux et les troupeaux de la ville.

...Cet arbre s'appelle l'*abre* des Dames ; et j'y ai été quelquefois, avec les dames et les seigneurs temporels de la

---

1. Allusion à l'attaque bourguignonne de juillet 1428, au cours de laquelle l'église de Domremy, voisine de la maison de Jacques d'Arc, fut brûlée.

ville, sous cet arbre, pour me promener, car c'est un très bel arbre. Il se trouve auprès du grand chemin par lequel on s'en va à Neufchâteau ; et j'ai entendu dire qu'autrefois les dames enchanteresses, qu'on appelle en français les *fées*, allaient sous cet arbre ; mais à cause de leurs péchés, à ce qu'on dit, elles n'y vont plus maintenant. D'autre part, les jeunes filles et jeunes gens de Domremy, chaque année, au dimanche de *Lætare Jerusalem*, qu'on appelle dimanche des *Fontaines*, et au printemps, vont sous cet arbre, et Jeannette allait avec eux ; et là, ils chantent et font des rondes et mangent, et au retour ils vont à la fontaine aux Rains et boivent à cette fontaine. Et quand le curé, à la vigile de l'Ascension, porte les croix dans les champs [1], il s'en va, lui aussi, sous cet arbre et il chante l'Évangile et il va aussi à la fontaine aux Rains et aux autres fontaines pour chanter l'Évangile, comme je l'ai vu. Et je n'en sais pas davantage.

... J'ai entendu dire qu'il y a eu des frères mineurs en cette ville pour faire des enquêtes à ce qu'on disait ; mais je ne sais rien d'autre, car on ne m'a rien demandé....

UNE AUTRE MARRAINE DE JEANNE

JEANNETTE ROYER
(De Domremy. — 70 ans.)

... Cet arbre s'appelle l'*abre* des Dames ; et j'ai entendu dire que les dames de Domremy allaient autrefois se promener sous cet arbre ; et à ce qu'il me semble dame Catherine de la Roche, femme de Jean de Bourlemont, dame de cette ville, allait se promener avec ses damoiselles sous cet arbre....

---

1. Allusion à la cérémonie des Rogations.

LA TROISIÈME MARRAINE

JEANNETTE
(Veuve de Tiercelin de Viteau. — 60 ans.)

... L'arbre qu'on appelle l'*abre* des Dames, on dit qu'autrefois un seigneur appelé messire Pierre Granier, chevalier, seigneur de Bourlemont, avec une dame qu'on appelait Fée, se visitaient sous cet arbre et parlaient ensemble. Cela, je l'ai entendu lire en un roman. Les seigneurs et dames de la ville de Domremy, c'est-à-dire dame Béatrice, femme de messire Pierre de Bourlemont, avec ses damoiselles, et messire Pierre lui-même, allaient parfois, à ce qu'on disait, se promener sous cet arbre. Et jeunes filles et jeunes gens de la ville y vont chaque année au dimanche de *Lætare* qu'on appelle des *Fontaines* pour se promener ; et là, ils mangent et dansent et s'en vont boire à la fontaine aux Rains. Et je ne me rappelle pas si Jeanne la Pucelle a jamais été sous cet arbre. Et je n'ai pas entendu dire que Jeannette eût jamais eu mauvaise réputation à cause de cet arbre.

> Dans cette enquête destinée avant tout à s'assurer des bonnes mœurs et des habitudes chrétiennes de Jeanne, on devait prêter une attention particulière aux témoignages des prêtres. A défaut de Guillaume Front, curé de Domremy du vivant de Jeanne, voici le curé d'une paroisse voisine, qui l'a connue.

LE CURÉ DE RONCESSEY

ETIENNE DE SIONNE
(Curé de Roncessey, près Neufchâteau. — 54 ans.)

... J'ai souvent entendu dire par messire Guillaume Front, de son vivant curé de la ville de Domremy, que

Jeannette dite la Pucelle était une bonne et simple fille, pieuse, bien élevée, craignant Dieu, tant qu'elle n'avait pas sa pareille dans la ville ; souvent elle lui confessait ses péchés ; et il disait que, si Jeanne avait eu de l'argent à elle, elle l'aurait donné à son curé pour faire dire des messes. Ce curé disait que chaque jour, quand il célébrait, elle était à la messe. Et je ne sais rien d'autre de ce qui est contenu dans ces articles, si ce n'est par ouï-dire.

... J'ai entendu dire par plusieurs que Jeannette fut à Neufchâteau dans la maison d'une femme honnête, nommée la Rousse, à cause des gens d'armes ; et elle était toujours en compagnie de son père et des autres de la ville qui s'étaient enfuis là-bas.

LE CURÉ D'UNE PAROISSE VOISINE

DOMINIQUE JACOB
(Curé de la paroisse de Montiers-sur-Saulx au diocèse de Toul. — 35 ans.)

Jeannette était de Domremy et à ce que je crois elle fut baptisée en l'église de Saint-Remy, en cette ville ; et furent ses parents Jacques d'Arc et Isabellette, époux, qui étaient bons catholiques et de bonne réputation ; j'en ai toujours entendu parler comme tels.

Je n'en saurais déposer que par ouï-dire, car Jeanne était plus âgée que moi.

J'ai vu et connu Jeannette trois ou quatre ans avant qu'elle ne quitte la maison de son père et de sa mère ; elle était élevée dans de bonnes mœurs et d'honnêtes habitudes, et allait souvent à l'église, et parfois quand on sonnait complies à l'église de la ville, elle se mettait à genoux ; et à ce qu'il me semblait elle disait pieusement ses prières.

... Je ne sais rien, si ce n'est que j'ai entendu dire que

certains frères mineurs vinrent au pays pour faire une enquête ; mais je ne sais s'ils la firent.

Tous les habitants de Domremy s'enfuirent à cause des hommes d'armes et vinrent à Neufchâteau ; et, parmi eux, Jeannette vint aussi avec son père et sa mère et toujours en leur compagnie ; et c'est avec ses père et mère qu'elle s'en revint de Neufchâteau.

UN PRÊTRE DES ENVIRONS

HENRI ARNOUL
(De Gondrecourt-le-Château. — 64 ans.)

... Jeanne se confessait volontiers et souvent ; moi-même je l'ai confessée quatre fois : trois fois en carême et une autre pour une fête ; c'était une bonne fille, craignant Dieu ; quand elle était à l'église, tantôt elle était prosternée devant le Crucifix, tantôt elle avait les mains jointes ensemble, levant les yeux et le visage vers le Crucifix ou la Sainte Vierge....

LE MARGUILLIER DE DOMREMY

PERRIN DRAPPIER
(De Domremy. — 60 ans.)

... Jeannette la Pucelle, au temps de sa jeunesse, jusqu'à son départ de la maison de son père, était une fille bonne, chaste, simple, réservée, ne jurant Dieu ni les saints, craignant Dieu ; elle allait souvent à l'église et souvent se confessait ; la cause que je sais cela, c'est que j'étais en ce temps marguillier de l'église de Domremy, et souvent je voyais Jeanne venir à l'église, à la messe et aux complies :

et, quand je ne sonnais pas complies, Jeanne m'interpellait et me grondait, disant que je n'avais pas bien fait, et même elle avait promis de me donner de la laine afin que je sois exact à sonner complies. Et Jeanne allait souvent avec sa sœur et d'autres gens à une église et ermitage qu'on appelle de Bermont, fondé en l'honneur de la bienheureuse Vierge Marie ; elle faisait beaucoup d'aumônes, elle travaillait volontiers, filant et faisant les autres ouvrages nécessaires, et parfois elle allait à la charrue et à son tour gardait les animaux.

... Cet arbre s'appelle l'*abre* des Dames ; j'ai vu une dame de la ville qui était femme de messire Pierre de Bollemont, et la mère de ce messire Pierre aller parfois vers cet arbre se promener et elles emmenaient avec elles leurs damoiselles et les jeunes filles de la ville, et emportaient du pain, du vin et des œufs. Au printemps et au dimanche de *Lætare Jerusalem*, qu'on appelle des *Fontaines*, les jeunes filles et jeunes gens de la ville ont coutume d'aller auprès de l'arbre et à la fontaine, et ils emportent avec eux des petits pains qu'ils mangent sous l'arbre, et se promènent en chantant et en dansant....

... Je crois que l'on fit des informations ; cependant je n'ai pas remarqué en avoir vu faire ou non.

LES CAMARADES D'ENFANCE

Colin
(Fils de Jean Colin, de Greux, laboureur. — 50 ans.)

... Jeanne, à ce que j'ai vu, était bonne, simple, douce fille, de bonne conduite ; elle allait volontiers à l'église, comme je l'ai vu ; car presque chaque samedi après-midi, Jeanne, avec sa sœur et d'autres femmes, allait à l'ermitage de Notre-Dame de Bermont et portait des cierges ; elle était très dévote envers Dieu et la bienheureuse Vierge au point que, à cause de sa piété, moi-même, qui étais jeune alors, et d'autres jeunes gens, nous la taquinions. Elle travaillait volontiers, veillait à la nourriture des bêtes ; elle s'occupait volontiers des animaux de la maison de son père, filait et faisait les travaux de la maison.... J'ai entendu dire par messire Guillaume Front, autrefois curé de la paroisse, que Jeanne était bonne catholique, qu'il n'en avait jamais vu meilleure, et n'avait meilleure en sa paroisse....

Simonin Musnier
(Laboureur. — 44 ans.)

J'ai été élevé avec Jeanne la Pucelle, à côté de la maison de son père. Je sais qu'elle était bonne, simple, pieuse, craignant Dieu et ses saints ; elle allait souvent et volontiers à l'église et aux lieux saints, soignait les malades et donnait l'aumône aux pauvres; cela, je l'ai vu, car, quand j'étais enfant, j'étais moi-même malade et Jeanne venait me consoler....

... Cet arbre, on l'appelle l'*abre* des Dames, à ce que j'ai toujours entendu dire ; celles qu'on appelle en langue vulgaire les *fées* venaient autrefois sous cet arbre, à ce que j'ai entendu dire, car je n'y ai jamais vu aucun signe d'aucun mauvais esprit.... Moi-même, dans mon jeune âge, j'ai été sous cet arbre avec Jeanne et d'autres au dimanche des *Fontaines*, jouer et me promener comme le font les autres filles et garçons du pays....

Hauviette

Elle est, depuis Péguy, à jamais inséparable de Jeanne. Au moment où elle dépose, elle a environ quarante-cinq ans ; elle a épousé un paysan de Domremy, Gérard de Syonne.

... Depuis ma jeunesse, j'ai connu Jeanne La Pucelle qui est née à Domremy de Jacques d'Arc et Isabellette, époux, honnêtes laboureurs et vrais catholiques de bonne renommée ; je le sais parce que, très souvent, j'ai été en compagnie de Jeanne, et qu'étant son amie j'allais dans la maison de son père. Je ne me souviens cependant pas de ses parrains et marraines, si ce n'est par ce que j'en ai entendu dire, car Jeanne était plus âgée que moi de trois ou quatre ans, à ce qu'on disait.

... Jeanne était bonne, simple et douce fille ; elle allait souvent et volontiers à l'église et aux lieux saints, et souvent elle avait honte de ce que les gens disaient qu'elle allait si dévotement à l'église. J'ai entendu dire au curé qui était là de son temps qu'elle se confessait souvent. Jeanne s'occupait comme le font les autres jeunes filles ; elle faisait les travaux de la maison et filait, et quelquefois — je l'aie vue — elle gardait les troupeaux de son père.

... Cet arbre, depuis les temps anciens, s'appelle l'*abre* des Dames, et on disait autrefois que les dames qu'on appelle fées y allaient ; pourtant je n'ai jamais entendu dire que quelqu'un en ait vu une. Les filles et les garçons de la ville ont coutume d'aller à cet arbre et à la fontaine aux Rains, le dimanche de *Lætare Jerusalem* qu'on appelle des *Fontaines*, et ils emportent avec eux du pain.

J'ai été avec Jeanne la Pucelle, qui était ma compagne, et d'autres jeunes filles et jeunes gens à l'arbre des Fées, le dimanche des *Fontaines ;* là nous mangions, nous dansions, nous jouions. J'ai vu porter des noix à l'arbre et aux fontaines.

Je n'ai pas su quand Jeannette s'est en allée ; et à cause de cela j'ai beaucoup pleuré, car je l'aimais beaucoup pour sa gentillesse, et j'étais sa compagne....

... Jeanne a toujours été, à Neufchâteau, avec son père et sa mère ; moi-même, j'ai été aussi à Neufchâteau à ce moment-là, et je l'ai vue tout le temps.

MENGETTE

L'autre amie de Jeanne. La troisième, Guillemette, n'a pas comparu. Elle était morte, ou avait quitté le pays.
Mengette a environ quarante-six ans ; elle est la femme de Jean Joyart.

... La maison de mon père était presque contiguë à celle du père de Jeannette, et je connaissais Jeannette la Pucelle, car souvent je filais en sa compagnie et faisais avec elle les autres ouvrages de la maison, jour et nuit ; elle était élevée dans la religion chrétienne et remplie de bonnes mœurs, à ce qu'il semblait ; elle allait volontiers et souvent à l'église, elle faisait aumône des biens de son père et était si bonne, simple et pieuse que moi-même et les autres jeunes filles, nous lui disions qu'elle était trop pieuse ; elle travaillait volontiers et s'occupait à de multiples besognes : elle filait, faisait les travaux de la maison, allait aux moissons, et, quand c'était le moment, quelquefois, elle gardait à son tour les animaux en filant ; elle se confessait volontiers ; je l'ai vue souvent à genoux devant le curé de la ville.

... Cet arbre s'appelle Aux-Loges-les-Dames et c'est un arbre ancien ; je n'ai jamais entendu dire en effet que cet arbre n'ait été là.... Moi-même, avec Jeanne, j'y ai été souvent, nous y mangions et puis nous allions boire à la fontaine aux Rains et parfois nous mettions une nappe sous cet arbre et nous mangions ensemble, et ensuite nous jouions et dansions comme les autres le font encore à présent....

En s'en allant elle m'a dit adieu ; puis elle s'est éloignée et m'a recommandée à Dieu et s'en est allée à Vaucouleurs.

Car un jour, au village, on a appris que Jeannette était allée à Vaucouleurs. Jusque-là, elle n'avait pas d'histoire ; elle était « comme les autres ». Le mot revient avec une obstination presque irritante ; n'y avait-il vraiment rien qui la distinguât des autres ? Un trait pourtant nous est révélé par ce mot que le greffier a traduit *libenter*, volontiers, et qui revient, lui aussi, constamment. Volontiers elle filait, cousait et faisait les autres travaux de la maison, volontiers elle allait à l'église quand sonnaient les cloches, volontiers... ; à travers ce mot tout simple, ces petites gens nous ont livré le trait peut-être le plus précieux de Jeanne, une bonne humeur, une santé morale, une sorte de joie de vivre telles que même la monotonie de la prison, ses angoisses et ses détresses n'arriveront pas à abattre tout à fait cette gaieté foncière, gage d'équilibre physique et mental.

Un jour donc s'est répandue à Domremy cette nouvelle stupéfiante : Jeannette s'en était allée à Vaucouleurs ; elle voulait faire sacrer le roi. Elle avait pourtant, à l'un de ses camarades, Michel Lebuin, ainsi qu'à un paysan de l'endroit, Gérardin d'Épinal, esquissé une confidence ; mais ils ne l'ont pas comprise.

LE CONFIDENT

Michel Lebuin
(De Domremy, cultivateur à Burey [1]. — 44 ans.)

... Jeanne... allait volontiers à l'église et fréquentait les lieux saints. Je le sais, car moi-même, à plusieurs reprises, quand j'étais jeune, je suis allé avec elle en pèlerinage à l'ermitage Notre-Dame de Bermont ; elle allait presque chaque samedi à cet ermitage avec sa sœur et y mettait des cierges ; elle donnait volontiers pour l'amour de Dieu tout ce qu'elle pouvait avoir ; elle s'occupait activement aux travaux des femmes et des autres jeunes filles, très bien et convenablement ; elle se confessait souvent ; je le sais, car

1. Burey se trouve entre Domremy et Vaucouleurs.

j'étais son compagnon et je l'ai vue souvent se confesser.

... Cet arbre s'appelle Aux-Loges-les-Dames ; j'ai entendu dire que des femmes, qu'on appelle vulgairement des *fées*, venaient autrefois sous cet arbre ; mais je ne sais si elles le firent, car à présent elles n'y vont pas. Les garçons et filles de Domremy y vont chaque année.... Quand Jeanne était petite, elle y allait pour « faire fontaines » comme les autres jeunes filles ; et je ne crois pas qu'elle y ait été autrement ou pour autre cause, car il n'y avait rien que de bon en elle.

Je ne sais rien, sauf qu'une fois Jeanne elle-même m'a dit, à la veille de la Saint-Jean Baptiste, qu'il y avait une pucelle, entre Coussey et Vaucouleurs, qui avant un an ferait sacrer le roi de France ; et l'année qui vint le roi fut sacré à Reims. Et je ne sais rien d'autre.

UN LABOUREUR

GÉRARDIN
(D'Épinal. — 60 ans.)

... Cet arbre s'appelle l'*abre* des Dames ; j'ai vu les seigneurs temporels et dames de Domremy une ou deux fois au printemps apporter du pain et du vin et aller manger sous cet arbre, qui alors est beau comme les lis et très étendu ; ses feuilles et ses rameaux viennent jusqu'à terre. Les filles et les garçons de Domremy, au dimanche des *Fontaines*, ont coutume d'aller sous cet arbre ; leurs mères leur font des pains, et jeunes gens et jeunes filles s'en vont « faire fontaines » sous cet arbre ; ils y chantent et dansent et reviennent à la fontaine aux Rains, mangent de leur pain et boivent de son eau, comme je l'ai vu. Jeannette y allait avec les autres filles et faisait tout comme les autres.

... Je ne sais rien, sauf que, quand elle voulut s'en aller, elle me dit : « Compère, si vous n'étiez bourguignon, je vous dirais quelque chose. » Moi, je croyais qu'il s'agissait de quelque compagnon qu'elle voulait épouser. Je l'ai vue ensuite à Châlons avec quatre de notre ville ; et elle disait qu'elle ne craignait rien si ce n'est la trahison....

UNE FEMME DE DOMREMY

Isabellette
(Femme de Gérardin d'Épinal. — 50 ans.)

... Volontiers elle faisait l'aumône et faisait recueillir les pauvres, et elle voulait coucher sous le manteau de la cheminée et que les pauvres couchent dans son lit ; on ne la voyait pas traîner dans la rue, mais elle se tenait à l'église à prier ; elle ne dansait pas, si bien que souvent on en causait, les autres jeunes gens et jeunes filles ; toujours elle travaillait, filait, cultivait la terre avec son père, faisait les travaux de la maison et parfois gardait les animaux ; elle se confessait volontiers et souvent, comme je l'ai vu, car Jeannette la Pucelle était ma commère et avait tenu sur les fonts baptismaux Nicolas mon fils ; et souvent j'allais avec elle et je la voyais aller se confesser à l'église à messire Guillaume, qui était alors curé....

... J'ai toujours entendu appeler cet arbre Aux-Loges-les-Dames ; quand la forteresse de la ville était encore debout, les seigneurs temporels et dames de cette ville allaient s'ébattre sous cet arbre le dimanche de *Lætare Jerusalem*, qu'on appelle des *Fontaines*, et parfois, au temps d'été, ils emmenaient avec eux des jeunes gens et jeunes filles. Je le sais car j'y ai été autrefois avec messire Pierre Boullemont, seigneur de la ville, et sa femme, qui était de France ; et souvent avec les jeunes filles de la ville tant au printemps qu'au dimanche des *Fontaines*....

... J'ai entendu dire à Durand Laxart, qui la conduisit au seigneur Robert de Baudricourt, qu'elle lui avait dit qu'elle dirait à son père qu'elle irait assister sa femme pour ses couches, afin qu'il la conduise au seigneur Robert.

... Jeanne a été à Neufchâteau, avec son père, sa mère, ses frères et sœur, qui, à cause des gens de guerre, menèrent leurs animaux à Neufchâteau, mais elle n'y demeura pas beaucoup et elle revint à Domremy avec son père, comme je l'ai vu; car elle n'aimait pas demeurer là-bas, mais disait qu'elle préférait demeurer à Domremy.

L'ONCLE DE JEANNE

Durand Laxart

Durand Laxart, que vient de nommer Isabellette, était l'oncle par alliance de Jeanne (cousin de sa mère) ; il habitait l'un des deux hameaux du nom de Burey qui se trouvent entre Domremy et Vaucouleurs. C'est, lui aussi, un simple « laboureur » ; il raconte assez laconiquement l'histoire, qu'il a dû déjà raconter cent fois.

... Jeanne était de la parenté de Jeanne ma femme. J'ai bien connu Jacques d'Arc et Isabellette, parents de Jeanne la Pucelle, bons et fidèles catholiques et de bonne renommée, et je crois que Jeanne est née dans la ville de Domremy et qu'elle a été baptisée aux fonts de Saint-Remy dans cette ville.... Jeanne était de bonne conduite, dévote, patiente ; elle allait volontiers à l'église ; volontiers se confessait ; et elle faisait aumône aux pauvres quand elle le pouvait, comme je l'ai vu, tant dans la ville de Domremy qu'à Burey, dans ma maison, où Jeanne a demeuré l'espace de six semaines ; volontiers elle travaillait, filait, allait à la charrue, gardait les animaux et faisait autres ouvrages convenables aux femmes....

78

... Je suis allé, moi-même, chercher Jeanne à la maison de son père et l'ai emmenée chez moi ; et elle me disait qu'elle voulait aller en France auprès du dauphin pour le faire couronner, disant : « N'a-t-il pas été dit que la France serait perdue par une femme, et qu'elle devait ensuite être restaurée par une vierge ? » Et elle m'a dit aussi que j'aille auprès de Robert de Baudricourt pour qu'il la fasse conduire au lieu où était le seigneur dauphin. Ce Robert m'a dit à plusieurs reprises que je la ramène à la maison de son père après l'avoir bien giflée ; et, quand la Pucelle vit que Robert ne voulait pas la faire conduire au lieu où était le dauphin, elle me tendit elle-même mon manteau et me dit qu'elle voulait se retirer ; et me retirant je la conduisis à Saint-Nicolas [1] ; et lorsqu'elle y fut, elle alla avec un sauf-conduit au seigneur Charles, duc de Lorraine [2] ; et quand le seigneur Charles la vit, il parla avec elle et lui donna quatre francs, qu'elle m'a montrés ; puis Jeanne revint à Vaucouleurs, et les habitants de la ville de Vaucouleurs lui achetèrent des vêtements d'homme, des chausses, des houseaux, et tout ce qui lui était nécessaire ; et moi-même et Jacques Alain de Vaucouleurs lui achetâmes un cheval pour le prix de douze francs à nos propres frais ; pourtant, par la suite, le seigneur Robert de Baudricourt nous les fit rembourser. Et cela fait, Jean de Metz, Bernard de Poulengy, Colet de Vienne et Richard Larcher, avec les deux valets de Jean de Metz et de Bertrand, conduisirent Jeanne au lieu où était le dauphin. Je ne sais rien d'autre, si ce n'est que je la vis à Reims au couronnement du roi.

Quelques habitants de Domremy se souviennent de ses adieux et racontent son départ ; ainsi Jean Waterin, qui avait à peu près l'âge de Jeanne, et Gérard Guillemette.

1. Lieu de pèlerinage alors très fréquenté, à deux lieues de Nancy.
2. C'est Baudricourt qui avait envoyé Jeanne auprès du duc de Lorraine, pour la faire interroger par lui. Voir sur leur entrevue la déposition de Marguerite La Touroulde, p. 115.

UN LABOUREUR

JEAN WATERIN
(De Domremy, demeurant à Greux. — 45 ans.)

... J'ai vu souvent Jeannette la Pucelle, et dans ma jeunesse j'ai conduit avec elle la charrue de son père ; et avec elle et les autres filles j'ai été aux champs et à la pâture ; souvent, quand nous jouions ensemble, Jeanne se retirait à part et parlait à Dieu, à ce qu'il me semblait ; moi et les autres, nous nous moquions d'elle. Elle était bonne et simple, fréquentait les églises et les lieux saints ; quand elle était aux champs, toutes les fois qu'elle entendait sonner la cloche, elle se mettait à genoux ; elle travaillait volontiers, cousait, faisait les travaux et choses de la maison, allait à la charrue avec son père, et quelquefois, quand c'était son tour, gardait les animaux ; elle se confessait volontiers, à ce que disait le prêtre de la ville ; souvent elle portait des cierges et allait à Notre-Dame de Bermont en pèlerinage....

... Je l'ai vue quand elle s'en est allée du village de Greux ; et elle disait aux gens : « Adieu ! » Et j'ai entendu dire plusieurs fois qu'elle rétablirait la France et le sang royal.

UN AUTRE LABOUREUR

GÉRARD GUILLEMETTE
(De Greux. — 40 ans.)

... J'ai vu Jeannette une fois le dimanche (de *Lœtare*) avec les jeunes filles du pays et ne l'ai pas vue ensuite. Les jeunes filles et les jeunes gens de la ville de Greux vont « faire fontaines » à l'église Notre-Dame de Bermont.

... Quand Jeannette a quitté la maison de son père, je l'ai vue passer devant sa maison avec son oncle appelé Durand Laxart ; alors Jeannette dit à son père : « Adieu, je vais à Vaucouleurs. » Puis j'ai entendu dire que Jeannette s'en allait en France.

... Moi qui parle, j'ai été à Neufchâteau avec Jeanne, son père et sa mère, et je l'ai vue toujours avec son père et sa mère, si ce n'est que pendant trois ou quatre jours Jeannette, en présence de son père et de sa mère, aidait l'hôtesse chez laquelle ils étaient logés, appelée la Rousse, honnête femme de la ville. Je sais bien qu'ils ne demeurèrent à Neufchâteau que quatre ou cinq jours, jusqu'à ce que les soldats s'en soient allés ; puis elle est revenue à Domremy avec son père et sa mère.

> Le curé de la paroisse de Domremy était, au moment du départ de Jeanne, attaché au clergé de Vaucouleurs ; il a entendu Jeanne en confession et l'a vue partir pour Chinon.

LE CURÉ DE DOMREMY

JEAN COLIN
(Curé de la paroisse. — 66 ans.)

Jeanne, au moment où elle était à Vaucouleurs, est venue deux ou trois fois se confesser à moi ; je l'ai donc entendue deux ou trois fois en confession et, à ce qu'il me semble en conscience, c'était une fille bonne, qui montrait tous les signes d'une bonne catholique et parfaite chrétienne ; elle allait volontiers à l'église....

... Je l'ai vue à Vaucouleurs quand elle a voulu aller en France ; je l'ai vue monter à cheval et se mettre en chemin, et avec elle Bertrand de Poulengy, Jean de Metz, Colet de Vienne, chevaliers et serviteurs de Robert de Baudricourt....

Un autre prêtre, Jean Le Fumeux, l'a vue à Vaucouleurs.

UN CHANOINE

JEAN LE FUMEUX
(Chanoine de Notre-Dame de Vaucouleurs,
curé de la paroisse d'Ugny. — 38 ans.)

... Je ne sais rien, sauf que Jeanne vint à Vaucouleurs et disait qu'elle voulait aller vers le dauphin. Moi, à ce moment-là, j'étais jeune et j'étais marguillier de la chapelle Notre-Dame de Vaucouleurs ; j'ai vu souvent Jeanne la Pucelle venir à cette église très pieusement ; elle y entendait la messe le matin et y restait longtemps à prier. Je l'ai vue sous la voûte de cette église se tenir agenouillée devant la Sainte Vierge, tantôt le visage baissé, et tantôt le visage droit ; je crois que c'était une bonne et sainte fille....

L'ENQUÊTE DE 1431

Et voici où il est question de l'enquête que Cauchon fit faire au pays lorrain, en 1431, au moment où l'instruction du procès était en cours. Enquête fort discrète : ceux qui étaient chargés de recueillir les informations ne tenaient pas à éveiller l'attention des gens de Vaucouleurs, la seule place au nord de la Loire, avec Tournai et le Mont-Saint-Michel, qui tînt pour le roi de France ; et, comme les résultats ne furent pas au goût de Cauchon, il l'élimina non moins discrètement ; aucun des juges n'en eut connaissance.

Quelques-uns des témoins interrogés à Domremy se souvenaient d'avoir vu les enquêteurs ; en particulier Michel Lebuin, le camarade et confident de Jeanne :

MICHEL LEBUIN

Quand Jeanne fut prise, j'ai vu un nommé Nicolas Bailly d'Andelot qui est venu avec beaucoup d'autres à

Domremy, et, sur la demande de messire Jean de Torcenay, alors bailli de Chaumont, au nom du soi-disant roi de France et d'Angleterre, fit une enquête sur la renommée et les habitudes de Jeanne, à ce qu'on disait ; et à ce qu'il me semble, il n'osait forcer personne à jurer, par crainte de ceux de Vaucouleurs. Je crois que Jean Bégot, de cette ville, fut examiné, car ils étaient logés dans sa maison. Je crois aussi que, lorsqu'ils firent cette enquête, ils ne trouvèrent rien de mal en ce qui concerne Jeanne. Et ne sais rien d'autre.

JEAN JAQUARD
(Fils de Jean Guillemette, de Greux. — 47 ans.)

... J'ai vu Nicolas Bailly d'Andelot, et Guiot son sergent avec quelques autres à Domremy qui faisaient, à ce qu'on disait, une enquête sur le fait de la Pucelle ; mais, à ce qu'il me semble, ils ne forçaient personne. Dans cette enquête furent examinés, je crois, Jean Moreau, Jean Guillemette mon père, Jean Colin, vivants, le défunt Jean Hannequin de Greux et plusieurs autres. Cela fait, ces commissaires se retirèrent avec prudence, car ils craignaient ceux de Vaucouleurs. Je crois que cette enquête d'information fut faite à la requête du bailli de Chaumont, qui tenait le parti des Anglais et des Bourguignons.

Des détails plus complets sont donnés par le témoin qui avait attiré sur cette enquête l'attention du promoteur Simon Chapitault ; il s'agit d'un nommé Jean Moreau, marchand, probablement un marchand ambulant, qui avait entendu parler de l'affaire par d'autres marchands venus comme lui du pays de Lorraine à Rouen, où lui-même était fixé à l'époque du procès de Jeanne.

JEAN MOREAU
(Marchand. — 52 ans.)

Je suis originaire de Viville [1] près La Motte-en-Bassigny, qui n'est pas très éloignée de Domremy, d'où était Jeanne. Pourtant je n'ai connu ni Jeanne ni ses parents ; mais la vérité est que, au moment où Jeanne était auprès du roi de France, arrivèrent à Rouen Nicolas Saussart et Jean Chando, marchands chaudronniers, par qui j'ai entendu parler de Jeanne et raconter comment elle avait quitté le pays de Lorraine. Ils disaient que Jeanne était allée à Vaucouleurs auprès de Jean *(sic)* de Baudricourt pour lui intimer de la conduire ou faire conduire auprès du roi ; si bien qu'il se décida à la faire conduire auprès du roi qui alors était à Chinon. En y arrivant, alors qu'elle n'avait jamais vu le roi, il lui fut dit que c'était quelqu'un d'autre qui l'était ; mais elle dit que non. Enfin, après avoir été examinée par des clercs et des docteurs, elle parla au roi. Je n'ai plus ensuite entendu parler de Jeanne, jusqu'au moment où je l'ai vue lors des deux sermons qui furent faits contre elle, l'un à Saint-Ouen et l'autre au Vieux-Marché de Rouen.

... Je sais seulement qu'au moment où Jeanne était à Rouen et où l'on faisait un procès contre elle, quelqu'un d'important du pays de Lorraine vint à Rouen ; comme j'étais du même pays, j'ai fait sa connaissance ; il me dit qu'il venait de Lorraine et qu'il était allé à Rouen parce qu'il avait été spécialement commis à faire des informations dans le pays d'origine de Jeanne, pour savoir quelle réputation elle y avait : ce qu'il avait fait ; et il avait rapporté au seigneur évêque de Beauvais ses informations, croyant avoir compensation de son travail et ses

---

1. Cette déposition est faite à Rouen, le 10 mai 1456.

dépenses, et l'évêque lui avait dit qu'il était traître et mauvais homme, et qu'il n'avait pas fait ce qu'il devait en ce qu'on lui avait ordonné. Cet homme s'en plaignait à moi, car, à ce qu'il disait, il ne pouvait pas se faire payer son salaire, parce que ses informations ne semblaient pas utiles à l'évêque. Il ajoutait qu'au cours de ses informations il n'avait rien trouvé en Jeanne qu'il n'eût voulu trouver en sa propre sœur, bien qu'il eût fait son enquête en cinq ou six paroisses proches de Domremy, et dans cette ville même. Il disait qu'il avait trouvé que Jeanne était très pieuse, qu'elle allait souvent à une petite chapelle où elle avait coutume de porter des guirlandes devant la statue de la Vierge qui s'y trouve et que, parfois, elle gardait les troupeaux de son père....

> L'un des enquêteurs, Nicolas Bailly, était encore vivant et exerçait son office de tabellion à Andelot, au diocèse de Langres ; il fut convoqué à Toul et invité à déposer.

Nicolas Bailly

(D'Andelot au diocèse de Langres, tabellion royal et substitut en la prévôté d'Andelot. — 60 ans.)

... Jeanne est originaire de Domremy et de la paroisse de ce lieu, et son père était Jacques d'Arc, bon et honnête laboureur, tel que je l'ai vu et connu. Je le sais aussi par ouï-dire et sur le rapport de plusieurs, car j'ai été tabellion désigné par messire Jean de Torcenay, alors bailli de Chaumont, tenant son pouvoir de celui qu'on appelait roi de France et d'Angleterre, en même temps qu'un nommé Gérard Petit, défunt, alors prévôt du lieu d'Andelot, pour faire une enquête sur le fait de Jeanne la Pucelle qui était alors, à ce qu'on disait, détenue en prison dans la cité de Rouen....

... J'ai vu plusieurs fois Jeanne dans son jeune âge et jusqu'à son départ de la maison paternelle ; c'était une fille bonne et de bonne tenue, bonne catholique, fréquentant volontiers l'église et les lieux saints ; elle allait en pèlerinage à l'église de Bermont et se confessait presque chaque mois, comme je l'ai entendu dire par beaucoup d'habitants du lieu de Domremy ; et c'est aussi ce que j'ai trouvé comme tel lors de l'enquête que j'ai faite à son sujet avec le prévôt d'Andelot....

... C'est moi, tabellion, qui, comme je l'ai déjà dit, ai fait en son temps l'information à laquelle j'ai été commis par messire Jean de Torcenay, bailli de Chaumont, qui avait, disait-il, des lettres de commission de la part du soi-disant roi de France et d'Angleterre. Quand moi-même et Gérard, le prévôt défunt, fîmes cette information sur Jeanne, par notre diligence nous fîmes tant que de nous procurer douze ou quinze témoins pour certifier l'information que nous fîmes devant Simon de Thermes, écuyer, se portant comme lieutenant du capitaine de Chaumont, au sujet de Jeanne la Pucelle, parce que nous fûmes soupçonnés pour n'avoir pas mal fait cette information ; ces témoins, devant le lieutenant, dirent avoir témoigné comme ils avaient témoigné et comme il était porté dans leur interrogatoire ; alors le lieutenant récrivit à messire Jean, bailli de Chaumont, que ce qui avait été écrit dans cet interrogatoire, fait par nous tabellion et prévôt, était vrai ; et quand ce bailli vit le rapport du lieutenant, il dit que, nous autres commissaires, étions de faux Armagnacs.

On demande à Nicolas Bailly s'il possède encore cette enquête, ou sa copie. Il dit que non.

CHAPITRE III

LES COMPAGNONS DE ROUTE

L E 31 janvier 1456, le tribunal se transportait à Vaucouleurs. Baudricourt était mort, et cela nous prive d'un témoignage dont l'intérêt eût été capital. Que se passa-t-il dans l'esprit de ce capitaine de guerre, qui assumait la tâche impossible de maintenir la résistance de Vaucouleurs, seule place, nous l'avons dit, demeurée fidèle dans toute la France septentrionale, avec Tournai et le Mont-Saint-Michel, lorsqu'à cette petite paysanne en cotte et jupon rouges il octroya une escorte pour la conduire auprès du roi — donnant ainsi le signal du premier acte de tout le drame ?

Mais, à défaut de Baudricourt, les enquêteurs, ce samedi de janvier, entendirent le témoignage de Jean de Novelonpont, et celui-là est le premier, parmi les hommes de guerre, qui ait eu foi en Jeanne. Il a été littéralement conquis. Telles qu'il nous les rapporte, les paroles de Jeanne gardent leur chaleur convaincante ; il lui avait adressé quelques mots ironiques, et sa réponse l'a subjugué. C'est une scène digne des plus beaux temps de la chevalerie qu'il nous retrace alors.

L'AMI DU PREMIER JOUR

JEAN DE NOVELONPONT, OU DE METZ
(Il a été anobli par Charles VII en 1448. — 57 ans.)

... Quand Jeanne la Pucelle fut parvenue au lieu et ville de Vaucouleurs au diocèse de Toul, je l'ai vue, vêtue de pauvres vêtements, des vêtements de femme, rouges ;

elle logeait dans la maison d'un certain Henri Le Royer
de Vaucouleurs. Je lui ai parlé, disant : « Ma mie, que faites-
vous ici ? ne faut-il pas que le roi soit jeté hors du royaume
et que nous soyons Anglais ? » Et la Pucelle me répondit :
« Je suis venue ici à chambre de roi, pour parler à Robert
de Baudricourt, pour qu'il veuille me conduire ou me
faire conduire au roi ; mais il ne fait pas attention à moi,
ni à mes paroles ; et pourtant, avant que ce soit la mi-
carême, il faut que je sois auprès du roi, dussé-je m'y user
les pieds jusqu'aux genoux. Il n'y a en effet personne
au monde, ni rois, ni ducs, ni fille du roi d'Écosse [1] ou
autres, qui puissent recouvrer le royaume de France, et il
n'aura secours si ce n'est de moi ; bien que j'eusse bien
préféré filer auprès de ma pauvre mère, car ce n'est pas
mon état ; mais il faut que j'aille, et que je fasse cela, car
mon Seigneur veut que j'agisse ainsi. » Je lui ai demandé
qui était son Seigneur. Et elle me dit que c'était Dieu. Et
alors moi, Jean, qui témoigne ici, j'ai promis à la Pucelle,
mettant ma main dans la sienne en geste de foi [2], que,
Dieu aidant, je la conduirais vers le roi. Et je lui ai demandé
quand elle voulait s'en aller. Elle me dit : « Plutôt aujour-
d'hui que demain, et demain que plus tard. » Alors je
lui ai demandé si elle voulait s'en aller avec ces vêtements [3].
Elle me répondit qu'elle préférerait avoir des vêtements
d'homme. Alors je lui ai donné vêtements et chausses de
mes serviteurs pour qu'elle puisse les revêtir. Et cela fait,

---

1. Il était dès ce moment question de marier le dauphin, futur Louis XI,
avec Marguerite d'Écosse, qu'il épousa effectivement à Tours, en 1436.

2. C'est en effet le geste de la *foi*, de l'hommage féodal : le vassal qui
jurait foi et hommage mettait sa main dans celle de son seigneur, en
signe de confiance et de fidélité. Jean devenait par ce geste l'homme
lige de Jeanne.

3. Le trait est intéressant si l'on se reporte aux prétextes allégués
pour la condamnation (puisque c'est la reprise de l'habit d'homme qui
a fait considérer Jeanne comme relapse). Jean de Novelonpont, bien
loin de se scandaliser, semble avoir trouvé tout naturel que Jeanne
revêtît des vêtements d'homme pour sa chevauchée ; et il en est de même
des habitants de Vaucouleurs, qui vont jusqu'à se cotiser pour les lui
offrir.

des habitants de Vaucouleurs lui ont fait faire des vêtements d'homme et des chaussures, et tout ce qui lui était nécessaire, et ils lui remirent un cheval qui coûtait seize francs environ. Lorsqu'elle fut habillée et qu'elle eut un cheval, avec un sauf-conduit du seigneur Charles [1], duc de Lorraine, la Pucelle alla parler à ce seigneur, et je suis allé avec elle jusqu'en la cité de Toul. Et lorsqu'elle revint à Vaucouleurs, environ le dimanche des Bures [2] — il y aura vingt-sept ans au prochain dimanche des Bures, à ce qu'il me semble —, moi-même et Bertrand de Poulengy, et deux de ses serviteurs, et Colet de Vienne, messager du roi, et un certain Richard, archer, nous conduisîmes la Pucelle vers le roi, qui était à Chinon, à mes frais et à ceux de Bertrand. En nous éloignant de la ville de Vaucouleurs, par crainte des Anglais et des Bourguignons qui étaient partout sur notre chemin, en allant vers le roi, nous allions parfois de nuit ; et nous demeurâmes en chemin l'espace de onze jours, chevauchant jusqu'à la ville de Chinon ; et faisant chemin avec elle, je lui demandais si elle ferait ce qu'elle disait ; et la Pucelle nous disait toujours de ne pas avoir peur et qu'elle avait mandement de faire cela, car ses frères du paradis lui disaient ce qu'elle avait à faire, qu'il y avait déjà quatre ou cinq ans que ses frères du paradis et son Seigneur, à savoir Dieu, lui avaient dit qu'il fallait qu'elle aille à la guerre pour recouvrer le royaume de France. En chemin, Bertrand et moi nous couchions chaque nuit tous les deux avec elle, mais la Pucelle couchait à côté de moi, gardant son pourpoint et ses chausses ; et, moi, je la craignais tellement que jamais je n'aurais osé la requérir ; et je dis par serment que jamais je n'eus envers elle désir ni mouvement charnel.

... Sur son chemin, elle eût bien volontiers entendu la

---

1. Il a déjà été question de cette entrevue au chapitre précédent.
2. Premier dimanche de carême, soit 13 février 1429.

messe, car elle nous disait souvent : « Si nous pouvions ouïr messe, nous ferions bien. » Mais, à ma connaissance, nous n'entendîmes messe sur notre chemin que deux fois. Et j'avais grande confiance dans les dits de la Pucelle ; et j'étais enflammé de ses dits et d'un amour pour elle, divin, à ce que je crois. Je crois qu'elle était envoyée de Dieu ; jamais elle ne jurait, elle entendait volontiers la messe et se signait du signe de la croix. Et ainsi nous la conduisîmes au roi, jusqu'au lieu de Chinon, le plus secrètement que nous pûmes.

CEUX QUI HÉBERGÈRENT JEANNE A VAUCOULEURS

Catherine Royer
(De Vaucouleurs. — 54 ans.)

... Au moment où Jeanne voulut quitter (le pays), elle a été dans ma maison l'espace de trois semaines, ... et c'est alors qu'elle a fait parler au seigneur Robert de Baudricourt pour qu'il la conduise au lieu où était le dauphin. Mais le seigneur Robert ne voulut pas. J'ai vu entrer Robert de Baudricourt, alors capitaine de la ville de Vaucouleurs, et messire Jean Fournier [1] dans ma maison. J'ai entendu dire à Jeanne que celui-ci, prêtre, avait apporté une étole et qu'il l'avait conjurée devant le capitaine, disant que s'il y avait mauvaise chose en elle, qu'elle s'éloigne d'eux, et s'il y avait bonne chose, qu'elle vienne auprès d'eux. Et Jeanne s'approcha de ce prêtre et se mit à genoux ; et Jeanne disait que ce prêtre n'avait pas bien fait puisqu'il l'avait entendue en confession ; et quand Jeanne vit que Robert ne voulait pas la conduire,

---

1. Baudricourt lui avait demandé, par précaution, d'exorciser Jeanne, ce qui eut lieu, comme on le voit, dans la maison d'Henri et de Catherine Royer.

elle dit — je l'ai entendue — qu'il lui fallait aller au lieu où était le dauphin : « N'avez-vous pas entendu dire qu'il a été prophétisé que la France serait perdue par une femme et restaurée par une vierge des marches de Lorraine ? » Je me souvins d'avoir entendu cela, et j'en fus stupéfaite. Jeannette désirait ardemment cela et le temps lui durait comme à une femme enceinte d'enfant, de ce qu'on la conduise vers le dauphin. Et, après cela, j'ai cru à ses paroles et avec moi beaucoup d'autres, si bien que Jacques Alain et Durand Laxart voulurent la conduire, et ils la conduisirent jusqu'à Saint-Nicolas, mais revinrent ensuite à Vaucouleurs, car Jeanne dit que ce n'était pas ainsi qu'il lui convenait s'éloigner. Lorsqu'ils revinrent, certains habitants de la ville lui firent faire une tunique, des chausses, des houseaux, des éperons, une épée et autres choses semblables, et lui achetèrent un cheval, et Jean de Metz (Jean de Novelonpont), Bertrand de Poulengy, Colet de Vienne avec trois autres, la conduisirent au lieu où était le dauphin. Je les ai vus monter à cheval pour s'en aller.

Henri Royer
(Mari de la précédente. — 64 ans.)

... Jeanne disait qu'il lui fallait aller vers le noble dauphin, car son Seigneur, le roi du ciel, voulait qu'elle y aille et qu'elle était ainsi introduite de par le roi du ciel, que dût-elle y aller sur les genoux, elle irait. Jeanne vint dans ma maison ; elle était vêtue d'un vêtement de femme, rouge. Ensuite elle fut vêtue d'une veste, de chausses et autres vêtements d'homme, et chevaucha sur un cheval jusqu'au lieu où était le dauphin, où elle fut conduite par Jean de Metz, Bertrand de Poulengy, et leurs serviteurs, Colet de Vienne, Richard Larcher ; et je les ai vus s'en aller tous ensemble. Quand elle voulut s'en aller, on lui demandait comment elle ferait, quand il y avait tant d'hommes d'armes de partout ; elle répondait qu'elle ne craignait pas les hommes d'armes, car sa voie était libre ; et s'il y avait des hommes d'armes sur son chemin, elle avait Dieu, son Seigneur, qui lui fraierait la voie pour aller vers le seigneur dauphin, et qu'elle était née pour cela.

LES COMPAGNONS DE BAUDRICOURT

Quelques chevaliers de la compagnie de Robert de Baudricourt se souvenaient très bien du séjour de Jeanne à Vaucouleurs et de son départ.

GEOFFROY DUFAY
(Noble. — 50 ans.)

... J'ai vu parfois Jeanne la Pucelle venir à Maxey-sur-Vayse ; elle était de Domremy à ce qu'on disait ; j'ai connu son père et sa mère, mais j'ignore leurs noms ; je sais cependant qu'ils étaient bons chrétiens et catholiques comme le sont les paysans, et n'ai jamais rien entendu dire de contraire....

... Quand Jeanne venait à Maxey, elle venait parfois dans ma maison ; il me semble qu'elle était bonne, simple et pieuse fille....

... J'ai entendu souvent parler la Pucelle ; elle disait qu'elle voulait aller en France ; j'ai vu que Jean de Metz, Bertrand de Poulengy et Julien, qui étaient écuyers, conduisirent la Pucelle au roi ; je n'ai pas vu celle-ci à ce moment-là, mais ce sont eux qui me disaient qu'elle irait avec eux....

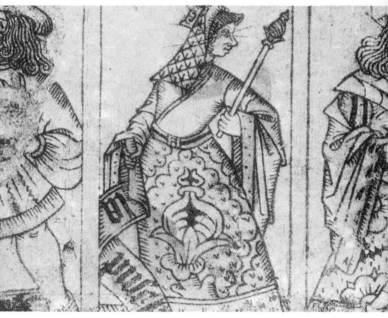

3. Page du registre du Conseil du Parlement de Paris (1429) sur laquelle le greffier a dessiné, en marge, Jeanne d'Arc tenant sa bannière.
4. Carte à jouer imprimée vers 1493, de Jehan Personne, représentant Jeanne d'Arc.

5. Jeanne d'Arc. Portrait récemment découvert, actuellement aux Archives Nationales, à Paris. Elle porte la cuirasse et soutient son fameux étendard.

ALBERT D'OURCHES
(Noble, chevalier. — 60 ans.)

... J'ai vu Jeanne à Vaucouleurs quand elle voulait qu'on la conduise au roi ; j'ai entendu la Pucelle dire à plusieurs reprises qu'elle voulait aller vers le roi et qu'elle voudrait bien qu'on l'y conduise pour le plus grand profit du dauphin ; cette Pucelle, à ce qu'il me semblait, était remplie de bonnes mœurs ; j'aurais bien aimé avoir une fille aussi bien. Je l'ai vue ensuite en compagnie des soldats. J'ai vu la Pucelle se confesser à frère Richard [1] devant Senlis et recevoir le corps du Christ, avec les ducs de Clermont et d'Alençon, pendant deux jours, et je crois qu'elle était parfaitement bonne chrétienne....

... Comme je l'ai dit plus haut, elle demandait qu'on la conduise vers le roi. Cette Pucelle parlait très bien. Elle y fut ensuite conduite par Bertrand de Poulengy, Jean de Metz et leurs serviteurs....

LE SECOND COMPAGNON DE JEANNE

BERTRAND DE POULENGY
(Écuyer du roi de France. — 63 ans.)

... Jeanne était de Domremy, à ce qu'on disait, et son père était Jacques d'Arc de la même ville. J'ignore le nom de sa mère ; mais j'ai été souvent dans leur maison et je sais que c'étaient de bons laboureurs....

... J'ai vu plusieurs fois cet arbre et j'y ai été pendant

---

1. Ce frère Richard, religieux mendiant, de l'ordre des ermites de Saint-Augustin, disciple de saint Bernardin de Sienne, a joué un certain rôle dans la vie de Jeanne, puisque c'est lui qui s'est chargé de transmettre aux habitants de Troyes, lors de la marche sur Reims, la lettre qu'elle leur adressa, et qui emporta leur soumission.

douze ans avant d'avoir vu Jeanne. J'ai entendu dire que les jeunes filles et les jeunes gens de Domremy et des autres villages voisins vont se promener et danser sous cet arbre.

... Jeanne la Pucelle est venue à Vaucouleurs à l'époque de l'Ascension de Notre-Seigneur [1], à ce qu'il me semble, et là je l'ai vue parler à Robert de Baudricourt, qui était alors capitaine de la ville. Elle lui disait qu'elle était venue vers lui, Robert, de la part de son Seigneur pour mander au dauphin qu'il se tienne bien et qu'il ne fasse pas guerre à ses ennemis, car le Seigneur lui donnerait du secours avant la mi-carême. Jeanne disait que le royaume n'appartenait pas au dauphin, mais à son Seigneur ; et que son Seigneur voulait que le dauphin soit fait roi et qu'il lui remette son royaume en commande, disant que, malgré les ennemis du dauphin, il serait fait roi, et qu'elle-même le conduirait pour le faire sacrer. Robert lui demanda qui était son Seigneur ; elle répondit : « Le Roi du ciel. » Cela fait, elle revint à la maison de son père avec son oncle, appelé Durand Laxart, de Burey-le-Petit. Et ensuite, vers le début du carême [2], Jeanne revint à Vaucouleurs, demandant une compagnie pour aller vers le seigneur dauphin ; ce que voyant, moi-même et Jean de Metz nous proposâmes ensemble de la conduire au roi, alors dauphin ; et, après que Jeanne fut allée en pèlerinage à Saint-Nicolas, et eut été chez le seigneur duc de Lorraine qui avait voulu la voir et lui avait donné un sauf-conduit, et qu'elle fut revenue à Vaucouleurs, dans la maison d'Henri Royer, moi Bertrand, et Jean de Metz, nous fîmes tant, avec l'aide des autres gens de Vaucouleurs, qu'elle laissa ses vêtements de femme, de couleur rouge, et que nous lui fîmes préparer une tunique et des vêtements d'homme, des éperons, des houseaux, une épée et tout le reste, ainsi qu'un cheval ;

1. Allusion au premier voyage de Jeanne, en mai 1428, lorsque Baudricourt refusa de l'écouter.
2. L'année suivante, donc en 1429.

et alors, avec Jeanne, et avec Julien mon serviteur, Jean de Honecourt, serviteur de Jean de Metz, Colet de Vienne et Richard Larcher, nous nous mîmes en chemin pour aller auprès du dauphin.

Au sortir du pays, le premier jour, nous avions peur à cause des soldats bourguignons et anglais qui régnaient par les chemins, et nous fîmes route pendant la nuit. Jeanne la Pucelle me disait ainsi qu'à Jean de Metz, et à ceux qui cheminaient avec nous, qu'il serait bon que nous puissions entendre la messe ; mais, à cause des guerres dans le pays, nous ne le pûmes, afin de passer inaperçus. Chaque nuit, elle couchait avec Jean de Metz et moi, gardant sur elle son surcot et ses chausses liées et serrées. J'étais jeune alors ; et pourtant je n'avais pas désir ni mouvement charnel de toucher femme, et je n'eusse pas osé requérir Jeanne, à cause de tant de bonté que je voyais en elle.

Nous fûmes onze jours en chemin [1] pour aller jusque vers le roi, alors dauphin, et sur le chemin nous eûmes bien des anxiétés. Mais Jeanne nous disait toujours de ne pas craindre et que, une fois parvenus à la ville de Chinon, le noble dauphin nous ferait bon visage. Elle ne jurait jamais, et j'étais moi-même très stimulé par ses voix, car il me semblait qu'elle était envoyée de Dieu ; et je ne vis jamais en elle aucun mal, mais toujours elle était si vertueuse fille qu'elle semblait une sainte ; et ainsi tous ensemble, sans grande difficulté, nous cheminâmes jusqu'au lieu de Chinon où était le roi, alors dauphin....

1. Du 13 au 23 février 1429.

CHAPITRE IV

L'ARRIVÉE A CHINON
ET LES JUGES DE POITIERS

L'ENQUÊTE au pays lorrain — Domremy, Vaucouleurs, Toul — s'était terminée le 11 février. Simon Chapitault regagna Rouen, où la reprise des audiences avait été décidée pour le 16 février. Entre-temps, quatre témoins avaient été cités à la cour épiscopale de Paris ; deux d'entre eux étaient des médecins, Jean Tiphaine et Guillaume de la Chambre, appelés à témoigner en particulier sur la maladie dont Jeanne avait été atteinte dans sa prison, et aussi sur l'ensemble du procès auquel bon gré, mal gré ils avaient participé ; leur déposition, en date du 10 janvier, sera donnée plus loin. Les deux autres avaient pris la part la plus directe au procès, puisqu'il s'agissait de Thomas de Courcelles, et d'un autre juge, Jean de Mailly, évêque de Noyon, ami tout dévoué de Cauchon.

Le lundi 16 février, le promoteur de Beauvais, maître Réginald Bredouille, se présenta devant les commissaires, en son nom et comme procureur de l'évêque du diocèse ; il ne s'agissait d'ailleurs pour lui que d'une simple formalité : répondre aux citations tout en déclinant le désir de soutenir la cause de leurs prédécesseurs. A son tour, le prieur du couvent des dominicains d'Évreux, Jacques Chaussetier, vint au nom du couvent de Beauvais protester contre les assignations lancées à l'adresse du vice-inquisiteur.

L'audience reprit le lendemain, et les cent un articles allégués par la famille d'Arc pour faire valoir la nullité du premier procès furent lus à la barre ; ils avaient été précédemment déposés au tribunal, le 20 décembre, par Simon Chapitault. Maître Réginald Bredouille fut invité à les contester ; ce qui fut seulement pour lui l'occasion de déclarer une fois de plus qu'il n'entendait pas s'intéresser à l'affaire, tout en niant, comme sa fonction lui en faisait un devoir, la vérité des accusations portées contre Cauchon.

Deux autres enquêtes furent alors ordonnées, l'une à Orléans, l'autre à Paris, celle-ci destinée à compléter les dépositions recueillies entre le 10 et le 15 janvier. Les cent un articles présentés par le promoteur, et désormais acquis aux débats, devaient servir de base à ces enquêtes.

Avant de passer à celle d'Orléans, il nous a paru intéressant de donner un certain nombre de dépositions qui concernent surtout l'arrivée de Jeanne à Chinon et l'examen qu'elle subit à Poitiers. Il s'agit de témoignages recueillis à Paris dans les mois qui suivirent, ou encore à Orléans et à Rouen. Mais, quelle que soit leur date, il convenait de les replacer, semble-t-il, dans leur ordre logique, celui qu'ils occupent dans le déroulement de l'histoire de Jeanne.

La petite escorte fut, nous l'avons vu, onze jours en chemin ; le 23 février, vers midi, elle arrivait à Chinon. De l'une des étapes précédentes, Sainte-Catherine-de-Fierbois, Jeanne avait fait envoyer une lettre à Charles VII pour l'informer de sa venue. On sait comment, après de longues hésitations, le roi consentit à la recevoir, et qu'elle le convainquit, dès la première entrevue, qu'il était « vrai héritier de France et fils de roi ». Pourtant il refusa de faire confiance à Jeanne avant qu'elle eût été dûment examinée par des clercs et des théologiens.

L'examen eut lieu à Poitiers, et les interrogatoires durent occuper environ trois semaines du mois de mars. Les dépositions qui suivent vont nous fournir à ce sujet quelques détails, mais on regrettera toujours que le texte même de l'enquête, les questions des juges et les réponses de Jeanne ne nous aient pas été conservés : quel document inestimable, celui qui nous aurait permis de voir Jeanne, interrogée en toute bonne foi, répondre en toute assurance, au moment même où elle sentait sa mission sur le point de s'accomplir. Quelques-unes seulement de ses reparties nous ont été conservées par Seguin Seguin, l'excellent frère prêcheur qui, au moment de la réhabilitation, vivait encore ; on possède aussi un résumé de l'opinion des docteurs de Poitiers, mais il ne donne aucun détail, sinon qu' « en elle, on ne trouve point de mal, mais seulement bien, humilité, virginité, dévotion, honnêteté, simplicité ».

A plusieurs reprises, lors du procès de condamnation,

Jeanne devait renvoyer ses juges à cet examen de Poitiers, qui fut certainement mené de la façon la plus approfondie : il s'agissait de dépister la possession diabolique, la fraude, la simulation de la fausse inspirée qu'elle aurait pu être. Il y eut, comme il devait y en avoir à Rouen, mais dans un tout autre esprit, des pièges tendus, une surveillance exercée sur sa conduite quotidienne. D'autre part, la reine Yolande de Sicile, belle-mère de Charles VII, assistée de matrones et de dames de son entourage, examina Jeanne en privé pour savoir si elle était vierge ; comme on vient de le voir, les juges de Poitiers n'ont pas manqué de rapporter le résultat de cet examen dans leurs conclusions. C'est qu'en effet, selon la mentalité du temps, la virginité de Jeanne est comme une contre-épreuve de la vérité de sa mission : si elle se déclare l'instrument de Dieu, elle doit l'être sans partage. Jeanne, d'ailleurs, se fait elle-même appeler la Pucelle ; elle sait que l'entière innocence est comme le revers de la parfaite charité. Et le culte de la Vierge, qui a pris au cours du Moyen Age l'immense développement que l'on sait, a familiarisé les esprits avec cette notion de l'importance de la chasteté dans une vie consacrée. Cauchon lui-même ne pensera pas autrement.

LE PRÉSIDENT DE LA CHAMBRE DES COMPTES

SIMON CHARLES

L'un des personnages importants du royaume : il est président de la Chambre des comptes. En 1429, il n'était encore que maître des requêtes, mais, tout dévoué à la cause royale et jouissant de la confiance de Charles VII, c'est peut-être lui qui traduit le plus fidèlement les réactions du roi, dont il était le familier. A le lire, on a ce sentiment que les rapports de Jeanne avec le roi furent un perpétuel combat de la foi contre le doute : le contraste est dès l'abord tragique entre cet homme insaisissable, travaillé d'hésitations et de retours en arrière, et le personnage de Jeanne, iné-branlable dans sa conviction et sa fidélité.

L'année où Jeanne alla trouver le roi, j'avais été envoyé par lui en ambassade à Venise, et je revins vers le mois de mars ; à ce moment-là, j'ai entendu dire par Jean de Metz, qui avait escorté Jeanne, qu'elle était auprès du roi. Je sais que, quand Jeanne arriva à Chinon, il y eut une délibération au Conseil pour savoir si le roi l'entendrait ou non. Tout d'abord on lui demanda pourquoi elle était venue et ce qu'elle demandait. Elle ne voulait rien dire sans avoir parlé au roi, mais fut pourtant contrainte de par le roi à dire la raison de sa mission ; elle dit qu'elle en avait deux, pour lesquelles elle était mandée de par le Roi des cieux : l'une de lever le siège d'Orléans, l'autre de conduire le roi à Reims pour son couronnement et son sacre. Ce qu'entendu, certains des conseillers du roi disaient que le roi ne devait nullement prêter foi à Jeanne ; et les autres que, du moment qu'elle disait qu'elle était envoyée de Dieu et qu'elle avait quelque chose à dire au roi, le roi devait tout au moins l'entendre.

Cependant, le roi voulut qu'elle fût d'abord examinée par des clercs et hommes d'Église ; ce qui fut fait. Et enfin, bien qu'avec difficulté, il fut décidé que le roi l'écouterait. Lorsqu'elle entra au château de Chinon pour venir en sa présence, le roi, sur le conseil des principaux courtisans, hésita à lui parler jusqu'au moment où il lui fut rapporté que Robert de Baudricourt lui avait écrit qu'il lui avait envoyé une femme et qu'elle avait été conduite à travers le territoire des ennemis du roi, et que, d'une façon quasi miraculeuse, elle avait traversé beaucoup de fleuves à gué pour arriver auprès du roi. A cause de cela le roi fut poussé à l'entendre, et une audience fut accordée à Jeanne. Quand le roi sut qu'elle allait venir, il se retira à part en dehors des autres ; Jeanne cependant le reconnut bien et lui fit révérence et lui parla un long moment. Et, après l'avoir entendue, le roi paraissait radieux. Ensuite, ne voulant encore rien faire sans avoir conseil des gens d'Église, il envoya de nouveau Jeanne à Poitiers pour qu'elle fût examinée par les clercs de l'université de Poitiers ; lorsqu'il sut qu'on l'avait examinée et qu'il lui fut rapporté qu'on n'avait rien trouvé que de bien en elle, le roi lui fit faire des armes et lui confia des gens de guerre, et elle eut le commandement sur le fait de la guerre.

Jeanne était très simple en toutes ses actions, sauf sur le fait de guerre, sur lequel elle était tout à fait experte. J'ai entendu dans la bouche du roi de très bonnes paroles au sujet de Jeanne ; ce fut à Saint-Benoît-sur-Loire : en cet endroit, le roi eut pitié d'elle et de la peine qu'elle endurait, et lui ordonna de se reposer. Alors Jeanne dit au roi en pleurant qu'il ne doute et qu'il obtiendrait tout son royaume, et serait dans peu de temps couronné. Et elle grondait très fort les hommes d'armes quand elle leur voyait faire quelque chose qu'il lui semblait qu'il ne fallait pas faire.

... De ce qui fut fait à Orléans, je ne sais rien que par ouï-dire, car je n'y fus pas présent, mais il y a une chose que j'ai entendu dire par le seigneur de Gaucourt, quand elle était à Orléans ; il avait été décidé par ceux qui avaient charge des gens du roi qu'il n'était pas indiqué de faire assaut ni attaque le jour où fut prise la bastille des Augustins [1], et ce seigneur de Gaucourt fut commis à garder les portes pour que personne ne sorte : Jeanne cependant ne fut pas contente de cela ; elle fut d'opinion que les soldats devaient sortir avec les gens de la ville et donner assaut à la bastille ; beaucoup d'hommes d'armes et de gens de la ville furent du même avis ; Jeanne dit à ce sire de Gaucourt que c'était un mauvais homme : « Que vous le vouliez ou non, les hommes d'armes viendront et obtiendront ce qu'ils ont ailleurs obtenu. » Et contre la volonté du seigneur de Gaucourt, les soldats qui étaient dans la ville sortirent et allèrent à l'assaut pour envahir la bastille des Augustins, qu'ils prirent de force. Et, à ce que j'ai entendu dire par ce sire de Gaucourt, il fut lui-même en grand péril.

---

1. 6 mai 1429 (voir le chapitre suivant, p. 124).

... Jeanne alla avec le roi jusqu'à la ville de Troyes par laquelle voulait passer le roi pour aller à Reims se faire couronner ; au moment où il était devant cette ville de Troyes, comme les soldats voyaient qu'ils n'avaient plus de vivres et se trouvaient découragés et prêts à se retirer, Jeanne dit au roi qu'il n'ait aucun doute et que le lendemain il aurait la ville. Alors elle prit son étendard ; quantité de gens de pied la suivaient, à qui elle ordonna de faire des fagots pour remplir les fossés. Ils en firent beaucoup, et le lendemain Jeanne cria : « A l'assaut ! » donnant signe de mettre les fagots dans les fossés. Voyant cela, les habitants de Troyes, craignant l'assaut, envoyèrent au roi pour négocier leur composition. Et le roi fit composition avec les habitants et fit son entrée à Troyes avec grande pompe, Jeanne portant son étendard auprès du roi.

Peu après, le roi sortit de Troyes avec son armée et se dirigea sur Châlons et ensuite sur Reims ; et, comme il avait peur d'éprouver une résistance à Reims, Jeanne lui dit : « N'ayez doute, car les bourgeois de Reims viendront au-devant de vous. » Et avant qu'ils aient approché de la cité de Reims, les bourgeois se rendirent. Le roi craignait la résistance de ceux de Reims car il n'avait pas d'artillerie ni de machine pour faire le siège s'ils se montraient rebelles. Et Jeanne disait au roi d'avancer hardiment et de ne douter de rien, car, s'il voulait avancer courageusement, il recouvrerait tout son royaume.

UN CONSEILLER DU ROI

François Garivel

(Conseiller général du roi sur la justice des aides. —
40 ans.)

... Je me souviens qu'au moment de l'arrivée de Jeanne la Pucelle, le roi l'envoya à Poitiers et elle fut logée dans la maison de feu maître Jean Rabateau [1], alors avocat du roi au Parlement ; et furent députés en cette cité de Poitiers par ordre du roi de solennels docteurs et maîtres : à savoir maître Pierre de Versailles [2], alors abbé de Talmont, plus tard évêque de Meaux ; Jean Lambert, Guillaume Aimeri, de l'ordre des frères prêcheurs ; Pierre Seguin [3], de l'ordre des frères carmes, docteurs en sainte Écriture ; Matthieu Mesnage, Guillaume Lemarié, bacheliers en théologie, avec plusieurs autres conseillers du roi, licenciés en droit civil et droit canon, qui, à plusieurs reprises, l'espace de trois semaines environ, examinèrent Jeanne....

... Quand on demandait à Jeanne pourquoi elle appelait le roi : dauphin, et non roi, elle disait qu'elle ne l'appellerait pas roi jusqu'à ce qu'il ait été couronné et sacré à Reims, dans la ville où elle était décidée à le conduire....

UN PROFESSEUR EN THÉOLOGIE

SEGUIN SEGUIN
(Professeur en théologie, doyen de la faculté de Poitiers, des frères prêcheurs. — 70 ans.)

La *Chronique de la Pucelle*, qui raconte les événements contemporains, dit de lui que c'était « un bien aigre homme ». Ce n'est pas l'impression qu'il nous donne ; on ne peut en tout cas lui refuser le sens de l'humour, même quand il en est victime.

1. Jean Rabateau, conseiller du roi, était avocat général au Parlement, transféré de Paris occupé par les Anglais en « zone libre », soit à Poitiers, en 1427. Il était mort vers 1444, après avoir été président du Parlement réintégré à Paris après la libération de la capitale.
2. Pierre de Versailles, ancien moine de Saint-Denis et professeur en théologie, devait être, par la suite, évêque de Digne, puis de Meaux ; représentant au concile de Bâle de René d'Anjou, puis du roi de France lui-même, il y fut un ardent défenseur du pape Eugène IV, qui le chargea d'une mission en Grèce. Il était mort vers 1446.
3. Différent de Seguin Seguin, dont on lira la déposition à la suite de celle de Garivel.

... Avant de connaître Jeanne, j'avais ouï dire par maître Pierre de Versailles, professeur en théologie, qui mourut évêque de Meaux, qu'il avait entendu parler de Jeanne par des soldats qui étaient allés au-devant d'elle quand elle venait trouver le roi et s'étaient mis en embuscade pour se saisir d'elle, et la piller ainsi que sa compagnie, et au moment où ils voulaient le faire, ils n'avaient pas pu bouger du lieu où ils étaient ; et ainsi Jeanne s'était retirée sans difficulté avec sa compagnie.

... Je l'ai vue pour la première fois à Poitiers ; le Conseil du roi s'était réuni là dans la maison d'une certaine La Macée, et parmi eux était le seigneur archevêque de Reims, alors chancelier de France [1].

On avait mandé, en dehors de moi, maître Jean Lombard, professeur en théologie à l'Université de Paris, Guillaume Le Maire, chanoine de Poitiers, bachelier en théologie, Guillaume Aymeri, professeur en théologie, de l'ordre des frères prêcheurs, frère Pierre Turelure, maître Jacques Madelon, et plusieurs autres dont je ne me souviens plus. On nous dit que nous étions mandés de par le roi d'interroger Jeanne, et de rapporter au Conseil du roi ce qu'il nous semblait d'elle ; et on nous envoya à la maison de maître Jean Rabateau, à Poitiers, où Jeanne était logée, pour l'examiner.

Quand nous arrivâmes, nous posâmes à Jeanne plusieurs questions, et entre autres questions, maître Jean Lombard lui demanda pourquoi elle était venue, et que le roi voudrait bien savoir ce qui l'avait poussée à venir vers lui. Et elle répondit de grande façon que, quand elle gardait les animaux, une voix s'était manifestée à elle, qui lui dit que Dieu avait grande pitié du peuple de France et qu'il fallait que

---

1. Regnault de Chartres ; c'est lui qui présidait la commission chargée de l'examen. On sait comment ce personnage devait se ranger dans le clan hostile à Jeanne lorsque les événements tournèrent contre elle et qu'elle fut faite prisonnière.

Jeanne vînt en France. En entendant cela, elle avait commencé à pleurer ; alors la voix lui dit qu'elle aille à Vaucouleurs, et que là elle trouverait un capitaine qui la conduirait sûrement en France et auprès du roi, et qu'elle n'ait doute ; et elle avait fait ainsi et était venue auprès du roi, sans aucun empêchement. Maître Guillaume Aymeri l'interrogea : « Tu as dit que la voix t'a dit que Dieu veut délivrer le peuple de France des calamités dans lesquelles il est. S'il veut le délivrer, il n'est pas nécessaire d'avoir des gens d'armes. » Et alors Jeanne répondit : « *En nom Dieu, les gens d'armes batailleront et Dieu donnera victoire.* » De cette réponse maître Guillaume se tint content.

... Je lui demandai quel langage parlait sa voix. Elle me répondit : « Meilleur que le vôtre » ; moi, je parlais limousin. Et de nouveau je lui demandai si elle croyait en Dieu ; elle me répondit : « Oui, mieux que vous. » Et alors je dis à Jeanne que Dieu ne voulait pas que l'on croie en elle, s'il n'apparaissait quelque chose par quoi il semblât qu'on devait croire en elle, et qu'on n'allait pas conseiller au roi sur sa simple assertion de lui confier des gens d'armes, pour qu'ils soient mis en péril, à moins qu'elle ne dise autre chose. Elle répondit : « *En nom Dieu, je ne suis pas venue à Poitiers pour faire signes ;* mais conduisez-moi à Orléans, je vous montrerai les signes pour lesquels j'ai été envoyée », ajoutant que des gens lui fussent donnés en telle quantité qu'il lui semblerait bon, et qu'elle irait à Orléans. Et alors elle me dit à moi et aux autres présents quatre choses qui étaient alors à venir, et qui ensuite arrivèrent. D'abord, elle dit que les Anglais seraient défaits et que le siège qui était mis devant la ville d'Orléans serait levé, et que la ville d'Orléans serait libérée des Anglais ; mais qu'auparavant elle leur enverrait des sommations. Elle dit ensuite que le roi serait sacré à Reims. Troisièmement, que la ville de Paris reviendrait en l'obéissance du roi ; et que le duc d'Orléans reviendrait d'Angleterre. Tout cela, je l'ai vu s'accomplir.

... Nous rapportâmes tout cela au Conseil du roi et fûmes d'opinion que, étant donné l'imminente nécessité et le péril dans lequel était la ville d'Orléans, le roi pouvait bien s'aider d'elle et l'envoyer à Orléans.

... Nous nous enquîmes, moi et les autres désignés, de la vie et des mœurs de Jeanne, et nous trouvâmes qu'elle était bonne chrétienne, et vivait de façon catholique, et qu'on ne la trouvait jamais oisive. Et pour mieux connaître son comportement, des femmes lui furent envoyées, qui rapportaient au conseil ses faits et gestes. Je crois que Jeanne a été envoyée de Dieu, attendu que le roi et les peuples en son obéissance n'avaient aucun espoir, mais que tous croyaient battre en retraite. Et je me souviens bien qu'on demanda à Jeanne pourquoi elle portait un étendard : elle répondit qu'elle ne voulait se servir de son épée, et ne voulait tuer quiconque.

... Jeanne était très en colère lorsqu'elle entendait jurer le nom de Dieu en vain. Elle détestait ceux qui juraient. Elle disait à La Hire, dont c'était la coutume et l'habitude de jurer souvent le nom de Dieu, de ne plus jurer ; et quand il avait envie de jurer par Dieu, qu'il jure par son bâton. Et de ce moment La Hire, quand il était en présence de Jeanne, prit l'habitude de jurer par son bâton.

UN AVOCAT AU PARLEMENT

JEAN BARBIN
(Docteur en droit. — 50 ans.)

Il parle de Jeanne à Poitiers et des clercs qui l'ont examinée.

Finalement il fut conclu par les clercs, après les interrogations et les examens par eux faits, qu'il n'y avait en elle rien de mal, ni rien de contraire à la foi catholique, et qu'étant donné la nécessité dans laquelle étaient le roi et le royaume, puisque le roi et les habitants qui lui étaient fidèles étaient alors au désespoir et ne pouvaient espérer d'aide d'aucune sorte si elle ne leur venait de Dieu, que le roi pouvait bien s'aider d'elle. Et, durant ces délibérations, un certain maître Jean Érault, professeur en théologie, raconta que lui-même avait ailleurs entendu dire par une certaine Marie d'Avignon [1] qui autrefois était venue auprès du roi, à qui elle avait dit que le royaume de France avait beaucoup à souffrir et qu'il subirait de nombreuses calamités, disant en outre qu'elle avait eu beaucoup de visions touchant la désolation du royaume de France ; entre autres elle voyait de nombreuses armures qui lui étaient présentées ; et cette Marie, épouvantée, avait peur d'être forcée de revêtir ces armures ; et il lui fut dit qu'elle ne craigne pas et que ce n'était pas elle qui aurait à porter ces armes, mais qu'une Pucelle, qui viendrait après elle, porterait les armes et délivrerait le royaume de France de ses ennemis ; et il croyait fermement que Jeanne était celle dont cette Marie d'Avignon avait parlé.

Les soldats la tenaient pour sainte, car elle se conduisait de telle façon dans l'armée, en actes et en paroles, selon Dieu, que personne n'aurait rien pu lui reprocher.

J'ai entendu dire par maître Pierre de Versailles qu'une fois, tandis que ce maître Pierre était à Loches en compagnie de Jeanne, les gens prenaient les pieds de son cheval et lui baisaient les mains et les pieds. Il dit à Jeanne qu'elle faisait mal de permettre cela, que cela ne lui convenait pas et qu'elle prît garde à ce genre de choses, car cela poussait les hommes à l'idolâtrie. Jeanne répondit : « En vérité, je ne saurais par moi-même me garder de semblables choses, si Dieu ne m'en gardait. »

---

1. On l'appelait « la Gasque d'Avignon ». Ses prophéties firent grand bruit au début du XVe siècle.

A ce qu'il me semble, Jeanne était bonne catholique et tout ce qui fut fait par elle était de Dieu. Ce qui me fait dire cela, c'est qu'en toutes choses elle était sans reproche, tant dans sa conversation que dans le boire et le manger et tout le reste, et je n'ai jamais rien entendu dire de défavorable sur elle, mais l'ai toujours entendu tenir et réputer bonne catholique.

LE GRAND MAÎTRE DE L'HÔTEL DU ROI

RAOUL DE GAUCOURT

Autre personnage important du royaume. C'est un chevalier, ancien croisé de la croisade de Nicopolis, qui s'est illustré en 1415 lors de la défense d'Harfleur, après laquelle il a été fait prisonnier par Henry V ; il est resté treize ans captif en Angleterre. A son retour, Charles VII l'a nommé premier chambellan et capitaine de Chinon ; par la suite, il a été chargé de plusieurs missions de confiance, entre autres d'une ambassade auprès d'Eugène IV, dont faisait aussi partie Simon Charles ; il a été gouverneur du Dauphiné, puis, en 1453, grand maître de l'hôtel du roi. Louis XI devait par la suite le destituer sans égard pour son grand âge (à 90 ans) et ses loyaux services. Il était présent au moment où Jeanne fut pour la première fois reçue en audience par le roi. C'est, au moment où il dépose, un vieillard de quatre-vingt-cinq ans.

... J'étais présent au château et ville de Chinon quand la Pucelle est arrivée, et je l'ai vue quand elle s'est présentée devant la Majesté royale, avec grande humilité et simplicité, cette pauvre petite bergerette ; et j'ai entendu les mots suivants qu'elle a dits au roi : « Très noble seigneur dauphin, je suis venue et suis envoyée de par Dieu pour apporter du secours à vous et à votre royaume. » Le roi l'ayant vue et entendue, pour être mieux informé de son fait, ordonna qu'elle fût mise en la garde de Guillaume Bellier, maître de sa maison, bailli de Troyes et mon lieutenant à Chinon, dont l'épouse était femme de grande dévotion et de très excellente renommée. Le roi ordonna en outre que Jeanne soit visitée par des clercs, des prélats et des docteurs pour savoir si l'on devait et pouvait ajouter foi à ce qu'elle disait : ce qui fut fait, car ses faits et ses dits furent examinés par des clercs l'espace de trois semaines et plus, tant à Poitiers qu'à Chinon. Enfin ces clercs, après l'avoir dûment examinée, dirent qu'il n'y avait rien de mal en elle, ni dans ses dits ; et ensuite, après bien des interrogatoires, on lui demanda quels signes elle montrerait pour que l'on ajoute foi à ses paroles. Elle répondit que le signe qu'elle montrerait serait de lever le siège et de porter du secours à la ville d'Orléans.

Jeanne était sobre pour la nourriture et la boisson, et de sa bouche ne sortaient que de bonnes paroles servant à l'édification et au bon exemple ; elle était très chaste et je n'ai jamais su que de nuit elle ait jamais eu un homme avec elle ; mais toujours la nuit elle avait une femme qui couchait dans sa chambre. Elle se confessait souvent ; elle se consacrait assidûment à l'oraison, entendait la messe tous les jours et recevait souvent le sacrement de l'Eucharistie ; et elle ne souffrait qu'en sa compagnie soient dits paroles malséantes ni blasphèmes, car elle détestait cela.

UN ÉCUYER DU ROI

GOBERT THIBAULT
(50 ans.)

J'étais à Chinon quand Jeanne vint trouver le roi qui résidait alors à Chinon, mais je n'ai pas eu grande connaissance d'elle à cet endroit. Je l'ai connue davantage par la suite, car, comme le roi voulait aller à Poitiers, Jeanne y fut conduite, et elle fut logée dans la maison de maître Jean Rabateau. Je sais que Jeanne a été à Poitiers interrogée et examinée par le défunt maître Pierre de Versailles, professeur en théologie, alors abbé de Talmont et au moment de sa mort évêque de Meaux, et par maître Jean Érault, professeur en théologie ; j'allai avec eux sur l'ordre de feu l'évêque de Castres. Elle était, comme je l'ai dit, logée dans la maison d'un nommé Rabateau et c'est dans cette maison que Versailles et Érault, en ma présence, parlèrent à Jeanne ; comme nous y arrivions, Jeanne vint au-devant de nous et elle me frappa sur l'épaule en me disant qu'elle aimerait bien avoir beaucoup d'hommes de ma sorte. Alors Pierre de Versailles dit à Jeanne qu'ils étaient envoyés à elle de par le roi ; elle répondit : « Je crois bien que vous êtes envoyés pour m'interroger », disant : « Moi, je ne sais ni *a* ni *b*. » Alors nous lui demandâmes pourquoi elle venait. Elle répondit : « Je viens de par le Roi des cieux pour lever le siège d'Orléans et conduire le roi à Reims pour son couronnement et son sacre. » Et elle nous demanda si nous avions du papier et de l'encre, disant à maître Jean Érault : « Écrivez ce que je vous dirai : « *Vous, Suffort, Classidas et La Poule, je vous somme, de par* « *le Roi des cieux, que vous en alliez en Angleterre* [1]. »

Et cette fois-là Versailles et Érault ne firent rien d'autre dont je me souvienne ; et Jeanne demeura à Poitiers aussi longtemps que le fit le roi.... J'ai vu ceux qui avaient amené Jeanne vers le roi, c'est-à-dire Jean de Metz, Jean Coulon et Bertrand *Pollichon (sic)* avec qui elle avait grande familiarité et amitié. Une fois j'ai été présent quand ceux qui l'avaient amenée racontaient à feu l'évêque de

---

1. Début de la première lettre de sommation adressée aux Anglais. Se reporter au chapitre suivant. Suffolk, Glansdale et John Pole assiégeaient alors Orléans.

Castres [1], alors confesseur du roi, comment ils avaient traversé la Bourgogne et les endroits occupés par l'ennemi ; cependant ils avaient toujours passé sans aucun empêchement, ce dont ils étaient fort émerveillés.

J'ai entendu dire à ce défunt confesseur qu'il avait vu dans des écrits qu'une Pucelle devait venir, qui devait aider le roi de France....

Je n'ai pas été présent à ce qui s'est fait à Orléans, mais la commune renommée disait que tout avait été fait grâce à elle et de façon presque miraculeuse. Le jour où le seigneur de Talbot, qui avait été pris à Patay [2], fut amené à Beaugency, j'arrivai à Beaugency et, de cette ville, Jeanne alla avec les hommes d'armes à la ville de Jargeau, qui fut prise d'assaut, et les Anglais furent mis en fuite ; et de là Jeanne revint à Tours où était monseigneur le roi ; et de Tours ils se mirent en chemin pour aller à Reims pour le sacre et le couronnement du roi ; et Jeanne disait au roi et aux gens d'armes qu'ils aillent hardiment et que tout se passerait pour le mieux, qu'ils ne craignent pas, car ils ne trouveraient personne qui puisse leur nuire, et ne rencontreraient même aucune résistance ; disant en outre qu'elle ne doutait pas qu'ils n'aient assez de gens et que beaucoup la suivraient.

Et Jeanne fit rassembler des gens d'armes entre la ville de Troyes et celle d'Auxerre, et il s'en trouva beaucoup, car tous la suivaient ; et le roi et ses gens vinrent sans empêchement jusqu'à Reims ; le roi en effet ne trouva aucune résistance, mais les portes des cités et des villes s'ouvraient toutes devant lui.

Jeanne était bonne chrétienne ; elle entendait volontiers et chaque jour la messe et recevait souvent le sacrement de l'Eucharistie ; elle s'irritait beaucoup quand elle entendait

---

1. Gérard Machet.
2. Voir les détails de la campagne de la Loire au chapitre suivant.

jurer, et cela était un bon signe, à ce que disait le seigneur confesseur du roi, qui s'informait avec beaucoup de soin de ses faits et de sa vie.

Dans l'armée, elle était toujours avec les soldats, et j'ai entendu dire par plusieurs des familiers de Jeanne que jamais ils n'avaient eu désir d'elle, c'est-à-dire que parfois ils en avaient volonté charnelle, cependant jamais n'osèrent s'y laisser aller, et ils croyaient qu'il n'était pas possible de la vouloir ; et souvent quand ils parlaient entre eux du péché de la chair et disaient des paroles qui pouvaient exciter à la volupté, quand ils la voyaient et s'approchaient d'elle, ils n'en pouvaient plus parler et soudain s'arrêtaient leurs transports charnels. J'ai interrogé à ce sujet plusieurs de ceux qui parfois couchèrent la nuit en compagnie de Jeanne, et ils me répondaient comme je l'ai dit, ajoutant qu'ils n'avaient jamais ressenti désir charnel quand ils la voyaient.

UN COMPAGNON D'ARMES

Simon Beaucroix
(Écuyer, demeurant à Paris, à l'Hôtel-Neuf. — 50 ans.)

... Jeanne était bonne catholique, craignant Dieu.... Je me souviens bien qu'au moment où j'étais avec elle, jamais je n'eus volonté de mal faire.

Jeanne couchait toujours avec des jeunes filles et n'aimait pas coucher avec des vieilles femmes. Elle détestait les jurons et les blasphèmes ; elle apostrophait ceux qui juraient et blasphémaient. Dans l'armée, elle n'aurait jamais voulu que ceux de sa compagnie pillent quelque chose ; jamais elle ne voulait manger des vivres dont elle savait qu'ils avaient été pillés. Une fois un Écossais lui donna à entendre qu'elle avait mangé d'un veau qui avait été pillé ; elle en fut très en colère et voulut pour cela frapper l'Écossais.

Elle ne voulait jamais que les femmes de mauvaise vie aillent dans l'armée avec les soldats ; c'est pourquoi aucune n'aurait osé se trouver en la société de Jeanne ; quand elle en trouvait, elle les obligeait à s'en aller, à moins que les soldats ne veuillent les prendre pour épouses.

Je crois qu'elle était vraie catholique, craignant Dieu et gardant ses préceptes, obéissant selon son pouvoir aux commandements de l'Église. Elle montrait de la pitié non seulement envers les Français, mais aussi envers les ennemis. Je le sais, car, pendant longtemps, j'ai été avec elle, et très souvent je l'aidais à s'armer.

Jeanne se désolait beaucoup et cela lui déplaisait fort quand quelques bonnes femmes venaient à elle pour la saluer et lui donnaient des marques d'adoration dont elle s'irritait.

> Enfin, voici un troisième compagnon d'armes, frappé surtout de la compétence de Jeanne en matière de stratégie.

UN AUTRE COMPAGNON D'ARMES

THIBAUT D'ARMAGNAC OU DE TERMES
(Chevalier, bailli de Chartres. — 50 ans.)

[Bataille de Patay.]

... Jeanne avait prédit aux Français que aucun ou très peu de leurs hommes ne seraient tués et n'auraient de mal ; ce qui arriva, car de tous nos hommes, il n'en fut tué qu'un seul, un noble de ma compagnie.... En dehors du fait de guerre, elle était simple et innocente ; mais, dans la conduite et la disposition des armées et sur le fait de guerre, pour ranger l'armée en bataille et exciter les soldats, elle se conduisait comme si elle avait été le capitaine le plus avisé du monde, qui eût été toute sa vie instruit dans la guerre....

Contrastant avec les hommes d'armes, presque tous hauts seigneurs, voici un homme du peuple, un simple chaudronnier, marchand ambulant. Il se trouvait à Reims au moment du sacre, et, étant leur compatriote, il avait lié connaissance avec le père de Jeanne, Jacques d'Arc, et son fils Pierre.

UN CHAUDRONNIER

Husson Lemaitre
(Demeurant à Rouen, natif de Viville sous La Motte-en-Bassigny, à trois lieues de Domremy. — 50 ans.)

... Je n'ai pas vu Jeanne et n'en ai pas eu connaissance jusqu'au moment où elle vint à Reims faire couronner le roi ; je demeurais alors en cette ville ; et il y avait là le père de Jeanne et messire Pierre, son frère, qui étaient très familiers avec moi et ma femme, car nous étions compatriotes ; même ils appelaient ma femme, « voisine ».

J'étais au pays dont je suis originaire au temps où Jeanne alla à Vaucouleurs vers le seigneur Robert de Baudricourt, pour qu'il la conduise ou la fasse conduire au roi de France. Et on disait alors là-bas que c'était une grâce de Dieu et que Jeanne était conduite par l'esprit de Dieu.

Jeanne requit au seigneur Robert de lui donner des gens pour la conduire vers le seigneur dauphin, à ce que j'ai entendu dire ; dans le pays, Jeanne était réputée bonne et honnête jeune fille.... J'ai entendu dire au temps où Jeanne était conduite de Vaucouleurs vers le roi, que quelques-uns des soldats qui la conduisaient faisaient semblant d'être du parti adverse ; et comme ceux qui étaient avec elle faisaient semblant de vouloir fuir, elle leur disait : « Ne fuyez pas, *en nom Dieu ;* ils ne nous feront pas de mal. »

Et à ce qu'on disait, quand elle arriva vers le roi, elle le reconnut bien qu'elle ne l'eût pas vu auparavant. Et enfin, elle amena le roi à Reims sans difficulté ; c'est là que je l'ai vue ; de Reims, le roi alla à Corbigny [1] et ensuite à Château-Thierry qui se rendit au roi....

> Voici le témoignage d'une femme, qui a eu avec Jeanne, après le sacre, une vraie familiarité, puisqu'elle la logeait chez elle. C'est une femme fort intelligente, et bien placée, puisque son mari, René de Bouligny, était de son vivant conseiller du roi sur le fait des finances.

CELLE QUI LOGEA JEANNE D'ARC

MARGUERITE LA TOUROULDE
(Veuve de feu maître René de Bouligny. — 64 ans.)

... Quand Jeanne vint vers le roi à Chinon, j'étais à Bourges où était la reine. A ce moment-là, il y avait dans ce royaume et dans les parties obéissant au roi telle calamité et telle pénurie d'argent que c'était pitié ; et même tous ceux qui obéissaient au roi étaient presque au désespoir. Je le sais parce que mon mari était à ce moment-là receveur général et tant de l'argent du roi que du sien, il n'avait alors quatre écus. Et la cité d'Orléans était assiégée par les Anglais et il n'y avait moyen de lui venir en aide. Et c'est parmi cette calamité qu'est venue Jeanne, et, je le crois fermement, elle est venue de Dieu et a été envoyée pour relever le roi et les peuples demeurés dans son obéissance, car, à ce moment-là, il n'y avait d'espoir si ce n'est de Dieu.

Je n'ai vu cependant Jeanne qu'au moment où le roi revint de Reims où il avait été sacré ; le roi vint à la ville

1. Prieuré dans lequel les rois allaient, après le sacre, toucher ceux qui avaient des écrouelles.

de Bourges, où était la reine, et moi avec elle. Le roi approchant, la reine alla au-devant de lui à la ville de Selles en Berry, et moi avec elle. Et, tandis que la reine allait à la rencontre du roi, Jeanne vint en avant et salua la reine ; Jeanne fut alors conduite à Bourges et, par commandement du seigneur d'Albret, elle fut logée chez moi, bien que mon défunt mari m'eût dit que Jeanne serait logée dans la maison d'une certaine Jeanne Duchesne. Et elle fut dans ma maison l'espace de trois semaines, couchant, buvant et mangeant. Et presque chaque jour, je couchais avec Jeanne et n'ai rien vu en elle ou aperçu quoi que ce soit de trouble ; mais elle se conduisit et se conduisait comme une femme honnête et catholique, car elle se confessait très souvent, entendait volontiers la messe, et souvent me demanda d'aller à matines ; et à son instance, j'y allai et la conduisis plusieurs fois.

Parfois nous parlions ensemble, et on disait à Jeanne qu'elle ne devait sans doute pas avoir peur d'aller à l'assaut parce qu'elle savait bien qu'elle ne serait pas tuée. Elle répondait qu'elle n'avait pas plus de sûreté qu'aucun autre combattant. Et parfois Jeanne racontait comment elle avait été examinée par des clercs et qu'elle leur avait répondu : « *Il y a ès livres de Notre-Seigneur plus que ès vôtres.* »

J'ai entendu par la suite parler ceux qui l'amenèrent au roi et leur ai entendu dire que, tout d'abord, ils la croyaient présomptueuse, et c'était leur intention de la mettre à l'épreuve ; mais lorsqu'ils se furent mis en route pour la conduire, ils furent prêts à faire tout ce qui plaisait à Jeanne et ils avaient autant envie de la présenter au roi qu'elle-même, et ils n'auraient pu résister à la volonté de Jeanne. Ils disaient qu'au début ils voulurent la requérir charnellement ; mais au moment où ils voulaient lui en parler, ils en avaient tellement honte, qu'ils n'osaient pas lui en parler ni lui en dire mot. J'ai entendu dire par

Jeanne que le duc de Lorraine, qui était malade, voulut la voir ; et Jeanne était allée lui parler et lui avait dit qu'il se conduisait mal, et que jamais il ne guérirait s'il ne s'amendait ; et elle l'exhorta à reprendre avec lui sa bonne épouse [1].

Jeanne avait en horreur le jeu de dés.

Jeanne était très simple et ignorante, et ne savait absolument rien, à ce qu'il me semble, si ce n'est sur le fait de guerre. Je me souviens que plusieurs femmes venaient chez moi, quand Jeanne y demeurait, et apportaient des patenôtres (chapelets) et autres objets de piété pour qu'elle les touchât ; ce qui la faisait rire, et elle me disait : « Touchez-les vous-même ; ils seront aussi bons de votre toucher que du mien. » Elle était très large dans ses aumônes et très volontiers donnait aux indigents et aux pauvres, disant qu'elle avait été envoyée pour la consolation des pauvres et des indigents.

Et plusieurs fois je l'ai vue au bain et aux étuves, et, autant que j'aie pu le voir, je crois qu'elle était vierge. Et en tout ce que j'en sais, elle était tout innocence, si ce n'est dans les armes, car je l'ai vue qui chevauchait à cheval et portait la lance comme l'eût fait le meilleur soldat, et de cela s'émerveillaient les gens d'armes.

1. Marguerite de Bavière, que Charles de Lorraine avait délaissée pour une fille nommée Alison Dumay.

CHAPITRE V

ORLÉANS

IL AVAIT été décidé qu'après l'enquête en pays lorrain, une autre aurait lieu à Orléans ; elle fut ouverte le 22 février 1456, et présidée par l'archevêque de Reims, Jean Jouvenel des Ursins, en personne. Les deux autres commissaires apostoliques, Guillaume Chartier et Richard Olivier, n'avaient pu l'accompagner, pas plus que l'inquisiteur Jean Bréhal, qui avait désigné à sa place frère Jean Patin ; mais Guillaume Bouillé se trouvait présent.

Si l'on tâche de se faire une idée de l'impression que pouvait avoir alors le commissaire apostolique, d'après les audiences du procès commencé un peu plus de trois mois auparavant, on peut penser que Jeanne devait lui faire l'effet d'une fille simple et pieuse, victime d'un procès politique d'ailleurs odieusement falsifié — de ces sortes d'affaires comme en fait naître presque inévitablement l'occupation étrangère.

A Orléans, tout change. Pour la première fois, la notion de miracle dut se faire jour dans l'esprit des membres du tribunal. En écoutant les dépositions qui y furent recueillies entre le 22 février et le 16 mars, ils devaient commencer à considérer Jeanne comme une envoyée de Dieu, ou plutôt se dire qu'il n'y avait guère de milieu possible : ou bien ses actes se ressentaient de l'intervention divine, ou bien ils étaient d'inspiration diabolique, car ils sortaient, de toute façon, du cadre naturel et normal de l'existence, et ne pouvaient s'expliquer par simple prémonition ou même autosuggestion comme pouvaient l'être, à la rigueur, ses faits et gestes à Vaucouleurs et à Chinon.

Ici, il faut bien ouvrir une parenthèse, car ce procès de réhabilitation a donné lieu à des controverses en ce qui concerne, précisément, les déclarations relatives à Orléans.

Aussi nous faut-il redire que, pour un certain nombre d'historiens, d'après lesquels toute l'affaire aurait été dirigée par Charles VII, cette unanimité des témoignages à déclarer que les circonstances de la délivrance d'Orléans passaient l'entendement humain serait une preuve que les dépositions ont été savamment dictées et orchestrées.

Or, si les témoignages sont, en effet, unanimes, de tous ceux qui ont participé de près ou de loin au siège d'Orléans, il faut remarquer qu'ils émanent des personnalités les plus diverses. Que Charles VII ait pu faire pression sur Dunois, son cousin, ce serait à la rigueur vraisemblable ; qu'il ait pu influer sur les dépositions des gens de la cour comme Raoul de Gaucourt ou Simon Charles, ce serait plus plausible encore. Il est déjà plus délicat d'admettre que sa volonté ait été si puissante sur le duc d'Alençon, alors en froid avec lui, et qui, au moment même du procès de réhabilitation, complotait, par une déconcertante trahison, de livrer le Cotentin aux Anglais. Et comment penser que seule la volonté royale a pu amener toutes les petites gens d'Orléans à venir en foule témoigner pour Jeanne, comme cela devait se produire le 16 mars, jour où le notaire Guillaume de la Salle, préposé à enregistrer les déclarations, en inscrivit trente-six, toutes enthousiastes, émanant les unes de bourgeois connus dans la cité, les autres d'obscurs habitants ?

D'ailleurs tous ces gens n'avaient pas attendu, tant s'en faut, le procès de réhabilitation pour considérer Jeanne comme une envoyée du Ciel et la délivrance de leur ville comme un miracle. La procession qui avait lieu chaque année le 8 mai, jour anniversaire de la levée du siège, est attestée, nous l'avons vu, dès 1435 ; il est certain, d'autre part, que, dès 1440, la mère de Jeanne vivait à Orléans, qu'elle était pensionnée par les bourgeois de la ville et soignée à leurs frais quand elle était malade ; cela, nullement sur l'intervention de Charles VII, mais bien sur la décision des échevins (soit des conseillers municipaux) qui, chaque mois, lui votaient une rente de quarante-huit sous parisis « pour sa nourriture [1] ». Ces mêmes habitants avaient accompagné Isabelle Romée, on l'a vu, à la céré-

---

1. Si l'on veut un élément d'appréciation, la pinte de bon vin vaut alors un sou.

monie de Notre-Dame qui marqua l'ouverture du procès, et leur enthousiasme n'avait pas été sans y causer quelque désordre. Il est hors de doute que, s'il y eut intervention royale, elle n'a certes pas été nécessaire à leur endroit. Et, en somme, le témoignage de ces gens qui ont subi jour après jour les souffrances et les privations de sept mois de siège, qui ont attendu, lutté, payé de leur personne, puis se sont vus libérés alors qu'ils avaient perdu espoir, présente bien quelque valeur ; c'est leur propre histoire qu'ils nous racontent.

Enfin, on possède, sur le caractère extraordinaire de ce siège, le témoignage de Jean d'Aulon ; à supposer que le tribunal ait habilement conduit les dépositions des témoins qui défilaient devant lui, il n'a pu en être de même de celui-ci, puisqu'il a témoigné devant l'officialité de Lyon et que son témoignage a été envoyé de là par écrit [1].

Ce qui ressort incontestablement du texte de la réhabilitation, c'est qu'on ne parlait pas d'Orléans sans émotion, qu'*au sentiment des contemporains* le surnaturel s'était, en cet endroit, imposé aux événements de la façon la plus impétueuse, bousculant toutes les probabilités, tous les « humainement possibles ». Et, sur ce point, il paraît vain de chercher derrière l'unanimité des témoignages autre chose que l'unanimité de l'opinion. D'autant plus qu'il y a dans ces récits, on le verra, une chaleur qui ne trompe pas. Libre à l'historien de ne pas partager cet enthousiasme et les convictions sur lesquelles il est fondé, mais en toute bonne foi il est tenu de le constater. A la lecture des textes, tout paraît en somme beaucoup plus simple qu'on ne l'a cru : à tort ou à raison, les gens d'Orléans croyaient au miracle, et n'avaient aucunement besoin d'être sollicités

1. Relevons à ce sujet l'erreur singulière d'Hanotaux : « Au début du procès, écrit-il, dès 1456, l'archevêque de Reims... prie un des témoins principaux, Jean d'Aulon, d'envoyer sa déposition » ; pour lui, le fait que l'archevêque indique, dans sa lettre, que le désir des Anglais, en accusant Jeanne d'hérésie, a été d'atteindre à travers elle la majesté royale, découvrirait une « thèse » politique qui aurait influé sur tout le procès (*Jeanne d'Arc*, p. 122). Mais c'est *à la fin du procès* que Jean Jouvenel des Ursins s'exprime ainsi : sa lettre est du 20 avril 1456 alors que les audiences de témoins allaient prendre fin le 10 mai, et qu'elles avaient commencé le 15 décembre précédent, sans même tenir compte des enquêtes préalables ; à ce moment-là l'archevêque de Reims pouvait fort bien s'être fait une opinion, et celle qu'il exprime cadre assez avec les faits pour qu'on ne soit pas obligé d'y voir on ne sait quelle préméditation.

pour voir un miracle dans la levée du siège d'Orléans.

Les commissaires apostoliques, de par leur fonction, étaient tenus de rester méfiants devant l'hypothèse du miracle (l'Église, après eux, ne mettra pas moins de quatre cents ans à proclamer officiellement la sainteté de Jeanne). Il reste que, comme cela s'était passé pour Guillaume d'Estouteville après l'enquête qu'il avait conduite, ils durent, en écoutant les dépositions orléanaises, éprouver pour la première fois durant le procès le sentiment d'une action surnaturelle.

Les circonstances du siège d'Orléans sont trop connues pour qu'il soit nécessaire de les évoquer ici. Nous nous bornerons, pour faciliter la lecture des dépositions qui suivent, à en rappeler brièvement les principaux épisodes.

Orléans était investi depuis le 12 octobre 1428, jour où Salisbury, à la tête d'une forte armée anglaise, vint, après avoir pillé et démoli le sanctuaire de Notre-Dame-de-Cléry, mettre le siège devant la cité du prince Charles, détenu en Angleterre depuis Azincourt ; l'un et l'autre forfait avaient causé en France une vive indignation, car il était contraire aux coutumes de l'honneur féodal de faire le siège d'une ville dont le seigneur était prisonnier. Mais le siège d'Orléans, clef de la Loire, représentait pour les Anglais le couronnement de la fructueuse série d'expéditions qui, depuis le mois d'août précédent, avait permis au même Salisbury de s'assurer successivement le pays entre Dreux et Chartres, les places de Toury, Le Puiset, Janville, Meung et Beaugency. Tué le 24 octobre en donnant l'assaut au fort des Tourelles, qui commandait le pont d'Orléans sur la rive gauche, Salisbury était aussitôt remplacé par Suffolk, Thomas Scales et surtout le fameux Talbot.

Depuis ce 12 octobre, en dépit d'une résistance passionnée (les bourgeois d'Orléans allèrent jusqu'à démolir eux-mêmes leurs faubourgs, qui faisaient leur orgueil, pour que l'armée anglaise ne pût s'y loger), le siège n'avait fait que se resserrer. Une tentative menée par Charles de Bourbon pour intercepter un convoi de vivres destiné au camp anglais avait tourné au désastre, presque au ridicule : c'est la fameuse journée des Harengs (ainsi nommée parce que le convoi comportait surtout des tonneaux de harengs salés), du 12 février 1429 — la veille du jour où Jeanne allait quitter Vaucouleurs.

Prenant leur temps, les Anglais avaient décidé de réduire la ville par la famine, et, méthodiquement, ils construisaient toute une série d'ouvrages destinés à la couper peu à peu de ses communications avec l'extérieur. En dehors du fort des Tourelles, dont ils s'étaient emparés dès le début du siège, la bastille des Augustins, construite sur les débris de l'ancien couvent du même nom, la bastille Saint-Loup, la redoute ou boulevard de la Croix-Boissée, le guet de Saint-Jean-le-Blanc étaient les principaux de ces ouvrages qui, peu à peu, verrouillaient la cité.

Ayant enfin convaincu le roi, Jeanne, après avoir adressé des lettres de sommation aux capitaines de l'armée assiégeante, se dirige sur Blois. C'est de là que, le mercredi 27 avril, bannière déployée, clergé en tête, au chant du *Veni Creator*, l'armée royale [1] s'ébranle en direction d'Orléans.

Il s'agissait d'abord de faire pénétrer dans la ville un convoi de vivres ; c'est chose faite dès le 28, et, le vendredi 29 avril, au soir, Jeanne entre elle-même dans

---

1. Quelles étaient au juste les forces en présence ? La question a fait couler des flots d'encre, et les évaluations des historiens oscillent à ce sujet de la façon la plus inquiétante : de 3 000 à 12 000 combattants du côté anglais, et, de façon exactement symétrique, mais en proportion généralement inverse, de 12 000 à 3 000 du côté français — chacun apportant d'ailleurs à l'appui de son estimation des raisons absolument péremptoires et convaincantes.

Les ouvrages les plus récents donnent 6 000 à 7 000 hommes tant du côté anglais que du côté français, ce qui représente, faute de mieux, une honnête moyenne.

Faut-il regretter le manque d'appréciation exacte ? Notre époque croit aux chiffres, mais on est invariablement déçu quand on veut ramener l'histoire, en tout cas l'histoire du Moyen Age, à des évaluations chiffrées. Pour le cas précis d'un siège, n'oublions pas que quantité d'éléments viendraient de toute façon fausser les calculs : ainsi, les moyens de défense sont alors très supérieurs aux moyens d'attaque (le contraire de ce qui se passe de nos jours). Le duc d'Alençon, qui n'a pas participé aux opérations devant Orléans, mais qui a par la suite examiné les ouvrages du siège, déclare qu'avec quelques soldats il se serait fait fort d'y résister six ou sept jours contre n'importe quel contingent.

La solution la plus raisonnable consiste encore, semble-t-il, à se fier à l'ensemble des témoignages contemporains. Il n'est pas vraisemblable qu'un capitaine de la valeur de Dunois, qui deux ans auparavant (1427) a fait lever brillamment, avec La Hire, le siège de Montargis, n'ait pas tenté plus tôt ce qui était en son pouvoir pour faire lever celui d'Orléans ; lorsque lui, l'homme de guerre rompu aux exploits, en une affaire où son honneur était engagé, puisqu'il avait charge de défendre la place, nous déclare que l'armée du roi n'était pas suffisante pour résister plus longtemps à une attaque des assiégeants, on peut le croire sur parole.

Orléans, se rend à la cathédrale au milieu des transports de joie de la population, et loge chez le trésorier royal, Jacques Boucher. Puis c'est l'épopée que l'on sait : un second convoi et le corps de secours pénètrent sous les yeux des assiégeants le 4 mai ; les Anglais perdent successivement la bastille Saint-Loup (4 mai), celle des Augustins (6 mai) et celle des Tourelles (7 mai). Le dimanche 8, Talbot ordonne la retraite de ses troupes. Orléans était libéré.

Nous ne redirons pas après tant d'autres la stupeur et l'enthousiasme incroyables des contemporains. Dans tout le royaume, et jusqu'à l'étranger, en Italie notamment, en Flandre, en Allemagne, ce sont de véritables dithyrambes, qui s'expriment en hymnes, en poèmes ; il est bien émouvant de retrouver dans ce concert la voix des deux grands poètes du temps, Alain Chartier et Christine de Pisan. Quant au prince des poètes, Charles d'Orléans, en apprenant la délivrance de sa ville, il donna l'ordre de faire faire à Jeanne une robe « de fine Bruxelles vermeille » et une « huque » (blouse courte portée sous la robe) de « vert perdu » ; les couleurs (rouge cramoisi et vert sombre) étaient celles de la livrée d'Orléans, et c'est le drapier Jean Luillier, dont nous lirons la déposition, qui fournit les tissus, avec « satin blanc, cendal et autres étoffes », pour la somme de douze écus d'or [1].

Non moins connus et significatifs, les documents qui prouvent la panique jetée dans l'armée anglaise par cet exploit sans précédent. Quelques jours après la levée du siège, le régent Bedford, replié sur Paris, doit adresser des lettres aux capitaines des ports normands, leur défendant de laisser aucun déserteur se rembarquer pour l'Angleterre, et l'on connaît les mandements royaux de mai, puis décembre 1430, ordonnant des sanctions contre les soldats qui refuseraient de passer en France « par crainte des maléfices de la Pucelle ».

LE BÂTARD D'ORLÉANS

Jean, comte de Dunois et de Longueville, dit le Bâtard d'Orléans, est une personnalité trop connue

1. On sait que ces cadeaux de vêtements, aux couleurs du prince qui les distribuait, étaient fort courants au Moyen-Age.

te rencõtre fut dicte la bataille des harens
urce q̃ sesditz ãngloys amenoient des harẽt
ur sors qui estoit tẽps de szaresme.

En ce tẽps/cestassauoir durãt ce siege dozse
s vne pucelle de.piij.ans ou de.vp.cõe dien
scuns natiue de lorraine appellèe iehãne qui

6. Gravure sur bois de la "Mer des Ystoires" (Lyon, 1491), représentant Jeanne d'Arc marchant au combat.

7. Jeanne d'Arc. Miniature de la "Vie des Femmes célèbres" d'Antoine Dufour (vers 1505).

pour qu'il soit nécessaire de s'y attarder. Il est le fils
bâtard de Louis d'Orléans, et l'on sait comment,
après l'assassinat de ce dernier par Jean sans Peur, sa
veuve, Valentine de Milan, le réunit à ses enfants :
« Jean est mon fils comme vous ; on me l'avait dérobé,
je l'ai repris; et, j'en suis sûre, nul aussi bien que lui
ne vengera son père. » En fait, toute sa vie a été
consacrée à la reconquête du royaume ; c'est lui qui
donnera le signal du « recouvrement de Normandie »
en reprenant Verneuil occupé par Talbot, et on le
retrouve aussi à la capitulation de Bordeaux.

Dès la première rencontre, comme on va le voir, il
s'est rangé au nombre des fidèles de Jeanne, et rien
dans sa vie ne trahira cette fidélité ; contrairement à
tant d'autres dans l'entourage royal, il est de ceux que
ni la jalousie devant les succès ni le doute devant les
lenteurs ne feront vaciller. En 1431, au moment où
Jeanne est prisonnière, il dirigera inutilement une
campagne en direction de Rouen, et c'est, avec
l'attaque de La Hire sur Louviers, la seule tentative
sérieuse qui ait été faite pour la délivrer.

Il a cinquante et un ans à l'époque de la réhabilitation.

DUNOIS

(51 ans.)

... Je crois que Jeanne a été envoyée par Dieu et que
ses faits en la guerre étaient plutôt d'inspiration divine
que d'esprit humain.... Et voici pourquoi : premièrement, j'étais à Orléans, alors assiégé par les Anglais,
quand circulèrent certaines rumeurs selon lesquelles
avait passé par la ville de Gien [1] une jeune fille dite la
Pucelle, assurant qu'elle se rendait auprès du noble
dauphin pour lever le siège d'Orléans et pour conduire le
dauphin à Reims pour qu'il fût sacré. Comme j'avais la
garde de la cité, étant lieutenant général sur le fait de la

1. Gien est l'étape qui précède immédiatement Sainte-Catherine-de-
Fierbois, d'où l'on sait que Jeanne fit écrire à Charles VII pour lui
annoncer sa venue.

guerre, pour plus amples informations sur le fait de cette Pucelle, j'ai envoyé auprès du roi le sire de Villars, sénéchal de Beaucaire, et Jamet du Thillay, qui fut par la suite bailli de Vermandois [1]. Au retour de leur mission auprès du roi, ils m'ont raconté et ont dit en public, en présence de tout le peuple d'Orléans qui désirait beaucoup savoir la vérité sur la venue de cette Pucelle, qu'eux-mêmes avaient vu ladite Pucelle arriver auprès du roi dans la ville de Chinon. Ils disaient aussi que le roi, au premier abord, ne voulut pas la recevoir, mais qu'elle demeura l'espace de deux jours, attendant qu'on lui permît d'approcher de la présence royale, bien qu'elle ait dit et répété qu'elle venait pour lever le siège d'Orléans et pour conduire le noble dauphin à Reims afin qu'il fût consacré, et qu'elle réclamât instamment une compagnie d'hommes, des chevaux et des armes.

Passé l'espace de trois semaines ou un mois, temps pendant lequel le roi avait ordonné que la Pucelle fût examinée par des clercs, des prélats et des docteurs en théologie sur ses faits et ses dits, afin de savoir s'il pouvait la recevoir en toute sécurité, le roi fit rassembler une multitude d'hommes d'armes pour faire entrer des vivres dans la cité d'Orléans. Mais ayant recueilli l'opinion des prélats et docteurs, savoir qu'il n'y avait rien de mal en cette Pucelle, il l'envoya en compagnie du seigneur archevêque de Reims, alors chancelier de France [2] et du seigneur de Gaucourt [3], à présent grand maître de l'hôtel du roi, à la ville de Blois dans laquelle étaient venus ceux qui conduisaient le convoi de vivres, à savoir le seigneur de Rais [4] et de Boussac [5], maréchal de France, avec lequel

1. Il était alors capitaine de Blois.
2. Regnault de Chartres, mort en 1443.
3. On a lu plus haut sa déposition (p. 108). Il était alors bailli d'Orléans.
4. Gilles de Laval, le fameux « Barbe-Bleue », mort sur le bûcher en 1440.
5. Jean de la Brosse ; il prendra part à toutes les campagnes de Jeanne.

étaient le seigneur de Culant [1], amiral de France, La Hire [2] et le seigneur Ambroise de Loré [3], devenu depuis prévôt de Paris, qui tous ensemble, avec les soldats escortant le convoi de vivres, et Jeanne la Pucelle, vinrent du côté de la Sologne en armée rangée jusqu'à la rivière de Loire, tout droit et jusqu'à l'église dite de Saint-Loup [4] dans laquelle étaient de nombreuses forces anglaises. Et comme l'armée du roi et les gens d'armes qui conduisaient le convoi ne me semblaient pas, non plus qu'aux autres seigneurs capitaines, suffisants pour résister et pour conduire le convoi de vivres dans la cité, d'autant plus que l'on avait besoin de bateaux et de radeaux qu'on aurait pu difficilement avoir, pour aller chercher ces vivres, car il fallait remonter le courant de l'eau et le vent était absolument contraire, alors Jeanne me dit les paroles qui suivent : « Êtes-vous le Bâtard d'Orléans ? » Je répondis : « Oui, je le suis et je me réjouis de votre arrivée. » Alors elle me dit : « Est-ce vous qui avez donné le conseil que je vienne ici, de ce côté du fleuve, et que je n'aille pas tout droit là où sont Talbot et les Anglais ? » Je répondis que moi-même et d'autres, les plus sages, avaient donné ce conseil, croyant faire ce qu'il y avait de meilleur et de plus sûr. Alors Jeanne m'a dit : « *En nom Dieu*, le conseil du Seigneur Notre Dieu est plus sage et plus sûr que le vôtre [5]. Vous

1. Louis de Culant ; participe à l'expédition de la Loire, après Orléans, et demeurera à Saint-Denis comme défenseur de la ville, après son retour au roi de France.

2. Sa mort, survenue en 1443, nous prive d'un témoignage dont l'intérêt eût été capital. On sait que La Hire, de son vrai nom Étienne de Vignolles, était un capitaine de routiers, d'ailleurs terrible déprédateur ; une chronique contemporaine (la *Chronique de Metz*) raconte qu'il fut avec le duc d'Alençon le seul capitaine qui d'emblée fit bon accueil à Jeanne ; il prit part à tous ses combats. Sa mémoire était célébrée, comme celle de Dunois, aux fêtes anniversaires de la libération d'Orléans.

3. Prit part à toutes les campagnes de Jeanne et fut nommé capitaine de Lagny. Mort prévôt de Paris en 1446.

4. On a vu que les Anglais en avaient fait une bastille fortifiée.

5. Jeanne, impatiente de combattre, aurait voulu foncer immédiatement sur Orléans ; les capitaines avaient préféré faire un détour, traverser la Loire à la hauteur de Chécy et Jargeau, et gagner de là

avez cru me tromper, et c'est vous surtout qui vous trompez, car je vous apporte meilleur secours qu'il ne vous en est venu d'aucun soldat ou d'aucune cité : c'est le secours du Roi des cieux. Il ne vient pas par amour pour moi, mais de Dieu lui-même, qui, à la requête de saint Louis et saint Charlemagne, a eu pitié de la ville d'Orléans et n'a voulu souffrir que les ennemis eussent le corps du seigneur d'Orléans et sa ville. »

Aussitôt, et comme au moment même, le vent, qui était contraire et qui empêchait absolument que les navires remontent, dans lesquels étaient les victuailles pour la cité d'Orléans, changea et devint favorable. Aussitôt on fit tendre les voiles, et je fis entrer les radeaux et navires, et avec moi frère Nicolas de Geresme, à présent grand prieur de France [1] ; et nous passâmes au-delà de l'église Saint-Loup, malgré les Anglais. Depuis ce moment-là j'ai eu bon espoir en elle, plus qu'auparavant, et je l'ai alors suppliée de bien vouloir traverser le fleuve de Loire et d'entrer dans la ville d'Orléans où on la désirait extrêmement. Sur cela, elle fit difficulté, disant qu'elle ne voulait pas renvoyer ses gens d'armes, qui s'étaient bien confessés et étaient repentants et de bonne volonté ; et pour cela elle ne voulait pas venir. Je suis allé trouver les capitaines de guerre qui avaient la charge de conduire les soldats et les ai suppliés et leur ai demandé que, pour le secours du roi, ils veuillent bien accepter que Jeanne entre dans la cité d'Orléans, qu'eux-mêmes, les capitaines, avec leur compagnie, aillent à Blois où ils traverseraient la Loire pour venir à Orléans parce qu'on ne pouvait pas trouver un passage plus proche. Lesdits capitaines reçurent cette requête et consentirent à traverser à Blois.

Orléans en suivant le fleuve, de façon à éviter le plus possible les bastilles fortifiées. Mais le vent contraire retardait ce projet et risquait d'immobiliser le convoi.

1. De l'ordre des Chevaliers de Rhodes.

Alors Jeanne vint avec moi, portant en sa main son étendard qui était blanc et sur lequel était l'image de Notre-Seigneur tenant une fleur de lis dans la main. Et elle traversa avec moi et La Hire le fleuve de Loire et nous entrâmes ensemble dans la ville d'Orléans [1]. Pour tout cela il me semble que Jeanne, et aussi ce qu'elle a fait en guerre et en bataille, étaient plutôt de Dieu que des hommes : le changement fait soudain dans le vent après qu'elle eut parlé donnant l'espoir d'un secours, et l'introduction de vivres malgré les Anglais qui étaient beaucoup plus forts que ne l'était l'armée royale, étant donné en outre que cette petite jeune fille assurait qu'elle avait eu une vision dans laquelle saint Louis et Charlemagne priaient Dieu pour le salut du roi et de cette cité.

Et je crois, pour une autre cause, que ses faits étaient de Dieu : je voulais aller chercher les soldats qui traversaient à Blois pour venir prêter secours à ceux de cette cité, mais Jeanne ne voulait guère attendre ni consentir que j'aille vers eux ; au contraire, elle voulait sommer les Anglais assiégeant cette cité avant de tenter de faire lever ce siège, ou de leur donner l'assaut ; ce qu'elle fit ; elle somma les Anglais, en une lettre écrite en son idiome maternel, avec des mots très simples, contenant en substance que ces Anglais veuillent se retirer du siège et aillent au royaume d'Angleterre, autrement elle leur donnerait si grand assaut qu'ils seraient forcés de s'en aller. Cette lettre fut envoyée au seigneur Talbot [2], et de ce moment j'affirme que les Anglais qui, auparavant, à deux cents mettaient en fuite huit cents ou mille combattants de l'armée royale, à partir de ce moment quatre cents ou cinq cents soldats et hommes d'armes combattaient dans la guerre comme si c'eût été contre toute la puissance des Anglais, et ils forçaient parfois

1. Le vendredi 29 avril, dans la soirée.
2. Il dirigeait le siège depuis la mort de Salisbury, soit depuis le 24 octobre 1428, et commandait le fort Saint-Laurent, sur la rive droite.

les Anglais qui assiégeaient de façon telle que ceux-ci n'osaient plus sortir de leurs refuges et bastilles.

Et pour une autre raison encore, je crois que ses faits étaient de Dieu, car le septième jour de mai, de bon matin, alors que l'assaut avait commencé contre les ennemis qui se tenaient au-delà du boulevard du Pont [1], Jeanne fut blessée d'une flèche qui pénétra sa chair entre le cou et les épaules, de la longueur d'un demi-pied ; pourtant malgré cela elle ne se retira pas du combat et ne prit pas de médicament contre sa blessure. L'assaut dura depuis le matin jusqu'à huit heures de vêpres, si bien qu'il n'y avait guère d'espoir de victoire ce jour-là : aussi j'allais m'arrêter et voulais que l'armée se retire vers la cité. Alors la Pucelle vint à moi et me requit d'attendre encore un peu. Ellemême, à ce moment-là, monta à cheval et se retira seule en une vigne assez loin de la foule des hommes ; et dans cette vigne elle resta en oraison l'espace de la moitié d'un quart d'heure ; puis elle revint de cet endroit, saisit aussitôt son étendard en main et se plaça sur le rebord du fossé, et, à l'instant qu'elle fut là, les Anglais frémirent et furent terrifiés ; et les soldats du roi reprirent courage et commencèrent à monter, donnant l'assaut contre le boulevard, sans rencontrer la moindre résistance. Alors ce boulevard fut pris et les Anglais qui s'y trouvaient s'enfuirent, et tous furent tués. Entre autres Classidas [2], et les autres principaux capitaines anglais de ladite bastille croyant se retirer dans la tour du Pont, tombèrent dans le fleuve et furent noyés, et ce Classidas avait été celui qui parlait le plus injurieusement et de la façon la plus ignoble et la plus infamante contre la Pucelle. Donc la bastille fut prise et je revins ainsi que la Pucelle avec les autres Français en la cité d'Orléans dans laquelle nous fûmes reçus avec de

1. Ou des Tourelles.
2. William Glansdale, bailli d'Alençon pour le roi d'Angleterre, qui commandait la forteresse des Tourelles ou du Pont.

grands transports de joie et de piété ; et Jeanne fut conduite vers son logement pour. que sa blessure fût soignée. Une fois les soins donnés par le chirurgien, elle prit son repas, mangeant quatre ou cinq rôties, trempées dans du vin mêlé de beaucoup d'eau, et ne prit aucune autre nourriture ou boisson pendant tout le jour.

Le lendemain [1] de grand matin, les Anglais sortirent de leurs tentes et se rangèrent en bataille pour combattre; ce que voyant, la Pucelle se leva de son lit et s'arma seulement d'un habit, celui qu'on appelle en français *jasseran* [2]. Cependant elle défendit alors que qui que ce soit aille contre les Anglais ou leur demande quelque chose, mais qu'on les laisse s'en aller ; et de fait ils s'en allèrent sans que personne les poursuive, et depuis cette heure la ville fut délivrée des ennemis.

Après la délivrance d'Orléans, la Pucelle, avec moi et les autres capitaines de guerre, s'en alla trouver le roi qui était au château de Loches, pour lui requérir des forces armées afin de récupérer les châteaux et les villes situés sur le fleuve de Loire, c'est-à-dire Meung, Beaugency et Jargeau, afin de lui faire route libre et sûre pour se rendre à Reims pour son couronnement. Elle incitait le roi très instamment et très souvent à se hâter et ne pas tarder davantage. De ce moment, le roi fit toute diligence possible et il m'envoya, ainsi que le duc d'Alençon et les autres capitaines, avec Jeanne, pour récupérer lesdites villes et châteaux. Ces villes et châteaux furent de fait réduits en l'obéissance du roi en peu de jours, grâce à la Pucelle, à ce que je crois.

Après la libération de la ville d'Orléans du siège des Anglais, ces Anglais réunirent une grande armée pour défendre les villes et châteaux en question et ceux qu'ils

---

1. Dimanche 8 mai.
2. Cotte de mailles légère.

possédaient. Le siège étant mis devant le château et le pont de Beaugency, l'armée anglaise s'approcha du château de Meung sur la Loire qui était encore au pouvoir des Anglais. Mais comme les Anglais ne purent alors porter secours à ceux d'entre eux qui étaient assiégés au château de Beaugency, lorsqu'il vint à leur connaissance que ce château avait été pris et ramené à l'obéissance royale, ces Anglais se réunirent en une seule armée, de telle façon que les Français croyaient que les Anglais voulaient se présenter en ordre pour combattre ; les Français mirent donc leur armée en bataille et s'apprêtèrent à attendre l'assaut des Anglais. Alors le seigneur duc d'Alençon, en présence du seigneur connétable [1], de moi-même et de plusieurs autres, demanda à Jeanne ce qu'il devait faire. Elle lui répondit à haute voix en lui disant : « Ayez tous de bons éperons! » Ce qu'entendant les assistants demandèrent à Jeanne : « Que dites-vous ? est-ce que nous allons leur tourner le dos ? » Alors Jeanne répondit : « Non ; mais ce seront les Anglais qui ne se défendront pas et seront vaincus, et il vous faudra avoir de bons éperons pour leur courir après. » Et il en fut ainsi, car ils prirent la fuite et il y en eut, tant morts que captifs, plus de quatre mille [2].

Et je me souviens bien que, quand le roi était au château de Loches, j'allai avec la Pucelle après la levée du siège d'Orléans, et tandis que le roi était dans sa chambre secrète — ce qu'on appelle en français « retrait » — dans laquelle étaient avec lui le seigneur Christophe de Harcourt, l'évêque de Castres, confesseur du roi [3], et le seigneur de Trèves [4], qui fut autrement chancelier de France, la Pucelle, avant d'entrer dans la chambre, frappa à la porte et, sitôt

1. Arthur de Richemont.
2. Bataille de Patay, le 18 juin.
3. Gérard Machet ; il ne fut évêque de Castres qu'après la mort de Jeanne et mourut en 1448.
4. Robert le Maçon, chancelier en 1418, puis conseiller du roi.

entrée, se mit à genoux et embrassa les jambes du roi, disant ces paroles ou d'autres semblables : « Noble dauphin, ne tenez plus tant et si longuement conseil, mais venez le plus tôt possible à Reims pour recevoir une digne couronne. » Alors le sire Christophe de Harcourt [1] s'entretenant avec elle, lui demanda si c'était son conseil qui lui disait cela, et Jeanne répondit : oui, et qu'elle en recevait pressants avis à ce sujet. Alors Christophe dit à Jeanne : « Ne voulez-vous pas dire ici, en présence du roi, comment fait votre conseil, quand il vous parle ? » Elle répondit en rougissant : « Je vois assez ce que vous voulez savoir, et vous le dirai volontiers. » Le roi dit à Jeanne : « Jeanne, vous plaise bien dire ce qu'il demande, en présence de ceux qui sont ici. » Et elle répondit au roi que oui, et dit ces paroles ou autres semblables : que, quand quelque chose n'allait pas, parce qu'on ne voulait pas facilement s'en remettre à elle de ce qui lui était dit de la part de Dieu, elle se retirait à part et priait Dieu, se plaignant à Lui que ceux à qui elle parlait ne la croyaient pas facilement. Et, sa prière faite à Dieu, elle entendait une voix qui lui disait : « *Fille Dé* (Dieu), *va, va, va, je serai à ton aide, va.* » Et quand elle entendait cette voix, elle ressentait une grande joie, et désirait être toujours en cet état. Et, ce qui est plus fort, en répétant ainsi les paroles de ses voix, elle-même exultait de merveilleuse façon, levant ses yeux vers le ciel.

Et je me souviens qu'après les victoires dont j'ai parlé, les seigneurs de sang royal et les capitaines voulaient que le roi aille en Normandie et non à Reims, mais la Pucelle a toujours été d'avis qu'il fallait aller à Reims pour consacrer le roi, et donnait la raison de son avis, disant que, une fois que le roi serait couronné et sacré, la puissance des adversaires diminuerait toujours et qu'ils ne pourraient

1. Confident de Charles VII, chargé par lui d'une ambassade auprès du duc de Bourgogne.

finalement nuire ni à lui ni au royaume. Tous se rallièrent à son avis, et tout d'abord le lieu dans lequel le roi fit étape avec son armée, fut devant la cité de Troyes ; une fois là, il tint conseil avec les seigneurs de son sang et les autres capitaines de guerre pour aviser s'il se tiendrait devant la cité et mettrait le siège pour la prendre, ou s'il valait mieux passer au-delà, allant directement à Reims et laissant cette cité de Troyes ; le Conseil du roi était divisé en diverses opinions à ce sujet et l'on se demandait ce qu'il valait mieux faire ; alors la Pucelle vint et entra dans le Conseil, disant ces paroles ou à peu près : « Noble dauphin, ordonnez que votre gent vienne et assiège la ville de Troyes, et ne traînez pas en plus longs conseils, car, en nom Dieu, avant trois jours je vous introduirai dans la cité de Troyes, par amour, ou par force, ou par courage, et la fausse Bourgogne en sera toute stupéfaite. » Et alors la Pucelle traversa aussitôt avec l'armée du roi, et fixa le campement le long des fossés, et prit d'admirables dispositions, comme ne l'auraient pas fait deux ou trois des plus fameux et expérimentés hommes d'armes ; et elle travailla si bien cette nuit-là que le lendemain l'évêque et les citoyens de la cité firent leur obéissance au roi [1], frémissants et tremblants ; et par la suite on apprit que depuis le moment où elle avait donné conseil au roi de ne pas s'éloigner de la cité, les habitants perdirent cœur et ne faisaient plus que chercher refuge et s'enfuir dans les églises. Cette cité étant réduite en l'obéissance royale, le roi s'en alla à Reims, où il trouva totale obéissance, et il fut là sacré et couronné.

... Elle avait l'habitude à l'heure de vêpres et au crépuscule, chaque jour, de se retirer à l'église et elle faisait sonner les cloches pendant près d'une demi-heure, réunissait les religieux mendiants qui suivaient l'armée royale et à cette heure-là se mettait en oraison et faisait chanter

---

1. Le 10 juillet 1429. L'évêque de Troyes, Jean Leguisé, fut par la suite anobli par Charles VII en reconnaissance du service rendu.

par les frères mendiants une antienne à la Sainte Vierge mère de Dieu.

Et quand le roi vint à La Ferté et à Crépy-en-Valois [1], le peuple venait au-devant du roi, exultant et criant « Noël ! ». Alors la Pucelle, chevauchant entre l'archevêque de Reims et moi-même, dit ces paroles : « Voilà un bon peuple ; je n'ai jamais vu autre peuple qui tant se réjouît de l'arrivée d'un si noble roi ; puissé-je être assez heureuse lorsque je finirai mes jours, pour pouvoir être inhumée en cette terre. » Ce qu'entendant, l'archevêque de Reims [2] dit : « O Jeanne, en quel lieu avez-vous espoir de mourir ? » A quoi elle répondit : « Où il plaira à Dieu, car pour moi je ne suis sûre ni du temps ni du lieu, pas plus que vous ne le savez. Et plaise à Dieu mon Créateur que je puisse maintenant me retirer, laisser les armes et m'en aller servir mon père et ma mère en gardant mes brebis, avec ma sœur et mes frères qui se réjouiraient tant de me revoir. »

Quant à ses vertus et son comportement parmi les soldats, aucun être vivant ne la surpassait en sobriété, et j'ai entendu bien souvent le seigneur Jean d'Aulon [3], chevalier, à présent sénéchal de Beaucaire, que le roi avait placé et commis à sa garde comme le soldat le plus sage et de l'honnêteté la plus éprouvée, dans la compagnie de la Pucelle, dire qu'il ne croyait pas qu'aucune femme pût être plus chaste que ne l'était la Pucelle. Moi-même et les autres, quand nous étions en sa compagnie, n'avions aucune volonté ou désir d'approcher ou d'avoir compagnie de femme. Il me semble que c'était chose presque divine.

Quinze jours après le moment où le seigneur comte de Chuffort [4] fut fait prisonnier dans la prison de Jargeau, il fut transmis au comte un feuillet de papier qui contenait

1. Au retour de Reims (août 1429).
2. Regnault de Chartres, qui ne devait pas tarder à trahir Jeanne.
3. On lira plus loin sa déposition (p. 153).
4. William Pole, comte de Suffolk, qui avait été, après la mort de Salisbury, élevé au commandement de l'armée de la Loire.

quatre vers faisant mention qu'une Pucelle viendrait du Bois-Chenu et chevaucherait sur le dos des archers et contre eux.

Enfin, bien que Jeanne parfois, par plaisanterie, ait parlé de faits d'armes pour donner du cœur aux soldats, ou d'autres choses appartenant à la guerre, qui peut-être n'ont pas été suivies d'effet, cependant quand elle parlait sérieusement de la guerre, de son fait et de sa vocation, elle n'affirmait jamais rien, sinon qu'elle était envoyée pour lever le siège d'Orléans et secourir le peuple oppressé, dans cette cité et aux lieux voisins, et pour conduire le roi à Reims pour qu'il fût sacré.

DES BOURGEOIS D'ORLÉANS

Les autres interrogatoires d'Orléans émanent de personnalités dont nous avons déjà rapporté les dépositions, comme Raoul de Gaucourt ou François Garivel. Puis, le 16 mars, ce fut le jour de la foule : ils furent trente-six à venir déposer ce jour-là, et l'on imagine que le notaire Guillaume de la Salle dut saluer avec satisfaction la clôture de la séance. Le porte-parole des habitants, celui qui fait la déposition la plus détaillée, est Jean Luillier, noté sur les rôles de la ville comme exerçant la profession de mercier, c'est-à-dire marchand en gros ; sans doute celui qui vingt-cinq ans plus tôt fournissait la « fine Bruxelles vermeille » et le drap de « vert perdu », dont fut fait l'équipement offert à Jeanne par Charles d'Orléans. Il a cinquante-six ans, ou environ.

JEAN LUILLIER

On l'interroge sur l'arrivée de la Pucelle à Orléans.

Son arrivée était très désirée par tous les habitants de la ville à cause de sa renommée et du bruit qui courait, car on disait qu'elle avait dit au roi qu'elle était envoyée de par Dieu pour faire lever le siège mis devant la ville ; et les habitants et citoyens se trouvaient pressés en telle nécessité par les ennemis qui assiégeaient, qu'ils ne savaient à qui recourir pour avoir remède, si ce n'est à Dieu.

On lui demande s'il était dans la ville quand elle y arriva.

Oui. Elle fut reçue avec autant de joie et d'enthousiasme par tous, hommes et femmes, petits et grands, que si elle eût été un ange de Dieu, car on espérait grâce à elle être délivré des ennemis, comme cela arriva ensuite.

On lui demande ce qu'elle fit en ville après son arrivée.

Elle exhortait tout le monde à espérer en Dieu, que si l'on avait bon espoir et confiance en Dieu, nous serions délivrés des ennemis. Elle voulut sommer les Anglais qui assiégeaient la cité avant de permettre de donner l'assaut aux adversaires pour les repousser ; et c'est ce qui fut fait, car elle somma les Anglais par une lettre contenant en substance qu'ils veuillent bien lever le siège et s'en aller au royaume d'Angleterre, sinon ils y seraient obligés par force et violence. Et, depuis ce moment-là, les Anglais furent terrifiés et n'eurent plus la même force pour résister qu'auparavant ; et même une poignée de gens de notre ville combattaient souvent contre une grande multitude d'Anglais, et chaque fois contraignaient de telle sorte les Anglais assiégeants qu'ils n'osaient plus sortir de leurs bastilles.

On l'interroge sur la levée du siège.

C'était au mois de mai, le 7, l'an du Seigneur 1429 ; je me souviens bien que l'assaut fut donné contre les adversaires qui se trouvaient de l'autre côté du boulevard du Pont ; on disait que dans cet assaut elle avait été blessée d'une flèche ; et l'assaut dura depuis le matin jusqu'au soir, si bien que ceux de la ville voulaient se retirer dans la ville ; alors la Pucelle vint, ordonnant de ne pas battre en retraite et de ne pas se retirer encore dans la ville. Cela dit, elle prit son étendard en main et le plaça sur le rebord du fossé et à l'instant, dès qu'elle fut là, les Anglais tremblèrent et prirent peur ; les soldats du roi reprirent donc courage et commencèrent à monter en donnant l'assaut contre le boulevard, et ne rencontrèrent aucune résistance ; alors le boulevard fut pris et les Anglais qui y étaient prirent la fuite et tous furent tués. Classidas [1] et les autres principaux capitaines de ladite bastille des Anglais, croyant se retrancher dans la tour du Pont d'Orléans, tombèrent dans le fleuve et furent noyés, et une fois la bastille prise, tous ceux du parti du roi rentrèrent à Orléans.

Que fit-on ensuite ?

Le jour après, soit le lendemain [2], de bon matin, ils sortirent de leur tente et se rangèrent en bataille pour combattre à ce qu'il semblait. L'ayant appris, la Pucelle se leva de son lit et s'arma ; mais elle ne voulut pas que l'on s'en aille contre les Anglais, ni qu'on leur demande quelque chose, mais ordonna qu'on les laisse s'en aller ; et en fait ils s'en allèrent sans que personne les poursuive ; et à cette heure la ville fut délivrée des ennemis.

Le siège fut-il levé et la cité arrachée aux ennemis par le moyen et l'intermédiaire de la Pucelle, plus que par la puissance des armes ?

Moi-même et tous ceux de la cité nous croyons que, si la Pucelle n'était pas venue de par Dieu à notre aide, nous autres habitants et la cité nous eussions été en peu de temps réduits à la merci et au pouvoir des adversaires qui assiégeaient ; je ne crois pas que les habitants ni les soldats qui étaient dans la ville auraient pu longtemps résister contre la puissance des ennemis qui alors prévalaient tellement contre eux.

1. Glansdale, capitaine anglais.
2. Dimanche 8 mai.

Ceux qui défilent après lui[1] ne se contentent pas toujours de confirmer son témoignage ; ils font effort pour ajouter leur petit souvenir personnel. La plupart sont désignés comme bourgeois d'Orléans, sans plus, mais quelques-uns sont connus : ainsi Jacques de Thou qui fut le grand-père de Christophe de Thou, futur président au Parlement de Paris, dont la lignée devait faire parler d'elle. Surtout, on relève le nom d'un vénérable vieillard qui, au moment où il dépose, a quatre-vingt-sept ans, mais qui devait vivre jusqu'à cent dix-huit ans : Aignan de Saint-Mesmin, chef de l'une des plus considérables familles orléanaises et que Charles VII devait anoblir peu après. Un autre nom qui deviendra illustre est celui de Jean Beauharnais, qui est le beau-frère du page de Jeanne, Louis de Coutes, dont nous verrons plus loin la déposition ; son frère puîné, Guillaume Beauharnais, allait être l'ancêtre direct du prince Eugène. Avec les bourgeois, les prêtres : on voit des chanoines de l'église Saint-Aignan et le prieur des augustins de Saint-Magloire venir déposer ce qu'ils savent sur Jeanne ; l'un d'eux, messire Pierre Compaing, se souvient de l'avoir vue suivre sa messe et répandre des larmes au moment de l'élévation ; comme preuve convaincante de sa sainteté il ajoute qu'elle obtint de La Hire (vaillant capitaine mais terrible pillard), le fameux chef de bande, qu'il se confessât. Enfin les femmes ne sont pas les moins pressées ; ce sont peut être celles-là dont les marques de vénération agaçaient tant soit peu Jeanne, mais leur empressement est tout de même bien sympathique.

JACQUES L'ESBAHY
(50 ans.)

Je me souviens que deux hérauts furent envoyés à Saint-Laurent, dont l'un s'appelait Ambleville et l'autre Guyenne, pour dire au seigneur de Talbot, au comte de Chuffort, et au seigneur de Scalles, sur l'instance de la

1. On en trouvera la liste en annexe.

Pucelle, que les Anglais s'éloignent de par Dieu et s'en aillent en Angleterre, qu'autrement malheur en adviendrait. Alors les Anglais retinrent l'un des hérauts qui s'appelait Guyenne et renvoyèrent l'autre, soit Ambleville, pour dire à Jeanne quelque chose ; et Ambleville rapporta que les Anglais avaient retenu son compagnon Guyenne pour le brûler. Alors Jeanne répondit à Ambleville, lui assurant au nom de Dieu qu'ils ne lui feraient rien de mal, et lui dit de revenir audacieusement vers les Anglais, qu'il ne lui arriverait rien de mal et qu'il ramènerait son compagnon sain et sauf : ce qui fut fait.

En outre j'ai vu que Jeanne, quand elle est entrée la première fois à Orléans, a voulu avant tout aller à la cathédrale pour montrer sa révérence à Dieu son Créateur.

Tous les habitants d'Orléans sont d'accord qu'ils n'ont jamais vu par aucune chose qu'ils aient pu remarquer que Jeanne s'attribuât comme une gloire quoi que ce soit qui fût fait par elle, mais qu'elle attribuait tout à Dieu et résistait autant qu'elle le pouvait à ce que le peuple l'honorât et lui fît gloire, et qu'elle aimait davantage être seule et solitaire qu'être en la société des gens, si ce n'est quand il était nécessaire pour le fait de la guerre....

Tous affirment de même qu'ils n'ont jamais vu en Jeanne quoi que ce soit qui fût digne de reproche, mais qu'ils n'ont jamais perçu en elle qu'humilité, simplicité, chasteté, dévotion envers Dieu et l'Église. Et ils disent d'autre part que c'était une grande consolation que de s'entretenir avec elle....

RÉGINALDE

(Veuve de Jean Huré.)

Un jour, un grand seigneur se promenant en pleine rue jurait et reniait Dieu de façon honteuse ; Jeanne le vit et l'entendit, elle en fut très troublée et aussitôt s'approcha

de ce seigneur qui jurait et le prit par l'épaule disant :
« *Ah ! maître ! osez-vous bien renier notre sire et notre maître ; en nom Dieu, vous vous en dédirez avant que je parte d'ici.* » Et alors, comme je l'ai vu, moi qui parle, ce seigneur se repentit et demanda pardon à l'exhortation de la Pucelle.

CHAPITRE VI

LES TÉMOINS DE LA
VIE QUOTIDIENNE

L ES quatre témoignages qui suivent ont été rassemblés parce qu'ils émanent de personnages qui ont vécu dans l'intime familiarité de Jeanne durant l'année décisive de son existence, d'Orléans à Compiègne.

Résumons brièvement son itinéraire durant cette période. D'abord, la campagne de la Loire. Jeanne, nullement grisée par le succès d'Orléans, n'a qu'une idée en tête : faire sacrer le roi à Reims. Bien que le projet de cette chevauchée en plein pays occupé paraisse une folie à tous les gens sages de l'entourage royal, elle entreprend, avec l'aide du duc d'Alençon, d'ouvrir la route de la Loire, et ce sont les victoires que l'on sait : Jargeau le 12 juin, Meung le 15, Beaugency le 17, pour aboutir, le 18 juin, à la foudroyante victoire de Patay, dans laquelle, dit-on, périrent deux mille Anglais ; il y avait eu trois combattants tués du côté français.

Le 29 juin, on entreprend la marche sur Reims ; Troyes ouvre ses portes le 10 juillet, Reims le 16 ; et dès le lendemain dimanche, 17 juillet 1429, Charles VII était sacré à Reims par l'archevêque Regnault de Chartres.

Quelques « collaborateurs », Français acquis à la cause anglaise, avaient quitté Reims précipitamment à la veille de l'arrivée de Charles VII ; parmi eux figurait un Rémois, conseiller du roi d'Angleterre, nommé évêque de Beauvais par l'influence du duc de Bourgogne, un certain Pierre Cauchon.

On sait la suite, l'inaction du roi, les intrigues de la cour, menées par La Trémoïlle, et bientôt par le trop influençable Regnault de Chartres, l'archevêque du sacre, en personne ; au lieu de poursuivre, de se porter vers Paris haletant, au moment où toutes les villes se rendent d'emblée sur le passage du roi (Laon, Soissons, Château-Thierry, Montmirail, Provins, La Ferté-Milon, Compiègne, Senlis, Saint-Denis, etc.), on laisse inexplicablement passer l'occasion.

Jeanne elle-même hésite sur le parti à prendre ; elle sait pourtant qu'on n'aura raison de l'ennemi qu' « au bout de la lance », et que les trêves que l'on s'efforce de négocier ne seront que duperie ; elle continue la lutte ; blessée à Paris, vaincue à La Charité-sur-Loire, elle sera finalement capturée à Compiègne, au soir du 24 mai 1430. « Je durerai un an, guère plus », avait-elle dit en arrivant à Chinon.

LE "GENTIL DUC"

Jean II, duc d'Alençon, prince de sang royal. Son père est mort à Azincourt ; son arrière-grand-père, petit-fils du roi de France Philippe le Hardi, à Crécy. Il est le beau-frère de Charles d'Orléans.

Celui que Jeanne appelait son « beau duc » devait être, en effet, à l'époque d'Orléans et de Patay, un beau chevalier, dans toute l'ardeur de ses vingt-cinq ans. Comme Dunois, il a été immédiatement conquis par Jeanne et demeurera son soutien contre les intrigues de la cour.

Il y a eu, sans nul doute, une grande fraîcheur de sentiment dans l'amitié toute pure que Jeanne éprouvait pour le « gentil duc », qu'elle avait promis de ramener sain et sauf à sa femme, et qu'elle avertit un jour d'avoir à s'éloigner de l'endroit où il se tenait « sinon cette machine va te tuer », disait-elle en désignant une pièce d'artillerie ; et un instant après, un boulet tomba en cet endroit, écrasant le seigneur du Lude qui y passait par hasard. Quant au duc, il semble avoir vécu auprès de Jeanne dans une sorte d'émerveillement : conquis non seulement par ses prédictions et ses exploits, mais aussi par la personne de Jeanne, par ses prouesses sportives (ébloui par la façon dont elle « court une lance », dès le premier jour, il lui fait cadeau d'un cheval), par sa connaissance de l'artillerie qui déroute le capitaine rompu, malgré sa jeunesse, à son maniement, et enfin, par la beauté de ce jeune corps, si proche lorsqu'au cours des campagnes ils dormaient « à la paillade », et si bien défendu pourtant par le respect qu'il inspirait. Il est saisissant de penser que, moins d'un mois après cette déposition (le 31 mai 1456), le duc d'Alençon allait être arrêté pour trahison, et arrêté par Dunois.... Saura-t-on jamais quelles rancœurs, quelles ambitions ou quelles blessures d'amour-propre ont pu pousser le « gentil duc » à correspondre secrètement avec l'ennemi qu'il avait jadis combattu ! Quoi qu'il en soit, il allait être emprisonné à Aigues-Mortes, puis à Vendôme, et condamné par la Cour des pairs à la peine capitale, que Charles VII devait muer en peine de prison. Il demeura enfermé dans le donjon de Loches jusqu'à l'avènement de Louis XI, qui le fit gracier. En tout cas, il semble avoir retrouvé, au moment où il fit sa déposition, l'ardeur toute fraîche et spontanée de ses jeunes années, tant son récit est vif et alerte.

Duc d'Alençon
(50 ans.)

Quand Jeanne vint trouver le roi, celui-ci était dans la ville de Chinon et moi dans la ville de Saint-Florent [1] ; je me promenais et chassais aux cailles, quand un messager vint me dire qu'était arrivée auprès du roi une Pucelle qui affirmait qu'elle était envoyée de par Dieu pour chasser les Anglais, et lever le siège mis par ces Anglais devant Orléans. C'est pourquoi, le lendemain, j'allai vers le roi qui était en la ville de Chinon, et je trouvai Jeanne parlant avec le roi. Au moment où j'approchais, Jeanne demanda qui j'étais, et le roi répondit que j'étais le duc d'Alençon. Alors Jeanne dit : « *Vous, soyez le très bien venu. Plus ils seront ensemble du sang royal de France, mieux sera.* » Et le lendemain, Jeanne vint à la messe du roi, et quand elle vit le roi, elle s'inclina, et le roi conduisit

1. Saint-Florent-lès-Saumur.

Jeanne dans une chambre ; et j'étais avec lui et le seigneur de la Trémoïlle, que le roi retint, disant aux autres qu'ils se retirent.

Alors Jeanne fit au roi plusieurs requêtes, entre autres qu'il donnât son royaume au Roi des cieux, et que le Roi des cieux après cette donation lui ferait comme il avait fait à ses prédécesseurs et le remettrait dans son premier état ; et beaucoup d'autres choses dont je ne me souviens pas furent dites jusqu'au repas. Et après le repas, le roi alla se promener dans les prés, et là, Jeanne courut avec la lance, et moi, voyant Jeanne se comporter ainsi, porter la lance et courir à la lance, je lui donnai un cheval. Ensuite, le roi conclut que Jeanne serait examinée par des gens d'Église ; et y furent députés l'évêque de Castres, confesseur du roi [1], l'évêque de Senlis [2], ceux de Maguelonne et de Poitiers [3] ; maître Pierre de Versailles, par la suite évêque de Meaux, et maître *Jean* (?) Morin, et plusieurs autres dont je ne me rappelle pas les noms. Ceux-ci interrogèrent Jeanne en ma présence : pourquoi elle était venue, et qui l'avait fait venir vers le roi. Elle répondit qu'elle était venue de par le Roi du ciel, et qu'elle avait des voix et un conseil qui lui disaient ce qu'elle avait à faire ; mais de cela, je ne me souviens pas. Mais ensuite, Jeanne, qui prenait son repas avec moi, me dit qu'elle avait été très examinée, mais qu'elle en savait et en pouvait plus qu'elle n'en avait dit à ceux qui l'interrogeaient.

Le roi, une fois entendu le rapport de ceux qui avaient été délégués à l'examiner, voulut de nouveau que Jeanne aille à la ville de Poitiers ; et là, elle fut examinée de nouveau. Mais, moi, je ne fus pas présent à cet examen fait à Poitiers ;

1. Gérard Machet.
2. Non l'évêque de 1429, dévoué au parti anglais, mais celui de 1456, Simon Bonnet.
3. Hugues de Cambarel. Aux états de 1426, il n'avait voté l'impôt demandé par le roi qu'à condition que celui-ci mettrait fin aux pillages des gens de guerre, et avait failli être pour cela jeté à la rivière par un complice de La Trémoïlle, le sire de Giac.

je sais cependant que par la suite, en Conseil du roi, il fut rapporté que ceux qui l'avaient examinée avaient dit qu'ils n'avaient rien trouvé en elle de contraire à la foi catholique et que, vu la nécessité, le roi pouvait bien s'aider d'elle. Ce qu'entendant, le roi m'envoya auprès de la reine de Sicile [1], pour préparer les vivres à conduire à Orléans, pour y emmener l'armée ; et là, j'ai trouvé le seigneur Ambroise de Loré [2] et un seigneur Louis dont je ne me rappelle plus l'autre nom, qui avaient préparé les vivres. Mais il y avait besoin d'argent, et pour avoir de l'argent pour ces vivres, je revins auprès du roi et lui notifiai que les vivres étaient prêts, et qu'il n'y avait plus qu'à donner l'argent pour les vivres et pour les soldats. Alors le roi envoya quelqu'un pour délibérer de l'argent nécessaire pour terminer tout cela ; tant que les soldats et les vivres furent prêts à aller à Orléans pour tenter de lever le siège, si cela était possible.

Jeanne fut envoyée avec ces soldats, et le roi lui fit faire une armure [3]. C'est ainsi que l'armée du roi se retira avec Jeanne. Ce qu'ils firent en allant, et ce qui fut fait dans la ville d'Orléans, je n'en sais rien, si ce n'est par ouï-dire, car je n'y fus pas présent et ne fus pas avec cette armée ; mais, par la suite, j'ai vu les forteresses qui étaient devant la ville d'Orléans et j'ai examiné sa fortification. Et je pense qu'elle fut prise plutôt par miracle que par la force des armes, surtout la forteresse des Tourelles au bout du pont et la forteresse des Augustins, dans lesquelles, si j'avais été avec quelques soldats, j'aurais bien osé soutenir six ou sept jours toute la puissance des hommes d'armes et il me semble qu'ils ne m'auraient pas pris ; et de ce que j'en

1. Yolande d'Aragon, belle-mère de Charles VII, qui exerçait sur lui une excellente influence.
2. Voir plus haut la déposition de Dunois.
3. On trouve en effet, dans des comptes du trésorier de Charles VII, Hémon Raguier, à la date du 10 mai 1429, la mention suivante : « Au maître armurier, pour un harnois complet pour la Pucelle, 100 livres tournois » (QUICHERAT, V, 258).

ai entendu raconter par les soldats et les capitaines qui avaient été là-bas, tous regardaient à peu près tout ce qui avait été fait à Orléans comme un miracle de Dieu, et considéraient que cela n'avait pas été fait d'œuvre humaine, mais était venu d'en-haut. Cela, je l'ai entendu dire plusieurs fois par le seigneur Ambroise de Loré, jadis prévôt de Paris.

Je n'ai plus vu Jeanne depuis le temps où elle quitta le roi jusqu'à la levée du siège d'Orléans. Ils firent tant que furent réunis ensemble des gens du roi jusqu'au nombre de six cents lances, qui désiraient aller à la ville de Jargeau, que les Anglais tenaient occupée. Et cette nuit-là, ils couchèrent dans un bois ; au lendemain vinrent d'autres soldats du roi que conduisaient le seigneur Bâtard d'Orléans et le seigneur Florent d'Illiers [1], et quelques autres capitaines. Une fois tous réunis, ils trouvèrent qu'ils étaient environ douze cents lances. Et il y eut alors débat entre les capitaines parce que les uns étaient d'avis qu'il fallait donner l'assaut à la ville, les autres de l'avis contraire, assurant que les Anglais avaient une grande puissance et se trouvaient là en grand nombre.

Jeanne, voyant qu'il y avait difficulté entre eux, leur dit qu'ils ne craignent aucune multitude et qu'ils ne fassent pas difficulté de donner l'assaut aux Anglais, car Dieu conduisait leur affaire. Elle dit que, si elle n'était sûre que Dieu conduisait cette affaire, elle préférerait garder les brebis plutôt que de s'exposer à de tels périls. Ce qu'entendu, ils firent leur chemin vers la ville de Jargeau, croyant en prendre les faubourgs et y passer la nuit ; le sachant, les Anglais vinrent à leur rencontre et de prime abord repoussèrent les gens du roi. Ce que voyant, Jeanne, prenant son étendard, alla à l'attaque, exhortant les soldats qu'ils eussent bon courage. Et ils firent tant que cette

---

[1]. Capitaine de la ville de Châteaudun.

f/ cest a son nom le plus tost q' pere
... le corps et q' vous facez tres bon
... ne vous vestons fors q' toute bretaigne
... vous mande qui soit guarde de vo

Johanne

8. Signature de Jeanne d'Arc au bas d'une lettre aux habitants de Reims, datée du 12 mars 1430.
9. Jeanne d'Arc conduite devant Charles VII. Miniature des "Vigiles de Charles VII" de Martial de Paris (1484). Jeanne eut beaucoup de mal à rencontrer le roi, qui craignait d'avoir affaire à une illuminée.

Within the miniature, banners read:

Cote de Richemont

Conte de Dunois

Le Roy charles vij

Joachi Rouault

mess P. de bretaigne

J. le pucelle

10. Jeanne d'Arc à la cour de Charles VII. Miniature des "Chroniques de Charles VII", de Jean Chartier (XVᵉ siècle). Charles VII est entouré de ses fidèles, dont Richemont et Dunois.

nuit-là les soldats du roi furent logés dans les faubourgs de Jargeau. Je crois que Dieu conduisait cette affaire, car, cette nuit, il n'y eut pour ainsi dire pas de garde, de sorte que, si les Anglais étaient sortis de la ville, les soldats du roi eussent été en grand péril.

Les gens du roi préparèrent l'artillerie et firent au matin traîner des bombardes et des machines contre la ville, et, au bout de quelques jours ils tinrent conseil entre eux sur ce qu'il faudrait faire contre les Anglais qui étaient en la ville de Jargeau, pour recouvrer la ville. Au moment où ils tenaient conseil, il leur fut rapporté que La Hire s'entretenait avec le seigneur de Suffort [1] ; aussi moi-même et les autres qui avaient la charge de cette armée nous fûmes malcontents de La Hire ; il fut mandé et vint. Après son arrivée, il fut décidé qu'il y aurait assaut contre la ville, et les hérauts crièrent « A l'assaut ! », et Jeanne elle-même me dit : « Avant, gentil duc, à l'assaut ! » Et comme il me semblait qu'il était prématuré de commencer l'assaut si rapidement, Jeanne me dit : « N'ayez doute, l'heure est prête quand il plaît à Dieu », et qu'il fallait agir quand Dieu le voulait : « Agissez, et Dieu agira » ; me disant plus tard : « Ah ! gentil duc, craindrais-tu ? ne sais-tu pas que j'ai promis à ta femme de te ramener sain et sauf ? » Car, en vérité, quand je quittai ma femme [2] pour venir avec Jeanne à l'armée, ma femme dit à Jeannette qu'elle avait grand-peur pour moi et que j'avais jadis été prisonnier [3] et qu'il avait fallu donner tant d'argent pour mon rachat qu'elle m'eût volontiers supplié de rester. Alors Jeanne lui répondit : « Dame, n'ayez crainte. Je vous le rendrai sain et sauf, et en tel état ou en meilleur qu'il n'est. »

1. William Pole, seigneur de Suffolk.
2. La sœur de Charles d'Orléans.
3. A la bataille de Verneuil en 1424. A vingt-trois ans, le duc d'Alençon avait déjà passé cinq ans comme prisonnier. Il avait été enfermé dans la tour du Crotoy, où Jeanne devait l'année suivante être aussi détenue.

Pendant l'assaut contre la ville de Jargeau, Jeanne me dit à un moment où je me tenais à une place que je me retire de cet endroit, et que si je ne me retirais, « cette machine — en me montrant une machine qui était dans la ville — te tuera ». Je me retirai, et peu après, en cet endroit d'où je m'étais retiré, quelqu'un fut tué, qui s'appelait monseigneur du Lude. Cela me fit grand-peur, et je m'émerveillais beaucoup des dits de Jeanne, après tous ces événements. Ensuite Jeanne alla à l'assaut, et moi avec elle. Au moment où les soldats faisaient invasion, le comte de Suffort me fit crier qu'il voulait me parler ; mais il ne fut pas entendu et l'on termina l'assaut. Jeanne était sur une échelle, tenant en main son étendard ; cet étendard fut percé et Jeanne elle-même fut frappée à la tête d'une pierre qui se brisa sur sa chapeline [1]. Elle-même fut jetée à terre ; et en se relevant, elle dit aux soldats : « Amis, amis, sus, sus ! Notre sire a condamné les Anglais. A cette heure; ils sont nôtres ; ayez bon cœur ! » Et à l'instant, la ville de Jargeau fut prise [2], et les Anglais se retirèrent vers les ponts : et les Français les poursuivaient ; et, dans la poursuite, il en fut tué plus de onze cents.

Une fois la ville prise, je me rendis avec Jeanne et l'armée à la ville d'Orléans et de la ville d'Orléans à Meung, où les Anglais étaient dans la ville, à savoir l'enfant de Warwick [3] et Scales [4]. J'ai passé cette nuit-là avec quelques soldats dans une église près de Meung, où je me trouvai en grand péril ; et le lendemain, nous allâmes vers Beaugency, et dans les champs nous trouvâmes d'autres soldats du roi et là une attaque fut menée contre les Anglais qui étaient

1. Casque léger en forme de calotte.
2. 12 juin 1429. Suffolk y fut fait prisonnier.
3. Le fils du comte de Warwick (Richard Beauchamp), gouverneur du jeune roi Henry VI, dont on sait la part qu'il prit au procès de Jeanne (voir plus loin les dépositions des témoins de Rouen). Son fils, dont il est ici question, allait être fait prisonnier à Patay.
4. Thomas Scales, qui partageait avec Talbot et Suffolk le commandement des opérations du siège d'Orléans.

à Beaugency. Après cette attaque, les Anglais dégarnirent la ville et entrèrent dans le château. Et des gardes furent placés en face du château afin qu'ils n'en sortent pas. Nous étions devant le château, quand des nouvelles nous parvinrent, que le seigneur connétable[1] venait avec des soldats ; d'où moi-même, Jeanne et les autres dans l'armée nous fûmes malcontents, voulant nous retirer de la ville, car nous avions mandement de ne pas recevoir en notre compagnie le seigneur connétable. Je dis à Jeanne que si le connétable venait, moi je m'en irais. Et le lendemain, avant l'arrivée du seigneur connétable, vinrent des nouvelles que les Anglais approchaient en grand nombre, en compagnie desquels était le seigneur de Talbot, et les soldats crièrent : « A l'arme ! » Alors Jeanne me dit — car je voulais me retirer à cause de la venue du seigneur connétable — qu'il était besoin de s'aider. Enfin les Anglais rendirent le château par composition[2], et se retirèrent avec sauf-conduit que je leur accordai, moi qui, à ce moment-là, étais lieutenant pour le roi dans l'armée.

Et tandis que les Anglais se retiraient, vint quelqu'un de la compagnie de La Hire, qui me dit, ainsi qu'au capitaine du roi, que les Anglais venaient, qu'on les aurait bientôt face à face, et qu'ils étaient à peu près mille hommes d'armes. Ce qu'entendant, Jeanne demanda ce que disait cet homme d'armes et, quand elle le sut, elle dit au seigneur connétable : « *Ah ! beau connétable, vous n'êtes pas venu de par moi ; mais parce que vous êtes venu, vous serez le bien venu.* » Beaucoup des gens du roi avaient peur, disant qu'il était bon de faire venir les chevaux. Jeanne dit : « *En nom Dieu, il les faut combattre ; s'ils étaient pendus aux nues, nous les aurons ; car Dieu les a envoyés à nous pour que nous les punissions* », affirmant qu'elle

---

1. Arthur de Richemont. Il était alors en disgrâce, d'où la remarque qui suit.
2. Le 17 juin.

était sûre de la victoire, et disant en français : « *Le gentil roi aura aujourd'hui la plus grande victoire qu'il eut piéça. Et m'a dit mon conseil qu'ils sont tous nôtres.* » Et je sais bien que les Anglais furent déconfits et tués sans grande difficulté, et, entre autres, Talbot fut fait prisonnier [1]. Il y eut là grand massacre d'Anglais, et ensuite vinrent les gens du roi à la ville de Patay dans le Blésois ; dans cette ville fut amené Talbot devant moi et le connétable, Jeanne elle-même étant présente. Je dis à Talbot que je ne croyais pas le matin qu'il en arriverait ainsi et Talbot répondit que c'était la fortune de la guerre. Puis nous revînmes vers le roi, qui délibéra ensuite d'aller vers la ville de Reims pour son couronnement et son sacre.

J'ai entendu parfois Jeanne dire au roi qu'elle-même, Jeanne, durerait un an et guère plus, et qu'il leur fallait penser pendant cette année de bien œuvrer, car elle disait qu'elle avait quatre charges, à savoir : chasser les Anglais ; faire couronner le roi et le faire sacrer à Reims ; libérer le duc d'Orléans des mains des Anglais ; et lever le siège mis par les Anglais devant la ville d'Orléans.

Jeanne était chaste et elle détestait ces femmes qui suivent les soldats. Je l'ai vue une fois à Saint-Denis, en revenant du couronnement du roi, poursuivre, le glaive tiré, une fille qui était avec les soldats de telle sorte qu'en la poursuivant, elle rompit son épée. Elle se courrouçait très fort quand elle entendait des soldats jurer et les grondait beaucoup, et moi surtout, qui jurais de temps à autre. Quand je la voyais, je refrénais mes jurons.

Parfois dans l'armée j'ai couché avec Jeanne et les soldats « à la paillade », et parfois j'ai vu Jeanne se préparer pour la nuit et parfois je regardais ses seins qui étaient beaux ; et pourtant je n'en ai jamais eu désir charnel.

1. Le 18 juin.

Autant que j'aie pu le voir, je l'ai toujours tenue pour bonne catholique et honnête femme, et je l'ai vue plusieurs fois recevoir le corps du Christ ; et quand elle voyait le corps du Christ, elle pleurait souvent avec beaucoup de larmes. Elle recevait la sainte Eucharistie deux fois la semaine, et se confessait souvent.

Jeanne dans tous ses faits, en dehors du fait de la guerre, était simple et jeune ; mais sur le fait de guerre elle était très experte, tant dans le port de la lance que pour rassembler l'armée en ordre de bataille et pour préparer l'artillerie ; et de cela tous s'émerveillaient qu'elle agissait de façon si prudente et avisée sur le fait de guerre, comme l'eût fait un capitaine qui aurait pratiqué vingt ou trente années ; surtout dans la préparation de l'artillerie, car c'est en cela qu'elle se comportait fort bien.

L'INTENDANT DE JEANNE

JEAN D'AULON
(Chevalier, conseiller du roi et sénéchal de Beaucaire.)

Il a envoyé sa déposition par écrit : en effet, sa charge le retenait alors dans le Midi, mais, comme son témoignage présentait pour les enquêteurs la plus grande importance, l'archevêque de Reims, le 20 avril 1456, le priait de venir dire ce qu'il savait sur Jeanne devant l'officialité de Lyon. Le vice-inquisiteur Jean Desprès, devant lequel il comparut, envoya sa déposition dans sa langue originale, et c'est sous cette forme qu'elle a été consignée au procès. Sa déposition se trouve être la dernière en date (20 mai 1456).

Jean d'Aulon a été, pour Jeanne, le compagnon de tous les instants, depuis Poitiers jusqu'à Compiègne et encore après, puisqu'il a partagé son sort de prisonnière, ainsi que Jean d'Arc, le frère de la Pucelle. Dunois nous raconte comment Charles VII l'avait choisi pour veiller personnellement sur Jeanne, parce qu'il était le chevalier le plus sage et de l'honnêteté la plus éprouvée de tout son entourage. Sa conduite auprès d'elle lui valut par la suite d'être investi par Charles VII de plusieurs missions de confiance. Lors de son entrée solennelle à Paris, en 1437, c'est lui qui, à pied, tenait par la bride le cheval du roi.

Au moment du procès de réhabilitation, il demeurait au château de Pierre-Scize, à Lyon, dont il avait été fait capitaine deux années auparavant, et c'est là que l'archevêque de Reims, Jouvenel des Ursins, lui écrivit, le priant de mettre par écrit ce qu'il savait sur Jeanne « pour ce que de sa vie et conversation et aussi gouvernement, savez bien et largement ». Il est précieux pour nous que sa déposition ait été transcrite en français : elle est dictée dans une langue savoureuse et directe, si expressive que nous avons pensé qu'on y retrouverait sans ennui certains épisodes déjà racontés par Dunois ou par le duc d'Alençon, et que nous la donnons à peu près en entier en dépit de sa longueur. La rencontre de Jeanne a été évidemment l'aventure de sa vie, et il n'est pas un détail, par exemple du siège d'Orléans, qu'il n'ait conservé et ne transmette dans toute sa vivacité.

... Il y a vingt-huit ans ou environ, le roi notre sire étant dans la ville de Poitiers, il me fut dit que la Pucelle, qui était des parties de Lorraine, avait été amenée audit seigneur par deux gentilshommes se disant être à messire Robert de Baudricourt, chevalier, l'un nommé Bertrand et l'autre Jean de Metz ; et pour la voir j'allai au lieu de Poitiers.

Après la présentation, parla la Pucelle au roi notre sire, secrètement, et lui dit certaines choses secrètes : lesquelles, je ne sais [1] ; hors que peu de temps après ce seigneur

---

1. Allusion à l'entrevue au cours de laquelle Jeanne réussit à convaincre le roi de sa légitimité. Le rédacteur de la version abrégée des deux procès qui fut faite sous le règne de Louis XII raconte la scène, telle que Charles VII l'aurait confiée à des familiers, dans les dernières années de sa vie : Jeanne aurait révélé au roi trois requêtes qu'il avait faites à Dieu, étant en oraison, le jour de la Toussaint 1428, dans la chapelle du château de Loches, et qui concernaient ses doutes sur sa

envoya querir quelques-uns des gens de son Conseil, parmi lesquels j'étais. Auxquels il dit que la Pucelle lui avait dit qu'elle était envoyée de par Dieu pour l'aider à recouvrer son royaume, qui pour lors, pour la plus grande partie, était occupé par les Anglais ses ennemis anciens.

Après ces paroles déclarées par le roi aux gens de son conseil, il fut décidé d'interroger la Pucelle qui pour lors était de l'âge de seize ans ou environ, sur certains points touchant la foi.

Pour ce faire, le roi fit venir certains maîtres en théologie, juristes et autres gens experts, qui l'examinèrent et l'interrogèrent sur ces points bien et diligemment [1].

J'étais présent au Conseil quand ces maîtres firent leur rapport de ce qu'ils avaient trouvé de la Pucelle ; et fut par l'un d'eux dit publiquement qu'ils ne voyaient, savaient ni connaissaient en cette Pucelle aucune chose, hors seulement tout ce qui peut être en bonne chrétienne et vraie catholique ; et que pour telle la tenaient, et était leur avis que c'était une très bonne personne.

Le rapport fait au roi par les maîtres, cette Pucelle fut remise entre les mains de la reine de Sicile, mère de la reine notre souveraine dame, et à certaines dames étant avec elle ; par lesquelles cette Pucelle fut vue, visitée, et secrètement regardée et examinée dans les secrètes parties de son corps ; mais après qu'elles eurent vu et regardé tout ce qui était à regarder en ce cas, la dame dit et relata au roi qu'elle et ses dames trouvaient certainement que c'était une vraie et entière pucelle en laquelle n'apparaissait aucune corruption ou violence. J'étais présent quand la dame fit son rapport.

Après ces choses ouïes, le roi, considérant la grande

---

propre légitimité. Cette révélation de Jeanne l'aurait à la fois encouragé à se considérer comme « vrai roi » de France, et rassuré sur la mission de Jeanne.

1. On a vu plus haut ce qui concerne cet examen.

bonté qui était en cette Pucelle et ce qu'elle lui avait dit, que de par Dieu elle lui était envoyée, conclut en son Conseil que dorénavant il s'aiderait d'elle pour ses guerres, attendu que pour ce faire elle lui était envoyée.

Il fut donc délibéré qu'elle serait envoyée dans la cité d'Orléans, qui était alors assiégée par les Anglais. Pour ce lui furent donnés des gens pour le service de sa personne et d'autres pour sa conduite [1].

Pour la garde et conduite d'elle, je fus ordonné par le roi notre seigneur.

Pour la sûreté de son corps, le seigneur roi fit faire à la Pucelle harnais tout propres pour son corps, et, ce fait, lui ordonna certaine quantité de gens d'armes pour la mener et conduire sûrement, elle et ceux de sa compagnie, au lieu d'Orléans.

Incontinent après, elle se mit en chemin avec ses gens pour aller de ce côté.

Après qu'il vint à la connaissance de monseigneur de Dunois, que pour lors on appelait monseigneur le Bâtard d'Orléans, qui était en la cité pour la préserver et garder des ennemis, que la Pucelle venait de ce côté, aussitôt il fit assembler quantité de gens de guerre pour aller au-devant d'elle, comme La Hire et autres. Et pour ce faire, et plus sûrement l'amener et conduire dans la cité, se mirent ce seigneur et ses gens en un bateau et par la rivière de Loire allèrent au-devant d'elle environ un quart de lieue, et là la trouvèrent....

Incontinent entra la Pucelle, et moi avec elle, sur le bateau, et le résidu de ses gens de guerre s'en retournèrent vers Blois. Et avec monseigneur de Dunois et ses gens nous entrâmes en la cité sûrement et sauvement [2] ; en laquelle monseigneur de Dunois la fit loger bien et honnête-

---

1. Allusion à son escorte personnelle, dont d'Aulon faisait partie en qualité d'intendant et garde du corps, comme il le dit ensuite.
2. Le vendredi 29 avril. (Voir plus haut la déposition de Dunois.)

ment en l'hôtel d'un des notables bourgeois de la cité [1] qui avait épousé l'une des notables femmes de celle-ci.

Après que monseigneur de Dunois, La Hire et certains autres capitaines du parti du roi notre seigneur eurent conféré avec la Pucelle sur ce qu'il était expédient de faire pour la protection, garde et défense de la cité, et aussi par quel moyen on pourrait mieux vaincre les ennemis, il fut entre eux avisé et conclu qu'il était nécessaire de faire venir certain nombre de gens d'armes de leur parti qui étaient alors à Blois et qu'il les fallait aller querir. Pour mettre la chose à exécution et pour les amener en la cité furent commis monseigneur de Dunois, moi et certains autres capitaines avec leurs gens, qui allèrent au pays de Blois pour les amener et faire venir.

Dès qu'ils furent prêts à partir pour aller querir ceux qui étaient au pays de Blois, et que cela vint à la connaissance de la Pucelle, incontinent elle monta à cheval, et La Hire avec elle, et avec certaines quantités de ses gens elle sortit aux champs pour garder que les ennemis ne leur portassent nul dommage. Et pour ce faire, se mit la Pucelle avec ses gens entre l'armée de ses ennemis et la cité d'Orléans, et y fit tellement que nonobstant la grande puissance et nombre de gens de guerre étant en l'armée des ennemis, toutefois, la merci Dieu, passèrent les seigneurs de Dunois et moi avec toutes leurs gens et sûrement allèrent leur chemin ; et pareillement s'en retourna la Pucelle et ses gens en la cité.

Aussitôt qu'elle sut leur venue et qu'ils amenaient les autres qu'ils étaient allés querir pour le renfort de la cité, incontinent la Pucelle monta à cheval et, avec une partie de ses gens, alla au-devant d'eux pour leur subvenir et secourir si besoin en eût été.

Au vu et su des ennemis entrèrent la Pucelle, Dunois,

---

1. Le trésorier Jacques Boucher.

maréchal, La Hire, moi qui parle et nos gens en cette cité sans contradiction quelconque.

Ce même jour, après dîner, vint monseigneur de Dunois au logis de la Pucelle, auquel moi et elle avions dîné ensemble. En parlant à elle, ce seigneur de Dunois lui dit qu'il avait su pour vrai par gens de bien qu'un nommé Ffastolf [1], capitaine des ennemis, devait bientôt venir vers les ennemis assiégeants, tant pour leur donner secours et renforcer leur armée que pour les ravitailler ; et qu'il était déjà à Yinville [2]. Desquelles paroles la Pucelle fut toute réjouie, ainsi qu'il me sembla, et dit à monseigneur de Dunois telles paroles ou semblables : « Bâtard, Bâtard, au nom de Dieu je te commande que tantôt que tu sauras la venue de Ffastolf, que tu me le fasses savoir ; car s'il passe sans que je le sache, je te promets que je te ferai ôter la tête. » A quoi lui répondit le seigneur de Dunois que de ce ne doutât, car il le lui ferait bien savoir.

Après ces paroles, moi, qui étais las et fatigué, me mis sur une couchette en la chambre de la Pucelle pour un peu me reposer, et aussi se mit-elle avec son hôtesse sur un autre lit pour pareillement se dormir et reposer. Mais tandis que je commençais à prendre mon repos, soudainement la Pucelle se leva du lit et en faisant grand bruit m'éveilla. Et lors lui demandai-je ce qu'elle voulait ; elle me répondit : « En nom Dieu, mon conseil m'a dit que j'aille contre les Anglais ; et je ne sais si je dois aller à leur bastille ou contre Ffastolf qui les doit ravitailler. » Sur quoi je me levai incontinent et le plus tôt que je pus armai la Pucelle.

Tandis que je l'armais, ouïmes grand bruit et grands cris que faisaient ceux de la cité, en disant que les ennemis portaient grand dommage aux Français. Et donc pareillement je me fis armer ; en quoi faisant, sans que je le sache, partit la Pucelle de la chambre, et sortit en la rue

1. Capitaine de routiers anglais.
2. Janville.

où elle trouva un page monté sur un cheval, qu'elle fit tout à coup descendre du cheval et incontinent monta dessus ; et le plus droit et le plus diligemment qu'elle put, tira son chemin droit à la porte de Bourgogne [1], où le plus grand bruit était.

Incontinent je suivis la Pucelle, mais si tôt je ne sus aller qu'elle ne fût déjà à cette porte.

En arrivant à cette porte, nous vîmes que l'on apportait l'un des gens de la cité qui était très fort blessé ; alors la Pucelle demanda à ceux qui le portaient qui était cet homme ; lesquels lui répondirent que c'était un Français. Et lors elle dit que jamais n'avait vu sang de Français que les cheveux ne lui levassent ensus.

A cette heure, la Pucelle, moi et plusieurs autres gens de guerre en leur compagnie sortîmes hors de la cité pour donner secours aux Français et battre les ennemis à notre pouvoir ; mais lorsque nous fûmes hors de la cité il me fut avis que jamais n'avais vu tant de gens d'armes de notre parti comme je vis lors [2].

De ce pas tirâmes notre chemin vers une très forte bastille des ennemis appelée la bastille Saint-Loup, laquelle incontinent fut assaillie par les Français, et à très peu de perte prise d'assaut, et tous les ennemis étant en elle morts ou pris, et demeura la bastille aux mains des Français [3].

Ce fait, la Pucelle et ceux de sa compagnie se retirèrent en la cité d'Orléans, en laquelle se rafraîchirent et reposèrent tout ce jour.

Le lendemain, la Pucelle et ses gens, voyant la grande victoire par eux le jour précédent obtenue sur leurs ennemis, sortirent hors de la cité en bonne ordonnance pour aller

1. L'une des portes de l'enceinte d'Orléans, donnant sur la route de Gien ou de Bourgogne.
2. Allusion, soit à l'armée réunie par Charles VII que la venue de Jeanne a tirée de son apathie, soit au fait que les assiégés, stimulés par sa présence, courent aux armes avec plus d'ardeur qu'ils ne l'avaient jamais fait.
3. Événements du 4 mai 1429.

assaillir certaine autre bastille devant la cité, appelée la bastille de Saint-Jean-le-Blanc [1] ; pour ce faire, comme ils virent que bonnement ils ne pouvaient aller par terre à cette bastille, étant donné que les ennemis en avaient fait une autre très forte au pied du pont de la cité, tellement qu'il leur était impossible d'y passer, il fut conclu entre eux de passer en certaine île étant dedans la rivière de Loire, et là feraient leur assemblée pour aller prendre la bastille de Saint-Jean-le-Blanc ; et pour passer l'autre bras de la rivière de Loire, ils firent amener deux bateaux, desquels ils firent un pont pour aller à la bastille.

Ce fait, ils allèrent vers la bastille, qu'ils trouvèrent toute désemparée parce que les Anglais qui étaient en elle, dès qu'ils aperçurent la venue des Français, s'en allèrent et se retirèrent en une autre plus forte et plus grosse bastille, appelée la bastille des Augustins.

Les Français, voyant qu'ils n'étaient assez puissants pour prendre la bastille, il fut conclu qu'ainsi s'en retourneraient sans rien faire.

Pour plus sûrement s'en retourner et passer, il fut ordonné demeurer derrière aux plus notables et vaillantes gens de guerre du parti des Français, afin de garder que les ennemis ne les pussent attaquer pendant qu'ils retournaient ; et pour ce faire furent ordonnés les seigneurs de Gaucourt, de Villars, lors sénéchal de Beaucaire, et moi.

Tandis que les Français s'en retournaient de la bastille de Saint-Jean-le-Blanc pour entrer en l'île, lors la Pucelle et La Hire passèrent tous deux chacun un cheval en un bateau de l'autre côté de cette île, sur lesquels chevaux ils montèrent dès qu'ils furent passés, chacun sa lance en main.

Et lorsqu'ils aperçurent que les ennemis sortaient

---

1. C'est plutôt un simple guet, situé sur la rive gauche de la Loire, mais protégé par la forteresse des Tourelles, toute proche et commandant le pont. C'est ce que Jean d'Aulon explique dans les lignes qui suivent.

de la bastille pour courir sur leurs gens, incontinent la Pucelle et La Hire, qui toujours étaient au-devant d'eux pour les garder, couchèrent leurs lances, et tout les premiers commencèrent à frapper sur les ennemis ; et alors chacun les suivit et commença à frapper sur les ennemis de telle manière qu'à force ils les contraignirent à se retirer et entrer en la bastille des Augustins. En ce faisant [1], étant à la garde d'un passage avec d'autres pour ce établis et ordonnés, parmi lesquels était un bien vaillant homme d'armes du pays d'Espagne, nommé Alphonse de Partada, je vis passer devant nous un autre homme de leur compagnie, bel homme, grand et bien armé, auquel, parce qu'il passait outre, je dis qu'il demeurât un peu avec les autres pour faire résistance aux ennemis au cas que besoin serait ; par lequel me fut incontinent répondu qu'il n'en ferait rien ; alors Alphonse lui dit qu'il y pouvait demeurer aussi bien que les autres, et qu'il y en avait d'aussi vaillants que lui qui demeuraient bien. Lequel répondit à cet Alphonse qu'il n'en ferait rien. Sur quoi ils eurent entre eux certaines arrogantes paroles, tellement qu'ils conclurent aller tous deux, l'un en même temps que l'autre, sur les ennemis, et alors serait vu qui serait le plus vaillant et qui mieux d'eux deux ferait son devoir. Et se tenant par les mains, aussi vite qu'ils purent, allèrent vers la bastille des ennemis et furent jusqu'au pied du palis [2].

Dès qu'ils furent au palis de cette bastille, je vis dedans le palis un grand, fort et puissant Anglais, bien en point et armé, qui leur résistait tellement qu'ils ne pouvaient entrer au palis. Et lors je montrai cet Anglais à un nommé maître Jean le Canonnier en lui disant qu'il tirât sur cet Anglais, car il faisait trop grand grief et portait grand dommage à ceux qui voulaient approcher la bastille :

1. Le passage qui suit nous éloigne quelque peu du récit du siège, mais il est curieux et assez révélateur de la mentalité du temps.
2. Enceinte faite de pieux.

ce que fit maître Jean, car incontinent qu'il l'aperçut il adressa son trait vers lui, tellement qu'il le jeta mort par terre ; et lors les deux hommes d'armes gagnèrent le passage par lequel tous les autres de leur compagnie passèrent et entrèrent en la bastille ; très âprement et à grand diligence, ils l'assaillirent de toutes parts de telle façon qu'en peu de temps ils la gagnèrent et prirent d'assaut. Et là furent tués et pris la plupart des ennemis, et ceux qui se purent sauver se retirèrent en la bastille des Tourelles, au pied du pont. Et ainsi obtinrent la Pucelle et ceux étant avec elle victoire sur les ennemis pour ce jour, et fut la grosse bastille gagnée [1], et demeurèrent devant elle les seigneurs et leurs gens avec la Pucelle, toute cette nuit.

Le lendemain au matin, la Pucelle envoya querir tous les seigneurs et capitaines étant devant la bastille prise, pour aviser ce qui était à faire : par leur avis il fut conclu et délibéré d'assaillir ce jour un gros boulevard [2] que les Anglais avaient fait devant la bastille des Tourelles, et qu'il était expédient de l'avoir et gagner avant de faire autre chose. Pour ce faire et mettre à exécution, la Pucelle, les capitaines et les gens allèrent d'une part et d'autre, ce jour-là, bien matin, devant le boulevard, auquel ils donnèrent l'assaut de toutes parts et pour le prendre firent tout leur effort, et tellement ils furent devant ce boulevard, depuis le matin jusqu'au soleil couchant, sans le pouvoir prendre ni gagner. Et les seigneurs et capitaines étant avec elle, voyant que bonnement ce jour ne le pouvaient gagner, considérée l'heure qui était fort tard, et aussi que tous étaient fort las et fatigués, il fut conclu entre eux faire sonner la retraite de l'armée, ce qui fut fait et à son de trompette sonné que chacun se retirât pour ce jour.

En faisant cette retraite, celui qui portait l'étendard de

1. Bastille des Augustins, prise le 6 mai. Jean d'Aulon n'a raconté que la prise du secteur à laquelle il a personnellement participé.
2. Fortification.

la Pucelle et le tenait encore, debout devant le boulevard, étant las et fatigué, remit l'étendard à un nommé
Le Basque qui était au seigneur de Villars ; et parce que
je connaissais ce Basque être vaillant homme, et que je ne
doutais qu'à l'occasion de la retraite mal ne s'ensuivit, et
que les bastille et boulevard ne demeurassent aux mains
des ennemis, j'eus imagination que si l'étendard était
bouté en avant, pour la grande ardeur que je savais être
en gens de guerre qui étaient là, ils pourraient par ce moyen
gagner ce boulevard. Et lors je demandai au Basque, si
j'entrais et allais au pied du boulevard, s'il me suivrait ;
il me dit et promit d'ainsi le faire. Donc entrai-je dedans le
fossé et allai jusqu'au pied de la douve du boulevard me
couvrant de ma targette [1] par crainte des pierres, et laissai
mon compagnon de l'autre côté, car je croyais qu'il me dût
suivre pied à pied ; mais, lorsque la Pucelle vit son étendard
aux mains du Basque, et qu'elle le croyait avoir perdu, car
celui qui le portait était entré dans le fossé, vint la Pucelle,
qui prit l'étendard par le bout de telle manière qu'il ne le
pouvait avoir, en criant : « Ah ! mon étendard, mon étendard ! » Et branlait l'étendard en manière que mon imagination était qu'en ce faisant les autres crussent qu'elle
leur fît quelque signe ; et lors m'écriai : « Ah ! Basque !
est-ce ce que tu m'as promis ? » Alors le Basque tira tellement
l'étendard qu'il l'arracha des mains de la Pucelle, et ce
fait alla à moi et porta l'étendard. A l'occasion de cette
chose, tous ceux de l'armée de la Pucelle s'assemblèrent et
derechef se rallièrent, et par si grande âpreté assaillirent le
boulevard qu'en peu de temps après ce boulevard et la
bastille furent par eux pris, et des ennemis abandonnés,
et entrèrent les Français dans la cité d'Orléans par le pont [2].

1. Bouclier.
2. Le 7 mai. On se souvient que la bastille des Tourelles défendait
l'entrée du pont qui faisait communiquer la cité d'Orléans avec la rive
gauche de la Loire.

Ce jour même, j'avais ouï dire à la Pucelle : « En nom Dieu, on entrera cette nuit en la ville par le pont. » Et ce fait, se retirèrent la Pucelle et ses gens en la ville d'Orléans, en laquelle je la fis habiller [soigner], car elle avait été blessée d'un trait à l'assaut.

Le lendemain, tous les Anglais qui encore étaient demeurés dedans la ville, de l'autre part de la bastille des Tourelles, levèrent leur siège et s'en allèrent comme tout confus déconfits. Et ainsi, moyennant l'aide de Notre-Seigneur et de la Pucelle, fut la cité délivrée des mains des ennemis.

Certain temps après le retour du sacre du roi, il fut avisé par son Conseil, étant alors à Mehun-sur-Yèvre, qu'il était très nécessaire de recouvrer la ville de La Charité que tenaient les ennemis ; mais qu'il fallait avant prendre la ville de Saint-Pierre-le-Moûtier, que pareillement tenaient ses ennemis.

Pour ce faire et assembler les gens, alla la Pucelle en la ville de Bourges, en laquelle elle fit son assemblée, et de là, avec certaine quantité de gens d'armes, desquels monseigneur d'Albret était le chef, allèrent assiéger la ville de Saint-Pierre-le-Moûtier.

Après que la Pucelle et ses gens eurent tenu le siège devant la ville quelque temps, il fut ordonné de donner l'assaut de cette ville ; et ainsi fut fait, et pour la prendre firent leur devoir ceux qui là étaient ; mais à cause du grand nombre de gens d'armes étant en la ville, de la grande force d'elle, et aussi la grande résistance que ceux de dedans faisaient, les Français furent contraints et forcés de se retirer. Et à cette heure moi, qui étais blessé d'un trait au talon, tellement que sans potences [1] ne me pouvais soutenir ni aller, je vis que la Pucelle était demeurée très petitement accompagnée de ses gens ou d'autres, et ne doutant

1. Béquilles.

qu'inconvénient ne s'ensuivît, je montai sur un cheval et incontinent tirai vers elle, et lui demandai ce qu'elle faisait là ainsi seule, et pourquoi elle ne se retirait comme les autres. Après qu'elle eut ôté sa salade [1] de dessus sa tête, elle me répondit qu'elle n'était pas seule et qu'encore avait en sa compagnie cinquante mille de ses gens et que de là ne se partirait jusqu'à ce qu'elle eût pris ladite ville.

A cette heure, quelque chose qu'elle dît, elle n'avait pas avec elle plus de quatre ou cinq hommes, et ce sais-je certainement, et plusieurs autres qui pareillement la virent : pour laquelle cause je lui dis derechef qu'elle s'en allât et se retirât comme les autres faisaient. Alors elle me dit que je fisse apporter des fagots et claies pour faire un pont sur les fossés de la ville afin qu'ils y pussent mieux approcher. Et, en me disant cette parole, elle s'écria à haute voix et dit : « Aux fagots et aux claies tout le monde, afin de faire le pont ! » ; lequel incontinent après fut fait et dressé. De quelle chose je fus tout émerveillé, car incontinent la ville fut prise d'assaut, sans y trouver pour lors trop grande résistance [2].

Tous les faits de la Pucelle me semblaient plus divins et miraculeux qu'autrement, et il était impossible à une si jeune Pucelle de faire telles œuvres sans le vouloir et conduite de Notre-Seigneur.

Par l'espace d'un an entier, par le commandement du roi notre seigneur, je demeurai en la compagnie de la Pucelle, et pendant ce temps je n'ai vu ni connu en elle chose qui ne doive être en une bonne chrétienne ; je l'ai toujours vue de très bonne vie et honnête conversation en tous et chacun de ses faits.

J'ai connu cette Pucelle être très dévote créature ; très dévotement se maintenait en assistant au divin service de Notre-Seigneur, que continuellement elle voulait ouïr, c'est

---

1. Casque.
2. Ce siège eut lieu en novembre 1429.

à savoir aux jours solennels la grand-messe du lieu où elle était, avec les heures [1] subséquentes, et autres jours une basse messe ; elle était accoutumée de tous les jours ouïr messe, s'il lui était possible.

Plusieurs fois j'ai vu et su qu'elle se confessait et recevait Notre-Seigneur et faisait tout ce qu'à bon chrétien et chrétienne appartient de faire, et sans que jamais, pendant que j'ai demeuré avec elle, je l'aie ouïe jurer, blasphémer, parjurer le nom de Notre-Seigneur ou de ses saints, pour quelque cause ou occasion que ce fût.

Bien qu'elle fût jeune fille, belle et bien formée, et que plusieurs fois, tant en aidant à l'armer ou autrement, je lui aie vu les tétins, et quelquefois les jambes toutes nues, en la faisant appareiller [2] de ses plaies ; et que d'elle m'approchais souventes fois — et aussi que je fusse fort, jeune et en bonne puissance —, toutefois jamais pour quelque vue ou attouchement que j'eus vers la Pucelle, ne s'émut mon corps à nul charnel désir envers elle, ni pareillement ne faisait nul autre quelconque de ses gens et écuyers, ainsi que je leur ai ouï dire et relater plusieurs fois....

LE PAGE DE JEANNE

LOUIS DE COUTES

Louis de Coutes, que les gens de guerre surnommaient *Mugot*, ou *Imerguet*, n'avait guère que quatorze ou quinze ans, et s'exerçait au métier des armes sous les ordres de Raoul de Gaucourt quand Jeanne arriva à Chinon. C'était, dit la *Chronique de la Pucelle*, « un bien gentil homme ». Désigné pour être le page de Jeanne, avec un certain Raymond (celui sans doute qui fut tué sous les murs de Paris), il ne la quitta plus jusqu'aux opérations devant la capitale. Sa dépo-

1. Heures de l'office.
2. Panser.

sition est pleine de traits pris sur le vif : comment le gamin qu'il était encore s'enfuyait, intimidé, quand il voyait des personnages de haut rang venir visiter Jeanne ; ou encore comment, le jour où Jeanne, avertie par « son conseil » qu'une escarmouche s'était produite du côté de la bastille Saint-Loup, se fait équiper en hâte, il lui passe par la fenêtre du premier étage son étendard qu'elle avait oublié ; comment, un jour, il la vit consoler un Anglais blessé, et comment il assista, lui aussi, au couronnement, en sa qualité de page.

... L'année où Jeanne vint auprès du roi dans la ville de Chinon, j'avais quatorze ou quinze ans, et servais et demeurais auprès du seigneur de Gaucourt, qui était capitaine du lieu de Chinon. A ce moment-là Jeanne arriva au lieu de Chinon, avec deux hommes, et elle fut conduite auprès du roi. J'ai vu souvent Jeanne aller auprès du roi et en revenir ; un logement lui fut assigné dans une tour du château du Couldray. Et j'ai demeuré dans cette tour avec Jeanne ; et tout le temps qu'elle fut là, j'ai été continuellement avec elle pendant le jour.

La nuit, elle avait des femmes avec elle. Et je me souviens bien qu'au moment où elle fut dans cette tour du Couldray plusieurs fois des hommes de haut rang venaient converser avec Jeanne. Ce qu'ils faisaient ou disaient, je ne le sais, car toujours, quand je voyais ces hommes arriver, je m'en allais ; et je ne sais pas qui ils étaient.

A ce moment, quand j'étais avec Jeanne dans cette tour, j'ai vu souvent Jeanne, genoux ployés, et en train de prier, à ce qu'il me semblait ; cependant je n'ai jamais pu entendre ce qu'elle disait, bien qu'elle pleurât quelquefois. Et ensuite Jeanne fut conduite à la ville de Poitiers, puis revint à la ville de Tours, dans la maison d'une personne nommée Lapau.

C'est à cet endroit que le seigneur duc d'Alençon donna

à Jeanne un cheval, que j'ai vu dans la maison de cette Lapau. Et c'est là, à Tours, qu'il m'a été dit et ordonné que je sois le page de Jeanne avec un certain Raymond. Depuis cette heure-là j'ai toujours été avec Jeanne, et suis toujours allé avec elle, la servant dans mon office de page, tant à Blois qu'à Orléans jusqu'à ce que nous soyons arrivés devant Paris.

Au moment où elle était à Tours, une armure lui fut donnée, et Jeanne reçut alors son état du roi. Et de Tours elle alla à la ville de Blois, en compagnie d'hommes d'armes du roi, et cette compagnie, dès ce moment-là, avait une grande confiance en Jeanne. Et Jeanne se tint avec ses soldats dans la ville de Blois pendant quelque temps, je ne me souviens plus combien ; et alors il fut décidé de se retirer de Blois et d'aller à Orléans par le côté de la Sologne, et Jeanne se retira avec sa troupe d'hommes d'armes, exhortant toujours les soldats qu'ils aient grande confiance en Dieu et qu'ils confessent leurs péchés. Et en sa compagnie j'ai vu souvent Jeanne recevoir le sacrement de l'Eucharistie.

Arrivés devant la ville d'Orléans, du côté de la Sologne, Jeanne, moi-même et plusieurs autres, nous fûmes conduits de l'autre côté de l'eau, vers la ville d'Orléans, et de là nous entrâmes à Orléans. Jeanne fut très meurtrie en venant à Orléans, car elle coucha sans quitter son armure la nuit de son départ de Blois. Elle fut logée à Orléans dans la maison du trésorier [1] devant la porte Bannier, et dans cette maison elle reçut le sacrement de l'Eucharistie.

Le lendemain, jour où nous entrâmes à Orléans, Jeanne alla voir le Bâtard d'Orléans, et lui parla, et à son retour elle était très en colère, car, disait-elle, il avait été décidé que ce jour-là on n'irait pas à l'assaut. Cependant Jeanne alla vers un boulevard que tenaient les soldats du roi contre le

---

1. Jacques Boucher. Se reporter, plus haut, à la déposition de Dunois et à celle du duc d'Alençon.

11. Autre version de la rencontre de Jeanne d'Arc et de Charles VII.
Miniature de la "Chronique abrégée des Rois de France" (anonyme,
XVe siècle). La présence d'un ecclésiastique rappelle que le roi fit
examiner la jeune fille par des théologiens de Poitiers.

12. Le siège d'Orléans. Miniature des "Vigiles de Charles VII". Jeanne
pénétra dans la ville le 29 mai 1429, à la faveur d'une diversion opérée
par Dunois.

13. La ville d'Orléans au XVᵉ siècle. Deuxième volet de la bannière de Jeanne d'Arc au Musée d'Orléans.

boulevard des Anglais, et là elle parla avec les Anglais qui étaient dans l'autre boulevard, en leur disant de se retirer au nom de Dieu, qu'autrement elle les expulserait. Et un nommé le Bâtard de Granville dit à Jeanne beaucoup d'injures, lui demandant si elle voulait qu'ils se rendissent à une femme, appelant les Français qui étaient avec Jeanne : « *Maquereaux mécréants.* »

Cela fait, Jeanne revint en son logement et monta dans sa chambre et je croyais qu'elle s'en allait dormir. Mais peu de temps après elle redescendit et me dit ces mots : « *Ah ! sanglant garçon, vous ne me diriez pas que le sang de France fût répandu !* » en me pressant d'aller chercher son cheval. Dans l'intervalle elle se fit armer par la dame de la maison et sa fille, et quand je revins d'équiper son cheval, je la trouvai déjà armée ; elle me dit d'aller chercher son étendard qui était en haut, et je le lui tendis par la fenêtre.

Après avoir pris son étendard, Jeanne se hâta, courant du côté de la porte de Bourgogne [1] ; alors l'hôtesse me dit d'aller après elle, ce que j'ai fait. Il y avait alors une attaque ou une escarmouche du côté de Saint-Loup ; c'est dans cette attaque que fut pris le boulevard, et Jeanne rencontra en chemin plusieurs Français blessés, ce qui l'irrita. Les Anglais se préparaient à la défense lorsque Jeanne arriva en hâte vers eux ; et aussitôt que les Français aperçurent Jeanne, ils commencèrent à crier, et la bastille et forteresse de Saint-Loup fut prise. Et j'ai entendu dire que des hommes d'Église revêtirent leurs vêtements ecclésiastiques et vinrent au-devant de Jeanne ; et elle les reçut et ne souffrit pas qu'aucun mal leur fût fait et les fit amener avec elle à son logement, les autres Anglais ayant été tués par les gens d'Orléans.

Et ce soir-là Jeanne vint dîner à son logement. Elle était très sobre, et bien souvent, de tout le jour, elle ne

---

1. Jean d'Aulon raconte de même l'épisode, qui se terminera par la prise de la bastille Saint-Loup (4 mai).

mangeait qu'un morceau de pain, et je m'étonnais qu'elle mangeât si peu. Quand elle restait dans son logement, elle mangeait seulement deux fois le jour.

Le jour suivant, vers l'heure de tierce [1], les soldats de notre seigneur le roi traversèrent le fleuve dans des navires pour aller contre la bastille ou forteresse de Saint-Jean-le-Blanc, et les Français la prirent, et de même la bastille des Célestins (Augustins), et Jeanne passa avec les soldats le fleuve de Loire, et moi avec elle ; et nous revînmes à la ville d'Orléans, dans laquelle Jeanne coucha dans son logement avec des femmes comme elle avait l'habitude de le faire, car elle avait toujours la nuit une femme couchant avec elle, si elle en pouvait trouver. Si elle n'en pouvait trouver, quand on était en guerre ou en campagne, elle couchait revêtue de ses vêtements.

Le jour suivant, Jeanne, contre le gré de plusieurs seigneurs à qui il semblait qu'elle voulait mettre les gens du roi en grand péril, fit ouvrir la porte de Bourgogne et une petite porte qui était du côté de la grosse tour, et elle passa l'eau avec d'autres soldats pour envahir la bastille ou forteresse du Pont [2] que les Anglais tenaient encore. A cet endroit, pour donner l'assaut, les gens du roi se tinrent depuis l'heure de prime [3] jusqu'à la nuit. Et là Jeanne fut blessée et se désarma pour qu'on puisse bander sa blessure ; et après qu'elle eut été bandée, elle se revêtit de nouveau de ses armes, et alla avec les autres à l'assaut et à l'attaque, qui avait duré de l'heure de prime jusqu'au soir sans cesser. Enfin le boulevard fut pris, Jeanne se tenant toujours avec les soldats à l'assaut et les exhortant qu'ils eussent bon courage et qu'ils ne se retirent pas, car ils auraient bientôt cette forteresse.

Elle disait que quand ils verraient que le vent ferait

1. **Neuf heures du matin.**
2. **Ou des Tourelles ; ceci se passe le 7 mai.**
3. **Six heures du matin.**

flotter l'étendard du côté de la forteresse, ils l'auraient. Tant que, vers le soir, lorsque les gens du roi virent qu'ils ne faisaient rien et que déjà la nuit était proche, ils désespéraient de prendre cette forteresse. Jeanne cependant persistait toujours, leur promettant sans faillir qu'ils auraient cette forteresse ce jour-là. Et de nouveau les gens du roi se préparèrent à donner l'assaut ; ce que voyant, les Anglais ne présentèrent aucune défense, mais furent terrifiés, et furent presque tous noyés ; et il n'y eut de la part des Anglais dans cette dernière attaque et assaut, aucune défense.

Le lendemain [1] tous les Anglais qui étaient autour de la ville se retirèrent vers la ville de Beaugency et celle de Meung. L'armée du roi les suivit, dans laquelle était Jeanne elle-même ; et là ils décidèrent de rendre la ville de Beaugency ou de combattre. Le jour du combat étant arrivé, les Anglais se retirèrent de cette ville de Beaugency ; les gens du roi les poursuivirent avec Jeanne, et La Hire eut l'avant-garde ; Jeanne en fut très irritée, car elle-même aimait beaucoup avoir la charge de l'avant-garde. Et les gens du roi se comportèrent de telle sorte que La Hire, qui conduisait l'avant-garde, courut sus aux Anglais, et ils eurent la victoire et presque tous les Anglais furent tués [2].

Jeanne était très pieuse et elle avait grande pitié de tels massacres, car une fois, tandis qu'un Français emmenait quelques Anglais prisonniers, celui qui les conduisait frappa l'un des Anglais à la tête, tant qu'il le laissa pour mort ; Jeanne, voyant cela, descendit de cheval et elle fit se confesser l'Anglais, lui soutenant la tête et le consolant de tout son pouvoir. Ensuite Jeanne, en compagnie des gens du roi, alla devant la ville de Jargeau, qui fut prise d'assaut, et là plusieurs Anglais furent faits

1. 8 mai 1429.
2. Louis de Coutes résume ici toute la campagne de la Loire, y compris Patay (se reporter à la déposition du duc d'Alençon). Plus loin il détache la prise de Jargeau, qui eut lieu en réalité le 12 juin, avant la capitulation de Beaugency (17 juin).

prisonniers, parmi lesquels Suffort [1] et La Poule [2].

Ensuite, après la levée du siège d'Orléans et les victoires obtenues, Jeanne alla avec les soldats vers le roi, qui était alors à Tours, et il fut décidé que le roi irait à Reims pour son couronnement. Et le roi sortit avec son armée dans laquelle était Jeanne se dirigeant sur la ville de Troyes qui fut rendue au roi et de là vers Châlons qui de même fut réduite entre les mains du roi, et ensuite dans la ville de Reims dans laquelle notre seigneur roi fut couronné et sacré et j'étais présent ; car j'étais, je l'ai dit, le page de Jeanne et j'étais toujours avec elle. Et je suis resté avec elle jusqu'au moment où Jeanne est venue devant Paris.

Autant que j'en aie pu avoir connaissance, Jeanne était bonne et honnête femme, vivant de façon catholique ; elle entendait la messe très volontiers et jamais ne manquait d'aller l'entendre si cela lui était possible. Elle était très courroucée quand elle entendait blasphémer le nom de Dieu ou qu'elle entendait quelqu'un jurer ; plusieurs fois j'ai entendu quand le seigneur duc d'Alençon jurait ou disait quelque blasphème, qu'elle le réprimandait. Et généralement personne dans l'armée n'aurait osé devant elle jurer ou blasphémer, de peur d'être par elle réprimandé.

Elle ne voulait pas que dans l'armée il y eût des femmes; une fois, près de la ville de Château-Thierry, comme elle avait vu la maîtresse d'un des soldats, un chevalier, elle la poursuivit, le glaive nu ; elle ne frappa cependant pas cette femme, mais l'avertit doucement et charitablement de ne plus se trouver dans la compagnie des soldats, autrement elle lui ferait quelque chose qui lui déplairait.

1. Suffolk.
2. John Pole, frère de Suffolk, capitaine d'Avranches.

LE CONFESSEUR DE JEANNE

JEAN PASQUEREL

Jean Pasquerel était un frère mendiant, ermite de Saint-Augustin du couvent de Bayeux. Il s'était trouvé en pèlerinage avec Isabelle Romée, dont on sait qu'au moment où sa fille quittait Vaucouleurs pour aller trouver le roi, elle accomplissait le pèlerinage de Notre-Dame-du-Puy en Velay, qui était à cette époque ce qu'est Lourdes en notre temps ; le groupe des pèlerins lorrains, frappé de sa sainteté, le persuada d'aller trouver Jeanne, et effectivement il la retrouva lorsqu'il revint à Tours ; il était en effet, à cette époque, lecteur au couvent de cette ville ; il devint son confesseur et ne la quitta plus désormais jusqu'au jour où elle fut prise à Compiègne.

On lui doit le texte de la dernière sommation que Jeanne adressa aux Anglais ; peut-être est-ce à lui qu'elle l'a dictée. Et c'est lui aussi qui donne des détails sur l'étendard qu'elle s'était fait peindre, cet étendard qu'elle déclarait, lors de son interrogatoire, aimer quarante fois mieux que son épée et sur lequel on lui fit reproche d'avoir fait peindre les noms de Jésus et de Marie, qu'on retrouve aussi sur ses lettres. Le reproche, à distance, paraît incompréhensible, de la part de gens d'Église, mais c'est qu'à l'époque le culte du saint nom de Jésus était propagé par saint Bernardin de Sienne, et la devise « Jesus Maria » était celle des frères mendiants de tous ordres : pour les juges de Rouen, suppôts de l'Université, c'était un crime capital. Et l'on imagine que Pasquerel, en 1456, au moment où précisément la grande querelle des ordres et de la Sorbonne approchait du dénouement, devait éprouver une singulière émotion à témoigner ainsi de la prédilection de Jeanne pour les mendiants, sur laquelle il revient à plusieurs reprises au cours de sa déposition.

... La première fois que j'ai entendu parler de Jeanne, et dire comment elle était venue auprès du roi, je me trouvais au Puy, et dans cette ville était la mère de Jeanne et quelques-uns de ceux qui avaient amené Jeanne auprès du roi [1]. Et comme ils me connaissaient un peu, ils me dirent qu'il fallait que je vienne avec eux auprès de Jeanne, et qu'ils ne me laisseraient pas aller qu'ils ne m'eussent conduit à Jeanne. Et je vins avec eux jusqu'à la ville de Chinon, et delà jusqu'à la ville de Tours, dans le couvent de laquelle j'étais lecteur.

Dans cette ville de Tours, Jeanne était alors logée dans la maison de Jean Dupuy, bourgeois de Tours ; j'ai trouvé Jeanne dans sa maison et ceux qui m'avaient amené lui parlèrent, disant : « Jeanne, nous vous avons amené ce bon père ; si vous le connaissiez bien, vous l'aimeriez beaucoup. » Jeanne répondit qu'elle en était bien contente, et que déjà elle avait entendu parler de moi, et que le lendemain elle voulait se confesser à moi. Le lendemain je l'entendis en confession et je chantai la messe devant elle, et depuis cette heure je l'ai toujours suivie et suis demeuré avec elle jusqu'à la ville de Compiègne, où elle fut prise.

J'ai entendu dire que Jeanne, lorsqu'elle vint vers le roi, fut examinée deux fois par des femmes pour savoir ce qu'il en était d'elle, si elle était un homme ou une femme, et si elle était corrompue ou vierge. Elle fut trouvée femme et vierge et pucelle. Celles qui la visitèrent furent, à ce que j'ouïs dire, la dame de Gaucourt et la dame de Trèves [2]. Ensuite elle fut conduite à Poitiers pour être examinée par les clercs qui étaient là dans l'université, et savoir ce qu'il fallait faire à son sujet ; ceux qui l'examinèrent furent maître Jourdain Morin et maître Pierre de Versailles qui mourut évêque de Meaux, et plusieurs autres ; après l'avoir examinée ils conclurent qu'étant donné la nécessité qui alors menaçait tout le royaume le roi pouvait s'aider d'elle

---

1. Peut-être les serviteurs de Jean de Novelonpont et de Bertrand de Poulengy (Colet de Vienne et Richard Larcher).
2. Jeanne de Preuilly et Jeanne de Mortemer. L'une et l'autre de l'entourage de Yolande de Sicile, belle-mère du roi.

et qu'ils n'avaient rien trouvé en elle de contraire à la foi catholique.

Cela fait, elle s'en vint à la ville de Chinon, et pensa parler avec le roi, mais elle ne le put pas cette fois-là ; cependant, après délibération du Conseil, Jeanne parla avec le roi, et ce jour-là, tandis que Jeanne entrait dans la demeure du roi pour lui parler, un homme qui était là à cheval lui dit ces paroles : « *Est-ce pas là la Pucelle ?* » jurant Dieu que, si on la lui donnait une nuit, il ne la rendrait pas pucelle. Jeanne dit alors à cet homme : « *Ah ! en nom Dieu, tu le renies et tu es si près de ta mort !* » Et ensuite cet homme, dans l'heure qui suivit, tomba à l'eau et se noya. Et je dis cela comme je l'ai entendu de Jeanne et de plusieurs autres qui disaient y avoir été présents.

Le comte de Vendôme conduisit Jeanne auprès du roi et l'introduisit dans la chambre du roi. Et lorsqu'il la vit, il demanda à Jeanne son nom et elle répondit : « *Gentil dauphin, j'ai nom Jeanne la Pucelle, et vous mande le Roi des cieux* par moi que vous serez sacré et couronné en la ville de Reims, et vous serez lieutenant du Roi des cieux, qui est roi de France. » Et après d'autres questions posées par le roi, Jeanne lui dit de nouveau : « Je te dis de la part de *Messire, que tu es vrai héritier de France, et fils de roi ;* et il m'a envoyé à toi pour te conduire à Reims, pour que tu reçoives ton couronnement et ta consécration si tu le veux. » Cela entendu, le roi dit aux assistants que Jeanne lui avait dit certain secret que personne ne savait et ne pouvait savoir si ce n'est Dieu [1] ; c'est pourquoi il avait grande confiance en elle. Tout cela je l'ai entendu de la bouche de Jeanne, car je n'y ai pas été présent.

Je lui ai entendu dire aussi qu'elle n'était pas contente de tous ces interrogatoires et qu'ils l'empêchaient d'accom-

---

1. Il s'agit de cette prière faite par le roi dans le secret de son oratoire de Loches, le soir de la Toussaint 1428, et dont Jeanne connaissait le temps, le lieu et la teneur.

plir l'œuvre pour laquelle elle était envoyée et qu'il était besoin et temps d'agir ; disant aussi qu'elle avait demandé aux messagers de son Seigneur, c'est-à-dire Dieu, qui lui apparaissaient, ce qu'elle devait faire, et ils dirent à Jeanne de prendre l'étendard de son Seigneur ; et pour cela Jeanne fit faire son étendard sur lequel était peinte l'image de notre Sauveur assis au jugement dans les nuées du ciel, et il y avait un ange peint tenant en ses mains une fleur de lis que l'image bénissait. J'ai été à Tours là où était peint cet étendard [1].

Peu après Jeanne alla avec les autres soldats pour lever le siège mis devant Orléans ; j'étais en sa compagnie et ne la quittai pas jusqu'au moment où elle fut prise devant Compiègne ; je la servais comme chapelain et l'entendais en confession, et chantais la messe.

Jeanne était très dévote envers Dieu et la Sainte Vierge, et presque chaque jour elle se confessait, et communiait souvent. Elle me disait aussi, quand nous étions à un endroit où se trouvait un couvent de frères mendiants, de lui rappeler les jours dans lesquels les petits enfants [élevés par] les mendiants recevaient le sacrement de l'Eucharistie pour ce jour-là le recevoir avec ces enfants comme elle le faisait souvent.... Quand elle se confessait, elle pleurait.

Quand Jeanne sortit de Tours pour venir à Orléans, elle me demanda de ne pas la quitter, mais de demeurer toujours avec elle comme son confesseur : ce que je lui ai promis. Nous avons été à Blois, environ deux ou trois jours, en attendant les vivres que l'on faisait charger là sur les bateaux ; et c'est là qu'elle m'a dit de faire faire un étendard pour rassembler les prêtres, ce qu'on appelle en fran-

---

1. On trouve dans les comptes d'Hémon Raguier, le trésorier royal, la mention suivante : « Et à Hauves Poulnoir, peintre, demeurant à Tours, pour avoir peint et fourni étoffes pour un grand étendard et un petit pour la Pucelle, 25 livres tournois » (QUICHERAT, V, 258).

çais une *bannière* [1] et sur cet étendard de faire peindre l'image de Notre-Seigneur crucifié : ce que j'ai fait. Cet étendard fait, Jeanne, deux fois par jour, le matin et le soir, me faisait rassembler tous les prêtres ; et une fois réunis ils chantaient des antiennes et des hymnes à sainte Marie, et Jeanne était avec eux ; et elle ne voulait pas qu'aux prêtres se mêlent les soldats s'ils ne s'étaient confessés, et elle exhortait tous les soldats à se confesser pour venir à cette réunion ; et à la réunion même tous les prêtres étaient prêts à entendre ceux qui voulaient se confesser.

Quand Jeanne sortit de Blois pour aller à Orléans, elle fit se rassembler tous les prêtres autour de cet étendard, et les prêtres précédaient l'armée. Ils sortirent du côté de la Sologne ainsi rassemblés, chantant le *Veni Creator Spiritus* et beaucoup d'autres antiennes, et campèrent cette nuit dans les champs et de même le jour suivant. Et le troisième jour ils arrivèrent près d'Orléans, où les Anglais tenaient le siège le long de la rive de la Loire, et les soldats du roi arrivèrent assez près des Anglais, de façon qu'Anglais et Français pouvaient se voir à portée d'œil, et les soldats du roi conduisaient les vivres. Or la rivière était si basse que les navires ne pouvaient la remonter, ni venir jusqu'à la rive où étaient les Anglais ; et tout à coup l'eau monta, si bien que les navires abordèrent du côté des soldats ; dans ces navires Jeanne entra avec quelques soldats et alla dans la ville d'Orléans [2].

Sur l'ordre de Jeanne je revins à Blois avec les prêtres et l'étendard ; puis, quelques jours plus tard, je revins avec des soldats vers la cité d'Orléans du côté du Blésois avec

---

1. Cette bannière, différente de l'étendard et du fanion dont il a été question plus haut, est destinée à être portée en procession par les prêtres et religieux qui accompagnent l'armée.
2. Jean Pasquerel est seul à raconter de cette façon le changement soudain qui permit aux navires d'aborder à Orléans. Pour Dunois et les autres témoins, c'est le vent qui, ayant tourné, rendit l'opération possible. Il vient ici de raconter les journées des 27-29 avril 1429. Se reporter à la déposition de Dunois.

les prêtres et l'étendard, sans aucun empêchement. Quand Jeanne sut notre arrivée, elle vint à notre rencontre et nous entrâmes ensemble dans Orléans sans empêchement, et y introduisîmes les vivres à la vue des Anglais. Et ce qui était étonnant, c'est que tous les Anglais avec leur grand déploiement de forces, armés et prêts à la guerre, voyaient les soldats du roi en petite compagnie par rapport à eux ; ils les voyaient, ils entendaient les prêtres chanter — j'étais au milieu d'eux, portant l'étendard — ; et pourtant aucun Anglais ne bougea et ils ne menèrent aucun assaut contre les soldats et les prêtres.

Ainsi arrivés dans Orléans, les soldats en sortirent de nouveau sur les instances de Jeanne et allèrent attaquer et livrer assaut contre les Anglais qui étaient dans la forteresse ou bastille de Saint-Loup. Après le repas, j'allai avec les autres prêtres au logement de Jeanne et, au moment où nous arrivions, Jeanne criait : « Où sont ceux qui me doivent armer ? Le sang de nos gens coule à terre. » Et une fois armée, elle sortit aussitôt de la cité, et se dirigea vers le lieu fortifié de Saint-Loup où l'on menait l'assaut ; en chemin elle trouva beaucoup de blessés, ce qui la contrista fort, et elle alla avec les autres à l'assaut, si bien que par force et violence la forteresse fut prise, et les Anglais qui y étaient furent faits prisonniers. Je me rappelle que c'était à la veille de l'Ascension Notre-Seigneur[1], et il y eut là beaucoup d'Anglais tués ; dont Jeanne se lamentait beaucoup, disant qu'ils avaient été tués sans confession, et elle pleurait beaucoup sur eux, et aussitôt se confessa à moi. Et elle me dit d'exhorter publiquement tous les soldats à confesser leurs péchés et à rendre grâces à Dieu de la victoire obtenue ; sinon elle ne demeurerait pas avec eux et les laisserait ; elle disait aussi en cette vigile de l'Ascension

---

1. Donc un mercredi, le 4 mai 1429. (Voir les récits de Louis de Coutes et de Jean d'Aulon.)

du Seigneur que, dans les cinq jours, le siège devant Orléans serait levé et qu'il ne resterait plus d'Anglais devant la cité : ce qui arriva, car, comme je l'ai dit, le mercredi fut prise la forteresse ou bastille de Saint-Loup, là où sont les moniales, et dans cette forteresse étaient plus de cent hommes d'élite, bien armés, dont aucun ne demeura qu'il ne fût pris ou tué. Ce jour-là, le soir, revenue en son logement, elle me dit que le lendemain, qui était jour de la fête de l'Ascension du Seigneur, elle ne ferait guerre et ne s'armerait, par respect pour la fête, et ce jour-là elle voulait se confesser et recevoir le sacrement de l'Eucharistie : ce qu'elle fit. Et ce jour-là, elle ordonna que personne n'ose le lendemain sortir de la ville et donner assaut ni attaque, s'il n'était auparavant venu se confesser ; et que l'on prenne garde que les femmes de mauvaise vie ne suivent l'armée, car c'était pour ces péchés que Dieu permettait qu'on perde la guerre. Et il en fut fait comme Jeanne avait ordonné.

Ce jour de l'Ascension Notre-Seigneur [1], Jeanne écrivit aux Anglais qui étaient dans les forteresses ou bastilles, de la manière qui suit :

« Vous, Anglais, qui n'avez aucun droit sur ce royaume de France, le Roi des cieux vous ordonne et mande par moi, Jeanne la Pucelle, que vous quittiez vos forteresses et retourniez dans votre pays, ou sinon je vous ferai tel *hahai* dont sera perpétuelle mémoire. Voilà ce que je vous écris pour la troisième et dernière fois, et n'écrirai pas davantage. *Signé :* Jesus Maria, Jeanne la Pucelle. » Et ensuite : « Moi, je vous aurais envoyé mes lettres honnêtement ; mais vous, vous détenez mes messagers (en français, mes hérauts), car vous avez retenu mon héraut nommé Guyenne [2]. Veuillez me le renvoyer, et je vous enverrai quelques-uns de vos

---

1. Jeudi 5 mai.
2. Deux hérauts lui avaient été assignés en même temps que ses deux pages ; on les nommait Guyenne et Ambleville. Voir p. 139-140.

gens pris dans la forteresse de Saint-Loup, car ils n'y sont pas tous morts. »

Puis elle prit une flèche, lia la lettre avec un fil au bout de la flèche, et ordonna à un archer de lancer cette flèche aux Anglais, criant : « Lisez, ce sont nouvelles ! »

Les Anglais reçurent la flèche avec la lettre, et la lurent. Et l'ayant lue, ils commencèrent à pousser de grands cris, disant : « Ce sont nouvelles *de la putain des Armagnacs !* » A ces mots Jeanne commença à soupirer et à pleurer d'abondantes larmes, invoquant le Roi du ciel à son aide. Et ensuite elle fut consolée, comme elle le disait, car elle avait eu nouvelles de son Seigneur. Et le soir, après dîner, elle m'ordonna de me lever le lendemain plus tôt que je ne l'avais fait le jour de l'Ascension et qu'elle se confesserait à moi de bon matin : ce qu'elle fit.

Et ce jour-là, le vendredi, lendemain de la fête de l'Ascension, je me levai de bon matin et entendis Jeanne en confession et chantai la messe devant elle et ses gens à Orléans ; puis ils allèrent à l'assaut, qui dura du matin jusqu'au soir. Et ce jour-là fut prise la forteresse des Augustins [1] par grand assaut, et Jeanne, qui avait coutume de jeûner le vendredi, ne put jeûner ce jour-là, car elle avait été trop fatiguée, et elle dîna. Après dîner, vint à elle un chevalier vaillant et notable dont je ne me rappelle plus le nom ; il dit à Jeanne que les capitaines et les soldats du roi avaient tenu ensemble conseil et qu'ils voyaient qu'ils étaient peu nombreux au regard des Anglais, et que Dieu leur avait fait grande grâce des satisfactions obtenues, ajoutant : « Considérant que la ville est bien munie de vivres, nous pourrions bien garder la cité en attendant le secours du roi ; et il ne semble pas indiqué au conseil que les soldats sortent demain. » Jeanne répondit : « Vous avez été à votre conseil, et moi au mien ; et croyez que le conseil

---

1. Voir le récit de la prise de la bastille des Augustins (6 mai) dans la déposition de Jean d'Aulon.

de mon Seigneur sera accompli et tiendra, et que ce conseil-là périra. » Et s'adressant à moi qui étais alors auprès d'elle : « Levez-vous demain bon matin et plus tôt que vous ne l'avez fait aujourd'hui et faites du mieux que vous pourrez. Tenez-vous toujours auprès de moi, car demain j'aurai beaucoup à faire et plus que je n'eus jamais, et demain le sang me sortira du corps au-dessus de mon sein. »

Le lendemain samedi, je me levai de bon matin et célébrai la messe ; et Jeanne alla à l'assaut contre la forteresse du Pont où était l'Anglais Clasdas [1] ; et l'assaut dura là du matin jusqu'au coucher du soleil sans arrêt. Dans cet assaut, après déjeuner, Jeanne, comme elle l'avait prédit, fut frappée d'une flèche au-dessus du sein, et quand elle se sentit blessée, elle eut peur et pleura, et fut consolée comme elle le disait. Et quelques soldats, la voyant tellement blessée, voulurent lui appliquer un charme, mais elle ne le voulut pas, disant : « Je préférerais mourir plutôt que faire quelque chose que je sache être un péché, ou être contre la volonté de Dieu » ; et qu'elle savait bien qu'elle devait mourir une fois, mais ne savait quand, où, ou comment, ou à quelle heure ; mais si à sa blessure pouvait être appliqué un remède, sans péché, qu'elle voulait bien être guérie. Et l'on mit sur sa blessure de l'huile d'olive et du lard, et après qu'on les lui eut mis, Jeanne se confessa à moi, pleurant et se lamentant. Et de nouveau elle revint à l'assaut, criant et disant : « *Clasdas, Clasdas, ren-ti, ren-ti* [2] au Roi des cieux ; tu m'as appelée « putain » ; moi j'ai grand pitié de ton âme et de celle des tiens. » Alors Clasdas, armé des pieds à la tête, tomba dans le fleuve de Loire et fut noyé ; et Jeanne, émue de pitié, commença à pleurer beaucoup sur l'âme de ce Clasdas et des autres qui étaient là noyés en grand nombre. Et ce

1. William Glansdale, qui défendait la forteresse des Tourelles ou du Pont, enlevée le 7 mai.
2. « Rends-toi. »

jour-là tous les Anglais qui étaient au-delà du pont furent pris ou tués.

Et ensuite le dimanche [1], avant le lever du soleil, tous les Anglais qui étaient restés sur le champ de bataille se réunirent et vinrent jusqu'au-dessus des fossés de la ville d'Orléans et allèrent dans la ville de Meung-sur-Loire ; et ils demeurèrent là quelques jours. Et ce dimanche, il y eut dans la ville d'Orléans une procession solennelle avec sermon, et on décida d'aller vers le roi ; Jeanne alla vers le roi, et les Anglais se réunirent et allèrent à la ville de Jargeau, qui fut prise d'assaut. Puis les Anglais furent battus et vaincus près de la ville de Patay [2].

Ensuite Jeanne, voulant poursuivre plus avant, comme elle l'avait dit, pour le couronnement du roi, conduisit le roi à Troyes en Champagne, et de Troyes à Châlons, et de Châlons à Reims, où le roi fut miraculeusement couronné et sacré [3], comme Jeanne l'avait prédit tout au début de son arrivée. Et plusieurs fois j'ai entendu dire à Jeanne qu'il y avait sur son fait un mystère, et quand on lui disait : « Jamais on n'a vu telles choses comme l'ont été vues de votre fait ; en aucun livre on ne lit de faits semblables [4] », elle répondait : « Mon Seigneur a un livre dans lequel jamais aucun clerc n'a lu, tant soit-il parfait en clergie. »

1. 8 mai 1429.
2. La campagne de la Loire, jusqu'à la bataille de Patay (18 juin), est ici résumée en quelques mots.
3. 17 juillet 1429.
4. C'est déjà : « La fille de Lorraine à nulle autre pareille.... »

CHAPITRE VII

LES PREMIÈRES PRISONS

A U SOIR du 24 mai 1430, alors qu'elle opérait une sortie, en défendant Compiègne assiégée par les Anglo-Bourguignons, Jeanne se trouva au-dehors des murs de la cité au moment où déjà les herses fermant la porte avaient été relevées. On a longtemps cru le capitaine de Compiègne, Guillaume de Flavy, coupable de trahison ; il semble aujourd'hui qu'il n'en fut rien, et que seul un malheureux hasard fut à l'origine de cette précipitation ; quoi qu'il en soit, Jeanne, désarçonnée, tomba aux mains du bâtard de Vendôme, vassal de Jean de Luxembourg, comte de Ligny. Celui-ci commandait la troupe bourguignonne qui assiégeait alors Compiègne ; le duc de Bourgogne, Philippe le Bon, accourut à la nouvelle et, « plus joyeux que s'il eût eu un roi entre les mains », aux dires du chroniqueur Georges Chastellain, il fit enfermer Jeanne d'abord au château de Beaulieu-en-Vermandois, puis au château de Beaurevoir, appartenant à Jean de Luxembourg. C'est là qu'eut lieu la fameuse tentative d'évasion. Et c'est alors aussi que Cauchon entre en scène, venant négocier l'achat de la captive pour le compte du roi d'Angleterre. Il devait finir par l'avoir, pour une somme de dix mille écus d'or [1]. Une escorte anglaise la conduisit, par Arras, Le Crotoy, Saint-Valery, Eu et Dieppe, jusqu'à Rouen, qui devait être sa dernière station. Le comte de Warwick fit venir aussi à Rouen, à la même époque, le petit roi Henry VI (il n'avait que neuf ans et fut couronné roi de France, à Paris, l'année même du supplice de Jeanne, le 16 décembre 1431). On peut se demander si

1. Soit 400 000 francs-or (évaluation de 1868), environ 80 millions de francs de nos jours.

le regard de la Pucelle et celui de l'enfant-roi se croisèrent jamais, si Jeanne aperçut quelquefois celui à qui on la sacrifiait.

Sur toute cette période, on ne possède, du procès de réhabilitation, qu'un seul témoignage, que nous donnons ici. Certains historiens s'en sont étonnés ; quelques-uns même ont voulu voir là plus qu'une lacune : une abstention volontaire, et rattacher le fait à leur thèse d'un procès « dirigé ».

On se demande comment l'idée ne leur est pas venue qu'un prisonnier, par définition, n'a guère de témoins. Qui aurait pu comparaître, de ceux qui avaient vu Jeanne en prison ou durant le sinistre itinéraire pendant lequel on devait faire bonne garde, précisément, pour qu'elle ne fût vue de personne ? Un témoignage eût été infiniment précieux, celui de « la demoiselle de Luxembourg », tante de ce Jean de Luxembourg, qui hésita cinq mois avant de livrer Jeanne : elle s'était souvent — et amicalement — entretenue avec la captive au château de Beaurevoir ; mais on sait qu'elle mourut avant Jeanne elle-même, dès le 13 novembre 1430. Ce ne sont évidemment ni les geôliers ni les soldats de l'escorte anglo-bourguignonne, à supposer qu'on les ait retrouvés, qui auraient pu être convoqués en France pour le procès. Certes, le duc de Bourgogne lui-même, Philippe le Bon, qui était venu voir la prisonnière de son vassal, aurait fourni un curieux témoignage, mais il n'était pas question d'assigner à la barre le grand duc de Ponant, et d'ailleurs, encore une fois, à cette époque, la Bourgogne n'est pas la France.

D'autre part, c'est commettre une erreur due à une optique toute moderne que d'oublier ainsi le but du procès de réhabilitation : les témoins convoqués ne sont pas du tout appelés pour permettre aux commissaires de reconstituer l'histoire de Jeanne, mais pour leur permettre de juger si elle fut, ou non, une hérétique. Son histoire ne les intéresse que dans la mesure où elle les aidera à discerner, en Jeanne, une coupable ou une victime. Si donc les faits que l'opinion publique proclame comme miraculeux, et en premier lieu la délivrance d'Orléans, présentent à leurs yeux une extrême importance, ainsi que les circonstances de la condamnation, et aussi les origines de l'héroïne (parce qu'on peut y trouver une garantie de sa piété et de ses convictions), on ne voit pas ce qui aurait pu être intéressant pour eux dans cette période creuse qui va de Compiègne — et même de Reims — à Rouen.

On peut donc considérer comme un heureux hasard qu'il se soit trouvé, à l'époque de la réhabilitation, un chevalier français qui, ayant été au service de Jean de Luxembourg, ait eu l'occasion de voir Jeanne dans sa prison, alors qu'elle attendait, au château de Beaurevoir, qu'il fût statué sur son sort. Il semble d'ailleurs avoir éprouvé pour elle une curiosité sympathique et n'a manqué aucune occasion de la revoir, puisque, après une autre visite, cette fois dans la prison de Rouen, il s'est rendu, mêlé à la foule, au cimetière Saint-Ouen, le jour de la fameuse « abjuration » publique.

CELUI QUI VIT JEANNE A BEAUREVOIR

HAIMOND DE MACY
(Chevalier.)

J'ai vu Jeanne pour la première fois quand elle était enfermée en prison au château de Beaurevoir pour le seigneur comte de Ligny (Jean de Luxembourg) ; je l'ai vue plusieurs fois en prison et à plusieurs reprises j'ai conversé avec elle. J'ai tenté plusieurs fois, jouant avec elle, de lui toucher les seins, essayant de mettre ma main sur sa poitrine : ce que Jeanne ne voulait souffrir, mais elle me repoussait de tout son pouvoir. Jeanne était en effet d'honnête tenue, tant dans ses paroles que dans ses gestes.

Jeanne fut conduite au château du Crotoy, où était détenu prisonnier un homme tout à fait notable appelé maître Nicolas de Queuville, chancelier de l'Église d'Amiens, docteur en l'un et l'autre droit [1], qui souvent célébrait la messe dans la prison, et Jeanne le plus souvent entendait sa messe ; j'ai entendu dire ensuite à ce maître Nicolas qu'il avait entendu Jeanne en confession et

1. Droit civil et droit canonique.

185

qu'elle était bonne chrétienne et très pieuse ; il disait beaucoup de bien de Jeanne.

Jeanne a été ensuite conduite au château de Rouen [1], dans une prison du côté de la campagne ; dans cette ville, au moment où Jeanne était détenue, le comte de Ligny vint la voir, et moi avec lui. Un jour ce comte de Ligny voulut voir Jeanne, il alla vers elle accompagné des seigneurs comtes de Warwick et de Stauffort [2], et l'actuel chancelier d'Angleterre, alors évêque de Thérouanne, et frère du comte de Ligny [3], et moi-même. Ce comte de Ligny s'adressa à Jeanne en lui disant : « Jeanne, je suis venu ici pour vous mettre à rançon pourvu que vous vouliez bien promettre que vous ne vous armerez jamais contre nous. » Elle répondit : « *En nom Dieu*, vous vous moquez de moi, car je sais bien que vous n'en avez ni le vouloir, ni le pouvoir » ; et elle répéta cela à plusieurs reprises, parce que le comte persistait dans ses dires, disant ensuite : « *Je sais bien que ces Anglais me feront mourir*, parce qu'ils croient après ma mort gagner le royaume de France ; mais seraient-ils cent mille « godons » de plus qu'ils ne sont à présent, ils n'auront pas le royaume. » A ces paroles, le comte de Stauffort fut indigné et il tira sa dague à moitié pour la frapper ; mais le comte de Warwick l'en empêcha.

Quelque temps après, j'étais encore à Rouen, Jeanne fut amenée sur une place devant Saint-Ouen où lui fut fait un sermon que fit maître Nicolas Midy [4] *(sic)* qui, entre autres, lui dit, à ce que j'ai entendu : « Jeanne, nous avons telle pitié de vous : il faut que vous rétractiez ce que vous avez

---

1. Remise au Crotoy entre les mains de l'escorte anglaise le 21 novembre, elle arriva peu avant Noël à Rouen, où elle fut enfermée au château de Bouvreuil.
2. Humphrey, comte de Stafford, connétable de France pour le roi d'Angleterre.
3. Louis de Luxembourg.
4. Défaillance de mémoire : c'est Guillaume Érard qui prononça le sermon à Saint-Ouen (Nicolas Midy « prêchera » au Vieux-Marché).

dit, ou alors que nous vous remettions à la justice séculière. » Mais elle répondait qu'elle n'avait rien fait de mal et qu'elle croyait aux douze articles de la foi et aux dix préceptes du Décalogue, disant ensuite qu'elle s'en rapportait à la cour de Rome et voulait croire tout ce que croyait la sainte Église. Malgré cela elle fut très pressée de se rétracter ; mais elle leur disait : « Vous prenez grand peine pour me séduire », et pour éviter le danger, elle dit qu'elle voulait bien faire tout ce qu'ils voudraient. Alors un secrétaire du roi d'Angleterre qui était là, appelé Laurent Calot, tira de sa manche une petite cédule écrite qu'il tendit à Jeanne pour qu'elle la signe ; et elle répondit qu'elle ne savait ni lire ni écrire. Malgré cela, ce Laurent Calot, secrétaire, tendit à Jeanne la cédule et une plume pour qu'elle signe ; et par manière de dérision, Jeanne traça un rond. Alors Laurent Calot prit la main de Jeanne avec la plume et fit faire à Jeanne un signe dont je ne me souviens plus [1].

Je crois qu'elle est en paradis.

1. **Voir plus loin** les témoignages relatifs à la scène de l' « abjuration ». Jeanne savait signer son nom ; pourtant, après le rond qu'elle a tracé « par dérision », elle ne signe que d'une croix ce jour-là — comme le rapporte le procès-verbal de la séance dans le texte du procès de condamnation.

CHAPITRE VIII

LES TÉMOINS DE ROUEN

U N CERTAIN nombre de témoins avaient été entendus par les enquêteurs à Paris, entre le 2 avril et le 12 mai (notamment le duc d'Alençon dont nous avons vu la déposition) ; d'autre part, les audiences reprirent à Rouen dès le 10 mai, et, entre le 10 et le 14, les témoins comparurent devant les commissaires apostoliques ou leur substitut, généralement pour confirmer leurs dires précédents, car la plupart de ces témoins de Rouen avaient déjà été entendus, soit au mois de décembre 1455, soit au cours de l'enquête ecclésiastique de 1452. Si bien que l'enquête se trouva close à la fin de mai 1456, lorsque Jean d'Aulon eut envoyé son témoignage écrit.

Nous allons donc trouver dans les pages qui suivent les dépositions relatives au procès de condamnation de Jeanne ; nous avons déjà, on s'en souvient, rapporté ce qui fut dit à ce sujet par les greffiers de ce procès de condamnation, mais leurs témoignages ne concernaient alors que les falsifications apportées par Cauchon et ses complices, et dont les commissaires n'avaient pu se rendre compte que lorsqu'ils eurent entre les mains les documents originaux. Ici, c'est de la « passion de Jeanne » qu'il s'agira. Et, en cela, nous suivons fidèlement l'ordre du procès de réhabilitation. Car les commissaires apostoliques examinèrent aux séances de décembre 1455 les pièces originales qui leur permirent de voir à quel point la procédure avait été viciée en 1431, tandis que c'est dans la dernière enquête de Rouen, en mai 1456, que furent recueillies ou confirmées les dépositions concernant Jeanne devant ses juges et devant la mort.

Il y eut ainsi, pour les membres du tribunal chargé de la réhabilitation, une curieuse progression, qui les mena d'une tâche de juristes — vérifiant une procédure que chacun supposait correcte et qui se révéla truquée —, au cœur d'un drame bouleversant ; ils en connaissaient les grandes lignes, mais n'en soupçonnaient certainement pas les détails qui allaient sous leurs yeux transfigurer Jeanne, lui donner ses traits d'éternité. Seuls Guillaume Bouillé, et plus encore l'inquisiteur Jean Bréhal, qui avaient conduit l'enquête préliminaire, discernaient alors ce qui s'était en vérité passé à Rouen vingt-cinq ans plus tôt.

Jeanne, on s'en souvient, avait été amenée à Rouen, sous escorte anglaise, peu avant le 25 décembre 1430. Elle fut enfermée dans une tour du château de Bouvreuil, jadis construit par Philippe Auguste pour défendre Rouen contre les Anglais. Dans ce même château résidait, depuis le 29 juillet précédent, le petit roi Henry VI, sous la conduite de son précepteur, le comte de Warwick (Richard Beauchamp, père du « faiseur de rois ») ; la ville est en effet, depuis dix ans déjà, sous l'occupation anglaise, et quelqu'un d'autre y réside, qui va diriger en réalité tout le procès de Jeanne : celui qu'on appelle le « cardinal d'Angleterre », Henri Beaufort, évêque de Winchester [1].

Le procès de condamnation s'ouvrit le 21 février 1431 ; on sait comment les séances publiques furent remplacées, à partir du 10 mars, par des interrogatoires à huis clos qui eurent lieu au château même. L'instruction était close le 17 de ce même mois ; l'acte d'accusation fut lu au cours des séances des 27 et 28 mars, puis on passa au réquisitoire et aux « admonitions »; c'est alors que Jeanne fut menacée de la torture. La mise en scène de l' « abjuration » au cimetière Saint-Ouen eut lieu le 24 mai 1431. Puis il y eut le très court « procès de relapse », le mardi 29 mai. Enfin, le mercredi 30 mai, Jeanne était brûlée sur la place du Vieux-Marché.

Qui désirait la mort de Jeanne, et pourquoi la désirait-on ? Telle était la première question que pouvaient légitimement se poser les enquêteurs. Sur ce point, comme on va le voir, les réponses des témoins de Rouen sont très nettes.

---

1. Cardinal depuis la date de 1427 ; à cette époque, il avait été chargé par le pape Martin V de mener une croisade contre les hussites ; l'argent et les hommes d'armes réunis sous ce prétexte avaient été employés au siège de Compiègne.

UN BÉNÉDICTIN

Thomas Marie [1]

... Comme Jeanne avait fait des merveilles à la guerre, et que les Anglais sont généralement superstitieux, ils estimaient qu'il y avait chez elle quelque chose de magique. C'est pourquoi, à ce que je crois, dans tous leurs conseils et autrement, ils désiraient sa mort.

— Comment savez-vous que les Anglais sont superstitieux ?

— Tout le monde le sait ; c'est même un proverbe courant.

UN ANCIEN ASSESSEUR

Pierre Miget [2]

... Si elle n'avait pas été nuisible aux Anglais, jamais elle n'aurait ainsi été traitée et condamnée ; mais ils la craignaient plus qu'une grande armée....

... J'ai entendu dire par un chevalier anglais que les Anglais la craignaient plus que cent hommes d'armes, ils disaient qu'elle usait de sortilèges, et la redoutaient à cause des victoires qu'elle avait obtenues....

... Elle était simple au point qu'elle croyait que les Anglais devaient la relâcher pour de l'argent, et ne croyait pas qu'ils désiraient sa mort.

---

1. C'est un bénédictin, prieur du couvent de Saint-Michel près de Rouen ; il n'a pris personnellement aucune part au procès, mais, habitant Rouen, il a de loin suivi toute l'affaire.
2. Prieur de Longueville-la-Giffard : personnage plus que suspect ; il a été assesseur au procès de condamnation et a toujours délibéré dans le sens voulu par Cauchon ; dans le reste de sa déposition, il allègue la peur pour excuse.

UN AUTRE ASSESSEUR

JEAN FABRI [1] (OU LEFEVRE)

Je crois et imagine que les Anglais n'aimaient pas beaucoup Jeanne, et que si elle avait été du parti anglais, ils n'auraient pas fait telle diligence contre elle, et n'auraient pas procédé aussi rigoureusement.

J'imagine qu'ils procédaient contre elle parce qu'ils la craignaient.

Quant à la crainte et aux pressions [2], je n'en sais rien ; mais je sais bien ce que contient le reste de l'article, et je crois que le procès a été fait sur l'initiative et aux frais des Anglais.

D'autres sont plus affirmatifs et plus explicites.

UN DOMINICAIN

FRÈRE ISAMBART DE LA PIERRE [3]

... D'après ce procès et tout ce qui y a été accompli, je crois et juge que les Anglais agirent contre elle par haine et par rancune, et qu'ils ne recherchèrent rien d'autre que sa mort.

1. Encore un piètre personnage. Jean Fabri, ermite de Saint-Augustin et évêque de Démétriade, a été, lui aussi, assesseur au procès de condamnation ; on le sent très embarrassé au moment où il dépose ; il a pourtant eu le mérite de prendre une fois le parti de Jeanne contre ceux qui l'interrogeaient et s'est fait vivement remettre à sa place.
2. Exercées sur les juges. La suite de sa réponse fait allusion à l'article 3 du questionnaire (en 27 articles) dressé pour l'enquête.
3. Nous aurons souvent l'occasion de citer son nom, et donnerons plus loin sa première déposition, faite lors de l'enquête royale en 1450 (p. 267). C'est un frère dominicain du couvent Saint-Jacques de Rouen ; il a été assesseur lors du procès de condamnation de Jeanne, mais c'est l'un des très rares qui aient osé la conseiller et la guider, à ses risques et périls, comme on le verra. Il est aussi l'un des trois personnages qui assistèrent Jeanne jusque sur le bûcher (avec frère Martin Ladvenu et l'huissier Jean Massieu).

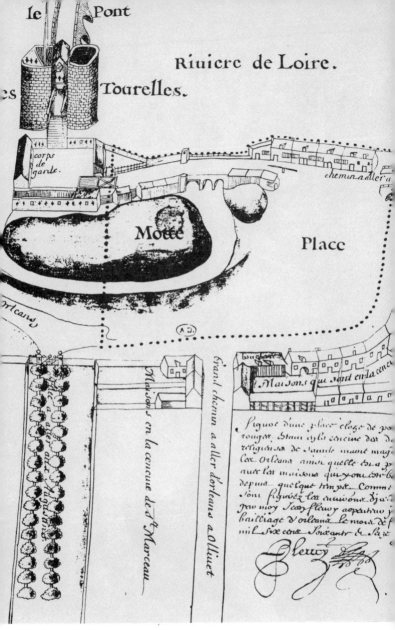

14. Le Fort des Tourelles à Orléans. La perte de ce fort, venant après celle des autres bastilles anglaises autour d'Orléans, décida Talbot à lever le siège.

15. La prise de Jargeau. Miniature des "Vigiles de Charles VII". Jargeau fait partie des dernières positions anglaises sur la Loire, enlevées en cinq jours au début de juin 1424.

16. Le sacre de Charles VII à Reims. Miniature des "Vigiles de Charles VII". Ayant reçu l'onction sacrée, le roi devenait authentiquement désigné par Dieu, face aux Anglais imposés par leurs armes.

17. Le siège de Paris. Miniature des "Vigiles de Charles VII". Jeanne d'Arc y fut blessée dans une attaque contre la porte Saint-Honoré.

UN AUTRE DOMINICAIN

FRÈRE JEAN TOUTMOUILLÉ [1]

... La commune renommée divulguait que par appétit de vengeance perverse [les Anglais] avaient persécuté [Jeanne], et de ce donné signe et apparence. Car avant sa mort, les Anglais proposèrent mettre le siège devant Louviers, mais tantôt muèrent leur propos (changèrent d'avis), disant que point n'assiégeraient la ville jusqu'à tant que la Pucelle ait été examinée. De quoi ce qui en suit fait preuve évidente ; car incontinent après sa combustion ils sont allés planter le siège devant Louviers, estimant que, durant sa vie, jamais ils n'auraient gloire ni prospérité en fait de guerre.

UN PRÊTRE

JEAN RIQUIER [2]

... On disait communément que les Anglais n'osaient pas mettre le siège devant Louviers jusqu'à ce qu'elle soit morte [3].

... Jeanne a été amenée à Rouen, et un procès ouvert contre elle en matière de foi. J'étais alors choriste de l'église

---

1. Autre dominicain du même couvent. Il n'a joué aucun rôle dans le premier procès, mais a accompagné frère Martin Ladvenu quand il est venu, le dernier jour, annoncer à Jeanne, dans sa prison, de quel supplice elle allait mourir. Il a raconté la scène lors de l'enquête royale, pour laquelle il a été cité ; c'est un extrait de sa déposition que nous donnons ici ; pour la suite, voir plus loin (p. 234).
2. Il n'a pris, comme il l'explique plus bas, aucune part au procès, puisqu'il n'était, à l'époque, qu'un adolescent d'une quinzaine d'années. Au moment de la déposition, il est curé de la paroisse d'Heudicourt (Eure).
3. On possède un mandement signé de Laurent Calot, secrétaire royal, qui donne l'ordre à Thomas Blount, trésorier, de fournir les sommes nécessaires au siège de Louviers ; ce mandement date du 2 juin 1431, trois jours après la mort de Jeanne.

de Rouen et parfois j'entendais les seigneurs de l'église [1] parler de ce procès ; entre autres, j'ai entendu dire par maître Pierre Maurice et Nicolas Loiseleur, et d'autres dont je ne me souviens plus, que les Anglais la craignaient tant qu'ils n'osaient pas, pendant qu'elle était vivante, mettre le siège devant Louviers, et qu'il fallait leur complaire, qu'on ferait rapidement un procès contre elle, et qu'on y trouverait l'occasion de sa mort....

Il ne s'agit pas seulement de menaces. Certains Anglais passèrent aux voies de fait. On en trouvera plus loin de nombreux exemples. En voici un que nous rapporte Guillaume Manchon, le principal notaire au procès.

GUILLAUME MANCHON

Un jour, quelqu'un dont je ne me rappelle pas le nom, disait quelque chose de Jeanne, qui déplut au seigneur de Stauffort [2] ; ce sire de Stauffort poursuivit celui qui avait parlé jusqu'à un endroit d'immunité, l'épée tirée, au point que, si l'on n'avait dit au sire de Stauffort que le lieu où était cet homme était lieu saint et jouissant du droit d'asile, il aurait frappé cet homme.

Et Thomas Marie tire ainsi la conclusion :

THOMAS MARIE

Je crois bien que, si les Anglais avaient eu une telle femme, ils l'eussent fort honorée et ne l'eussent pas traitée ainsi.

Jeanne, une fois rendue entre leurs mains, les Anglais auraient pu l'exécuter purement et simplement. Mais

---

1. Il s'agit des chanoines de la cathédrale de Rouen.
2. Humphrey, comte de Stafford. Voir plus haut la déposition d'Haimond de Macy.

c'eût été en faire d'emblée une martyre, et le régent Bedford [1] était trop avisé pour brusquer ainsi les choses. D'ailleurs, homme de son temps, il comprend qu'en tenant Jeanne, il possède désormais le meilleur moyen de discréditer à tout jamais la royauté française. Au vu et su de tout le monde connu, c'est à Jeanne que Charles VII doit d'avoir reçu, à Reims, l'onction et la couronne qui font le roi de France ; si l'on peut prouver que cette fille extraordinaire n'est qu'une misérable hérétique, et que sa prétendue mission n'était qu'une imposture, c'en est fini à tout jamais de la cause royale, et, par contrecoup, c'est la double monarchie anglaise, réunie entre les mains de son neveu Henry VI, qui se trouve consacrée.

L'idée était d'ailleurs dans l'air : dès 1429, un clerc anonyme, répondant au mémoire que Jean Gerson en personne avait écrit à la gloire de la Pucelle, avait soutenu que Jeanne pouvait bien n'être qu'une hérétique. L'Université de Paris, dès le début de sa captivité, l'avait réclamée pour la soumettre à son jugement ; il est vrai que cette Université était remplie des créatures du roi d'Angleterre, et se faisait précisément le champion du concept de la « double monarchie ».

Mais, du point de vue militaire, Paris n'était pas sûr. A Rouen, au contraire, les Anglais se sentent maîtres de la situation ; en particulier, ils ont l'instrument tout trouvé pour mener l'affaire, en la personne de l'évêque de Beauvais, chassé de son diocèse par les victoires de Jeanne. Il sera d'autant plus facile de le faire agir qu'il convoite l'archevêché de Rouen, alors vacant. Il n'est pas qualifié, il est vrai, pour juger hors de son diocèse, et d'ailleurs, selon les règles du droit canon, Jeanne ne devrait être jugée que par l'évêque du lieu dont elle est originaire, ou du lieu où elle a pu commettre l'hérésie. Qu'à cela ne tienne : le 28 décembre 1430, Bedford fait donner à Cauchon, par le chapitre de Rouen, une « concession de territoire » l'autorisant à procéder au jugement ; puis, le

1. On sait qu'il était mort en 1435, dans ce même château de Bouvreuil où Jeanne avait été enfermée.

3 janvier 1431, il ordonne que Jeanne lui soit remise. Pour la suite, écoutons les témoins ; en premier lieu :

GUILLAUME MANCHON

... Je n'ai eu connaissance de Jeanne que quand elle fut amenée à la ville de Rouen, et, à ce qu'on disait, elle avait été prise dans le diocèse de Beauvais ; à cette occasion, monseigneur Pierre Cauchon, alors évêque de Beauvais, prétendait en être juge et s'employa de toutes ses forces pour qu'elle lui soit rendue, écrivant au roi d'Angleterre et au duc de Bourgogne desquels il l'obtint finalement, moyennant toutefois la somme de mille livres ou écus et de trois cents livres de revenus annuels que le roi d'Angleterre remit à un homme d'armes du duc de Bourgogne, celui qui s'était emparé de Jeanne. Enfin fut entrepris le procès sur matière de foi contre Jeanne, dans la conduite duquel j'ai été désigné comme notaire, avec le nommé Guillaume Boisguillaume.

Et, revenant sur le sujet au cours d'une autre déposition.

Si les juges procédaient par haine ou autrement, je m'en rapporte à leur conscience. Je sais cependant et crois fermement que, si elle avait été du parti des Anglais, ils ne l'auraient pas ainsi traitée et n'auraient pas fait tel procès contre elle. Elle a été, en effet, amenée à la ville de Rouen et non à Paris, car, à ce que je crois, le roi d'Angleterre était dans la ville de Rouen, ainsi que les principaux de son Conseil. Et elle a été placée dans les prisons du château de Rouen. J'ai été forcé, en cette affaire, d'agir comme notaire, et je l'ai fait malgré moi, car je n'aurais pas osé contredire à l'ordre des seigneurs du Conseil du roi. Et les Anglais poursuivaient ce procès et c'est à leurs dépens qu'il fut instruit. Je crois cependant que l'évêque de Beauvais n'a pas été obligé de mener le procès contre Jeanne, ni non plus le promoteur, Jean d'Estivet ; mais c'est volontairement qu'ils l'ont fait. Quant aux assesseurs et autres conseillers, je crois qu'ils n'auraient pas osé contredire, et il n'y avait personne qui ne craigne.

BOISGUILLAUME
(Le second notaire du procès [1].)

Je sais bien que le seigneur évêque de Beauvais entreprit le procès contre elle parce qu'il disait qu'elle avait été faite prisonnière dans les limites du diocèse de Beauvais [2] ; si ce fut par haine ou autrement, je m'en rapporte à sa conscience. Je sais, cependant, que tout se faisait aux frais du roi d'Angleterre et sur l'initiative des Anglais ; et je sais bien que l'évêque lui-même et les autres qui se mêlaient de ce procès obtinrent du roi d'Angleterre des lettres de garantie [3], car je les ai vues.

THOMAS MARIE [4].

... Dans ce procès, quelques-uns agissaient par crainte et d'autres par zèle (pour le parti anglais).

... Je ne crois pas ce qui est contenu dans cet article [5], surtout en ce qui concerne la crainte et les menaces, mais je crois plutôt à la faveur (à ce que les juges avaient été achetés), surtout parce que quelques-uns, à ce que je crois et ai entendu dire, ont reçu des présents....

---

1. Voir p.
2. Les historiens ont beaucoup discuté pour savoir si, effectivement, Compiègne se trouvait alors inclus dans le diocèse de Beauvais ; il semble que ce soit aujourd'hui un fait établi. De toute façon, la raison n'était pas suffisante pour que Cauchon pût s'arroger le droit de juger Jeanne.
3. Voir, dans l'interrogatoire de Jean de Mailly, ce qui est dit de ces lettres de garantie que les auteurs du procès se firent donner par le roi d'Angleterre, pour le cas où un appel serait fait au pape (p.
4. Voir p.
5. Il s'agit de l'article 5 de l'interrogatoire, relatif aux pressions dont les juges auraient été victimes.

RICHARD DU GROUCHET

(Chanoine de la collégiale de la Saussaye au diocèse
d'Évreux. A été assesseur au procès de condamnation.)

... Il me semble qu'une partie de ceux qui assistaient au
procès le faisaient volontairement et en esprit de parti,
les autres étaient forcés malgré eux et montraient beaucoup
de crainte ; parmi eux, quelques-uns s'enfuirent, ne voulant pas y être présents ; entre autres, maître Nicolas de
Houppeville fut en grand danger. De même, Jean Pigache
et Pierre Minier à ce qu'ils m'ont dit ; et moi-même qui
étais avec eux nous ne donnâmes notre opinion et n'assis-
tâmes au procès que par craintes, menaces et terreurs, et
nous avions l'idée de nous enfuir ; j'ai entendu souvent de
la bouche de maître Pierre Maurice que, comme il l'avait
avertie, lors de la première prédication, de s'en tenir à son
bon propos, les Anglais furent mécontents et il fut en grand
danger d'être battu, à ce qu'il disait....

Il revient sur la question lors d'une autre déposition,
à propos de l'article relatif à la liberté d'opinion laissée
aux juges.

Cet article est vrai quant au droit. Quant au fait,
moi-même et les nommés Pigache et Minier nous donnâmes
notre opinion par écrit, selon notre conscience ; elle ne fut
pas agréable à l'évêque et à ses assesseurs, qui nous dirent :
« Est-ce là ce que vous avez fait ?... »

ISAMBART DE LA PIERRE [1]

Il résume ainsi la question :

... Quelques-uns de ceux qui assistèrent au déroulement
du procès étaient poussés, comme l'évêque de Beauvais,

1. Voir p. 192.

par leur partialité ; certains, comme quelques-uns des docteurs anglais, par appétit de vengeance ; et d'autres, les docteurs de Paris, par l'appât du gain ; d'autres encore étaient poussés par la crainte, comme le sous-inquisiteur et quelques autres dont je ne me souviens pas. Et tout cela fut fait sur l'initiative du roi d'Angleterre, du cardinal de Winchester, du comte de Warwick et des autres Anglais qui payèrent les dépenses faites à l'occasion de ce procès....

LA PRISON

Après les responsables, la victime. Comment Jeanne était-elle traitée dans la prison de Rouen, où elle demeura cinq mois ?

Nous avons vu, d'après ce qui précède, que ce n'est que par une entorse aux règles de procédure que Cauchon put être constitué le juge de Jeanne ; ici se découvre une autre « irrégularité ».

Voici d'abord deux témoins qui n'ont en rien participé au procès, mais qui traduisent pour nous le mouvement de curiosité que suscitait Jeanne ; tous deux ont pu la voir dans sa prison, l'un, parce qu'il était avocat et avait des relations, l'autre, parce qu'il était fonctionnaire de la justice dans la cité.

LAURENT GUESDON
(Bourgeois de Rouen, avocat en la cour laïque, clerc marié.)

Je n'ai vu Jeanne qu'au moment où elle a été amenée à Rouen ; et, comme beaucoup avaient envie de la voir, je suis allé moi aussi au château de Rouen, et c'est là que je l'ai vue pour la première fois....

PIERRE DARON
(Lieutenant du bailli de Rouen.)

Je n'ai eu connaissance de Jeanne qu'au moment où elle fut amenée en la ville de Rouen ; j'étais alors procureur de la ville de Rouen. Poussé par une vive curiosité de voir Jeanne, je cherchais les moyens propices pour la voir. Je rencontrai Pierre Manuel, avocat du roi d'Angleterre, qui avait, lui aussi, grande envie de la voir, et nous y allâmes ensemble ; nous la trouvâmes au château, dans une tour, enferrée par les pieds avec une grosse pièce de bois aux pieds ; elle avait plusieurs gardiens anglais. Ce Manuel parla à Jeanne en ma présence, en lui disant pour plaisanter qu'elle ne serait pas venue là si on ne l'y avait conduite ; et il lui demanda si elle savait bien avant sa capture qu'elle devait être prise. Elle répondit qu'elle s'en doutait bien. Il lui demanda ensuite pourquoi, du moment qu'elle se doutait qu'elle serait prise, elle ne se gardait pas, le jour où elle fut faite prisonnière : elle répondit qu'elle ne savait le jour ni l'heure auxquels elle devait être prise, ni quand cela arriverait. Et nous ne lui parlâmes pas davantage.

Je l'ai vue une autre fois durant le procès qui était mené contre elle, quand on la conduisait de la prison à la grande cour du château....

ISAMBART DE LA PIERRE

... Je l'ai vue dans les prisons du château de Rouen dans une pièce assez ténébreuse, ferrée et enchaînée.

Personne, évidemment, n'a mieux pu la voir que l'huissier Jean Massieu, chargé de la conduire de la prison au lieu de l'interrogatoire :

JEAN MASSIEU

... Jeanne était détenue prisonnière et demeura en garde en ce lieu entre les mains de cinq Anglais dont il en demeurait de nuit trois en la chambre, et deux dehors à l'huis de la chambre. Et je sais de certain que de nuit, elle était couchée ferrée par les jambes de deux paires de fers à chaîne et attachée très étroitement d'une chaîne traversante par les pieds de son lit, tenante à une grosse pièce de bois de longueur de cinq ou six pieds et fermant à clef; par quoi, elle ne pouvait mouvoir de la place.

Et ailleurs, au cours d'une autre déposition :

Quant à sa prison, Jeanne était dans le château de Rouen dans une chambre, au milieu, à laquelle on montait par huit degrés ; il y avait là un lit sur lequel elle couchait ; et il y avait là une grosse pièce de bois sur laquelle était une chaîne de fer, avec laquelle Jeanne était liée en des fers de pieds et qui était fermée avec une serrure mise à la pièce de bois ; et il y avait là cinq Anglais de la plus basse condition, ceux qu'on appelle, en français, houcepailliers, qui la gardaient ; et ils désiraient beaucoup la mort de Jeanne, et souvent se moquaient d'elle ; et elle le leur reprochait.

LA CAGE DE FER

Et j'ai entendu dire par Étienne Castille, forgeron, qu'il avait fait pour elle une cage de fer dans laquelle elle était maintenue debout, liée au cou, aux mains et aux pieds ; et qu'elle avait été ainsi du moment où elle avait été amenée à Rouen jusqu'au début du procès mené contre elle ; pourtant, je ne l'ai pas vue en cet état, car, lorsque je la conduisais et la reconduisais, elle était toujours déferrée.

On aurait pu croire que cette cage de fer était une invention de Jean Massieu, dont les témoignages sont légèrement suspects et qui a tendance à exagérer pour se « blanchir ». Mais voici, à ce sujet, d'autres témoignages, dont on ne peut mettre en doute l'impartialité.

Pierre Cusquel

C'est un simple bourgeois de Rouen, maître maçon probablement.

... Jeanne fut amenée par les Anglais dans cette cité de Rouen et mise dans le château de Rouen, dans les prisons, en une chambre située sous un degré, du côté des champs, où je l'ai vue détenue et incarcérée. Et je crois que les juges et les assesseurs au procès agissaient par zèle pour les Anglais, et qu'ils n'auraient pas osé leur contredire ; quant à la pression exercée, je n'en sais rien.

... C'est ce que j'ai vu, car, par la permission de maître Jean Son, alors maître de l'œuvre de maçonnerie du château, je suis entré deux fois dans la prison de Jeanne, et je lui ai parlé ; et je l'ai avisée de parler prudemment, car c'était de sa mort qu'il s'agissait. Je sais qu'une cage de fer a été faite, dans laquelle on l'aurait détenue debout ; je l'ai vu peser dans ma maison ; mais je n'ai pas vu Jeanne enfermée dans cette cage....

Thomas Marie

J'ai entendu dire par un ferronnier qu'il avait fait une cage de fer où Jeanne aurait été maintenue debout.

— Y a-t-elle été mise ?

— Je crois que oui. Quant aux gardiens, je ne sais rien.

Pierre Boucher
(Curé de la paroisse de Bourgeauville, au diocèse de Lisieux. A assisté une ou deux fois aux séances du procès, mais sans y prendre part.)

... Je sais bien qu'elle était en prison au château de Rouen, mais je ne sais si elle était enferrée ; personne ne parlait avec elle, si ce n'est avec la permission de certains Anglais, ceux qui avaient sa garde. Je ne l'ai jamais vue sortir de prison qu'il n'y eût des Anglais avec elle, dont je pense qu'ils devaient demeurer avec elle en une chambre, dont il y avait trois clefs : l'une était gardée par le seigneur cardinal (Winchester) ou son clerc (gardien de son sceau privé), l'autre par l'inquisiteur et la troisième par le promoteur maître Jean Benedicite (d'Estivet). Les Anglais craignaient avant tout qu'elle ne s'évadât.

JEANNE AU SECRET

Isambart de la Pierre

L'évêque de Beauvais tenait le parti des Anglais et ce même évêque, quand il commença le procès, ordonna qu'elle fût maintenue aux fers, et c'est lui qui envoya pour la garder des Anglais, et ce même évêque défendit que personne ne lui parle, si ce n'est par sa permission ou celle du promoteur, surnommé Benedicite.

Guillaume Manchon

... L'évêque de Beauvais tenait le parti des Anglais ; et j'ai vu qu'avant que l'évêque ait commencé à connaître un peu la cause, déjà Jeanne était ferrée, et ensuite, après qu'il eut commencé à la connaître, Jeanne, ainsi ferrée, fut livrée à la garde de quatre Anglais, commis et mandés par l'évêque et l'inquisiteur de la foi à la garder fidèlement. Et on la traitait cruellement, et à la fin du procès, on lui montra des instruments de torture. Elle était alors vêtue d'un vêtement d'homme et se plaignait qu'elle n'osait s'en séparer, redoutant que la nuit les gardiens ne lui fissent quelque violence ; et une fois ou deux, elle s'est plainte à l'évêque de Beauvais, au sous-inquisiteur et à maître Nicolas Loiseleur, que l'un des gardes avait voulu la violer. C'est pourquoi de fortes menaces furent faites à ces Anglais par le seigneur de Warwick sur le rapport de l'évêque, de l'inquisiteur et de Loiseleur, s'ils osaient encore attenter à elle ; et deux autres gardiens furent désignés....

THOMAS MARIE

Après la première prédication, quand elle fut remise dans la prison du château, elle souffrit tant de vexations et d'oppressions qu'elle déclara qu'elle aimait mieux mourir que de rester davantage avec ces Anglais....

LA MALADIE DE JEANNE

JEAN TIPHAINE
(Médecin de la duchesse de Bedford ; assesseur au procès.)

Il dit n'avoir pas donné d'avis lors des délibérations. C'est faux : les procès-verbaux font foi du contraire.

Quand Jeanne fut malade, les juges m'ont mandé de la visiter, et j'ai été conduit vers elle par le nommé d'Estivet ; en présence de d'Estivet, de maître Guillaume de la Chambre, maître en médecine, et de plusieurs autres, je lui ai tâté le pouls pour savoir la cause de sa maladie, et je lui ai demandé ce qu'elle avait et où elle avait mal. Elle m'a répondu qu'une carpe lui avait été envoyée par l'évêque de Beauvais, qu'elle en avait mangé et qu'elle pensait que c'était la cause de sa maladie. Alors d'Estivet la rabroua, disant que c'était faux ; et il l'appela paillarde, disant : « C'est toi, paillarde, qui as mangé de l'alose et d'autres choses qui t'ont fait du mal » ; elle répondit que non, et il y eut beaucoup de paroles injurieuses échangées entre Jeanne et d'Estivet. Par la suite, voulant en savoir davantage sur la maladie de Jeanne, j'ai entendu dire par des gens qui étaient là qu'elle avait eu beaucoup de vomissements.

Je n'en sais pas davantage et ne me souviens pas d'avoir donné au procès un avis quelconque, si ce n'est sur sa maladie.

GUILLAUME DE LA CHAMBRE
(Autre médecin, également convoqué pour le procès.)

En ce qui concerne sa maladie, le cardinal d'Angleterre et le comte de Warwick m'envoyèrent chercher. J'ai comparu devant eux, avec maître Guillaume Desjardins, maître en médecine, et d'autres médecins. Alors le comte de Warwick nous dit que Jeanne avait été malade, à ce qu'on lui avait rapporté, et qu'il nous avait fait mander pour que nous prenions soin d'elle, car pour rien au monde le roi ne voulait qu'elle meure de sa mort naturelle ; le roi en effet la tenait pour chère, et l'avait cher achetée, et il ne voulait pas qu'elle meure, si ce n'est des mains de la justice, et qu'elle fût brûlée ; et nous fîmes tant, la visitant avec soin, qu'elle guérit. J'allai la voir ainsi que maître Guillaume Desjardins et les autres. Nous la palpâmes du côté droit et la trouvâmes fiévreuse; c'est pourquoi nous décidâmes de la saigner ; en rendant compte de la chose au comte de Warwick, il nous dit : « Faites attention à la saignée, car elle est rusée et pourrait se tuer. » Néanmoins elle fut saignée, ce qui la soulagea immédiatement ; une fois ainsi guérie, un certain maître Jean d'Estivet survint, qui échangea avec Jeanne des paroles injurieuses et l'appela : putain, paillarde ; Jeanne en fut fort irritée, si bien qu'elle eut de nouveau la fièvre et retomba malade.

Cela parvint à la connaissance du comte, qui défendit à d'Estivet d'injurier Jeanne dorénavant.

> Or cette détention en prison laïque était illégale : jugée pour cause de foi, par un tribunal ecclésiastique, Jeanne devait être gardée en prison ecclésiastique, et gardée par des femmes. Elle n'a cessé de le réclamer tout le long du procès, et nous verrons de quel poids pesa cette irrégularité, notamment après la scène de l' « abjuration ».

PIERRE MIGET [1]

En ce qui concerne la prison, les Anglais la mirent en prison laïque et ils l'attachaient avec des chaînes, et personne ne pouvait lui parler ; mais elle était gardée par des Anglais, qui ne permettaient à personne de lui parler. Mais je ne sache pas qu'elle ait été enferrée....

JEAN FABRI [2]

Jeanne était en prison au château de Rouen, mais comment cela s'est fait, je n'en sais rien ; cependant la chose déplaisait beaucoup à certains des assesseurs, que Jeanne n'était pas mise en prison d'Église ; moi-même, j'ai murmuré contre cela, car il ne me semblait pas bien procéder de la remettre aux mains des laïques et surtout des Anglais, attendu qu'elle avait été rendue aux mains de l'Église[3]. Plusieurs étaient de cette opinion, mais personne n'en osait parler.

---

1. Voir p. 191.
2. Voir p. 192.
3. Par Bedford lui-même, on l'a vu. Mais, tout en la faisant juger par le tribunal ecclésiastique, il continua, contre toutes les règles, à la détenir en prison laïque. Et Cauchon se fit en cela son complice (voir plus loin, dans la scène de l'abjuration, la déposition de Guillaume Manchon, p. 231).

LES INTERROGATOIRES

Voici d'abord un petit fait qui montre avec quel sinistre zèle le promoteur de Beauvais, Jean d'Estivet, ami de Cauchon, qu'il avait accompagné dans sa fuite, s'acquittait de sa besogne. Ceci se passe au moment où Jeanne va de la prison au lieu de l'interrogatoire.

JEAN MASSIEU

Comme par plusieurs fois j'amenais Jeanne du lieu de la prison au lieu de la juridiction et passais par-devant la chapelle du château, je permis, à la requête de Jeanne, qu'en passant elle fît son oraison; pour cela, je fus plusieurs fois repris par ledit Benedicite, promoteur de la cause, me disant : « Truand, qui te fait si hardi de laisser approcher cette putain excommuniée de l'Église sans permission ? Je te ferai mettre en telle tour que tu ne verras lune ni soleil d'ici un mois si tu le fais encore. » Et quand ledit promoteur aperçut que je n'obéissais point il se mit plusieurs fois devant l'huis de la chapelle ; et demandait expressément Jeanne : « Ici est le corps de Jésus-Christ ? »

Lors d'une autre déposition, il donne les détails suivants :

Je fus au procès de Jeanne toutes les fois qu'elle fut présentée au jugement devant les juges et clercs ; et à cause de mon office, j'étais député clerc de maître Jean Benedicite, promoteur de la cause, pour citer Jeanne et tous autres qui seraient à évoquer en cette cause. Et il me semble, à cause de ce que je vis, qu'on procéda par haine, par faveur et en déprimant l'honneur du roi de France, auquel elle servait, par vengeance et afin de la faire mourir, et non pas selon raison et l'honneur de Dieu et la foi catholique. Mû à ce dire, car quand monseigneur de Beauvais, qui était juge en la cause, accompagné de six clercs, c'est à savoir de Beaupère, Midy, Maurice, Touraine, Courcelles et Feuillet ou aucun autre en sa place, premièrement l'interrogeaient, avant qu'elle eût donné sa réponse à un, un autre des assistants lui interjetait une autre question, par quoi elle était souvent précipitée et troublée en ses réponses.

Il est revenu à plusieurs reprises sur le sujet au cours de ses dépositions.

Quand on interrogeait Jeanne, il y avait six assesseurs avec les juges, qui lui posaient des questions, et parfois au moment où l'un l'interrogeait et où elle répondait à sa question, un autre interrompait sa réponse, si bien que plusieurs fois elle dit à ceux qui l'interrogeaient : « *Beaux seigneurs, faites l'un après l'autre.* »...

Je me souviens bien que souvent on faisait à Jeanne des interrogatoires en plusieurs parties et plusieurs à la fois lui posaient des questions difficiles, et avant qu'elle eût pu répondre à l'un, un autre posait une autre question, d'où elle était malcontente et disait : « Faites l'un après l'autre. » Et je m'étonnais de voir comment elle pouvait répondre aux interrogations subtiles et captieuses qui lui étaient faites, auxquelles un homme lettré aurait eu peine à bien répondre. L'examen durait généralement de huit heures à onze heures....

D'autres témoins attestent ces procédés.

Guillaume de la Chambre

En ce qui concerne les interrogatoires, j'ai vu une fois l'abbé de Fécamp interroger Jeanne ; et maître Jean Beaupère intervenait avec beaucoup de questions diverses, auxquelles Jeanne ne voulait pas répondre à la fois, si bien qu'elle leur dit qu'ils lui faisaient grande injure de la harceler ainsi, et que déjà elle avait répondu sur ces questions.

Et celui qui était le mieux placé pour juger des interrogatoires parce qu'il les enregistrait.

GUILLAUME MANCHON

Je pense que ceux qui me semblaient les plus zélés (pour le parti anglais) étaient Beaupère, Midy et de Touraine.... Durant le procès, Jeanne fut harcelée de nombreuses et diverses interrogations et presque chaque jour avaient lieu des interrogatoires le matin, qui duraient environ trois ou quatre heures; et, parfois de ce qu'avait dit Jeanne on extrayait des interrogations difficiles et subtiles, au sujet desquelles ils l'interrogeaient de nouveau après déjeuner durant deux ou trois heures. Et souvent il y avait translation d'un interrogatoire à l'autre, en changeant la manière d'interroger ; et nonobstant ce changement, elle répondait prudemment et avait une très bonne mémoire, car très souvent elle disait : « Je vous ai ailleurs répondu à ce sujet », ou disant : « Je m'en rapporte au clerc », en me désignant....

NICOLAS TAQUEL
(Troisième greffier du procès.)

J'ai été présent quand certains juges lui posaient des questions bien difficiles, auxquelles elle répondait qu'il ne lui appartenait pas de répondre et qu'elle s'en rapportait à eux. Et certains parmi les docteurs et assistants lui disaient parfois : « Vous dites bien, Jeanne. »

GUILLAUME MANCHON

A ce qu'il semble, elle était tout à fait simple, bien que parfois elle répondît très prudemment, et parfois assez simplement, comme on peut le voir dans le procès. Je crois que, dans une cause si difficile, elle n'était pas d'elle-même suffisante à se défendre contre de tels docteurs, si elle n'eût été inspirée.

JEAN FABRI

Un sceptique. Même au moment où il dépose pour la réhabilitation, il refuse de croire aux révélations de Jeanne; pourtant, de son aveu, il l'a crue « inspirée ».

En certaines choses, ils allaient chercher bien loin, mais elle s'en tirait fort bien ; et parfois ils interrompaient les interrogatoires, passant d'une chose à l'autre, pour voir si elle changerait son propos.

Ils faisaient de longs examens qui duraient communément de deux à trois heures, si bien que les docteurs qui y assistaient étaient très fatigués. Si c'était dans le dessein indiqué, je n'en sais rien.

... J'ai participé au procès jusqu'au premier sermon fait à Saint-Ouen et ensuite je n'y ai plus été. A ce qu'il me semble, Jeanne avait environ vingt ans et elle était très sainte et répondait avec prudence, si bien que pendant trois semaines je la croyais inspirée bien qu'elle insistât beaucoup — trop même à mon avis — sur ses révélations.

UN EXEMPLE DE CES RÉPONSES

BOISGUILLAUME
(Second greffier.)

Pendant le procès Jeanne s'est plainte très souvent de ce qu'on lui posait des questions subtiles et sans rapport avec le procès ; je me souviens bien qu'une fois il lui fut demandé si elle était en état de grâce. Elle répondit que c'était chose grande que de répondre sur un tel sujet ; et à la fin elle répondit : « Si j'y suis, Dieu m'y garde ; si je n'y suis, Dieu veuille m'y mettre, car j'aimerais mieux mourir que de ne pas être en l'amour de Dieu. » De cette réponse ceux qui l'interrogeaient furent stupéfaits, et sur l'heure ils s'arrêtèrent, et ne l'interrogèrent pas davantage cette fois-là.

THOMAS MARIE

Elle pouvait avoir dix-huit ans à mon jugement. Quant à sa simplicité et à son ignorance, j'ai entendu dire par quelqu'un qui avait été au procès et par d'autres qu'elle répondait aux questions aussi sagement que l'eût fait le clerc le plus excellent.

JEAN RIQUIER

J'ai entendu dire qu'elle répondait avec tant de prudence que si certains des docteurs avaient été interrogés comme elle, ils eussent à peine aussi bien répondu.

MARTIN LADVENU

A mon jugement elle pouvait avoir dix-neuf ou vingt ans ; de tenue, elle était très simple, mais dans ses réponses pleine de discernement et de prudence [1]....

SA MÉMOIRE A L'AUDIENCE

Au service de cette étonnante prudence une mémoire peu commune :

1. On se demande où Anatole France a pu puiser l'idée étrange qu'une consigne avait été donnée, lors de la réhabilitation, de présenter Jeanne comme une fille « presque idiote », pour que le miracle fût plus évident. *Tous* les témoins insistent au contraire sur la sagesse de ses réponses.

MARTIN LADVENU

Je me souviens bien que Jeanne répondait très prudemment, car elle disait parfois, quand elle était interrogée sur une chose sur laquelle elle avait déjà été interrogée, qu'elle avait répondu ailleurs et ne répondrait pas ; et elle faisait alors lire sa réponse par les notaires.

JEAN MARCEL

Simple bourgeois de Rouen, il n'en parle que par ouï-dire, mais rapporte les paroles d'un des juges.

J'ai entendu dire par maître Jean Le Sauvage, de l'ordre des frères prêcheurs, qui souvent me parla de Jeanne, qu'il avait suivi le procès mené contre elle ; et il n'en voulait parler qu'avec grande répugnance. Cependant il me dit une chose : que jamais il n'avait vu une femme de cet âge donner tant de mal à ceux qui l'examinaient ; et il s'étonnait beaucoup des réponses de Jeanne et de sa mémoire, car elle se souvenait de tout ce qu'elle avait dit....

JEAN FABRI

Ils la fatiguaient beaucoup par de longs interrogatoires qui duraient de deux à trois heures.... Parfois ceux qui l'interrogeaient coupaient leurs interrogatoires, si bien qu'elle pouvait à peine y répondre ; l'homme le plus sage du monde y eût répondu avec peine. Je me souviens qu'une fois, pendant le procès, tandis que Jeanne était examinée sur ses apparitions, et qu'on lui lisait un article contenant ses réponses, il me parut que cela avait été mal enregistré et qu'elle n'avait pas répondu ainsi ; je dis à Jeannette de faire attention. Elle demanda aux notaires qui écrivaient qu'ils le lui lisent de nouveau ; et cela fait elle dit aux notaires qu'elle avait dit le contraire et qu'ils n'avaient pas bien écrit ; et cette réponse fut corrigée. Alors maître Guillaume Manchon dit à Jeanne qu'à l'avenir il ferait attention.

Pierre Daron

... J'ai entendu dire par quelques-uns durant ce procès que Jeanne faisait merveille dans ses réponses et qu'elle avait une mémoire admirable, car une fois où on l'interrogeait sur une question à propos de laquelle elle avait déjà été interrogée huit jours plus tôt, elle répondit : « J'ai déjà été interrogée tel jour », ou : « Il y a huit jours que l'on m'a interrogée là-dessus, et j'ai répondu de telle façon. » Bien que Boisguillaume, l'un des notaires, lui dît qu'elle n'avait pas répondu, quelques-uns des assistants dirent que Jeanne disait vrai ; on lut la réponse de ce jour et l'on trouva que Jeanne avait dit juste. Elle s'en réjouit fort, disant à ce Boisguillaume que, s'il se trompait une autre fois, elle lui tirerait les oreilles....

Jean Tiphaine

Je n'ai connu Jeanne qu'au moment où elle a été amenée à Rouen pour son procès. J'ai été une première fois mandé d'y assister, et cette fois-là n'ai pas voulu y aller, mais une autre fois j'ai été mandé et j'y suis allé, je l'ai vue, j'ai entendu l'interroger et elle répondre ; elle faisait de très belles réponses. Cette fois où j'ai été au procès, les juges et assesseurs étaient dans une petite cour, par-derrière la grande cour du château ; elle répondait très prudemment et sagement, avec une grande audace.

La première fois que j'ai été appelé pour ce procès, je n'ai pas voulu y aller ; et la seconde fois, j'y suis allé parce que je craignais les Anglais, et afin qu'il ne leur apparaisse pas que je ne voulais pas y aller et qu'à cause de cela j'encourusse leur indignation ; mais dans quelle intention agissaient-ils contre elle, je ne sais.... Le jour où j'ai été présent, c'était maître Beaupère le principal interrogateur, et il posait les questions, et cependant Jacques de Touraine, de l'ordre des frères mineurs, l'interrogeait parfois. Je me souviens bien que ce maître Jacques lui a demandé une fois si elle avait jamais été à un endroit où des Anglais avaient été tués ; et Jeanne répondit « *En nom Dieu, si ai. Comme vous parlez doucement !* Pourquoi ne s'en allaient-ils de France, et n'allaient-ils dans leur patrie ? » Il y avait là un grand seigneur d'Angleterre — je ne me rappelle plus son nom — qui a dit en entendant cela : « C'est vraiment une bonne personne. Que n'est-elle Anglaise ! » Il disait cela à moi et à maître Guillaume Desjardins. Et il n'est si grand et subtil docteur, s'il avait été interrogé par de tels seigneurs et dans une telle assemblée, comme l'était Jeanne, qui n'eût été bien perplexe et embarrassé.

PROCÉDÉS D'INTIMIDATION

Pourtant, rien n'a été épargné pour l'induire en confusion ; on se souvient du vilain rôle joué par Nicolas Loiseleur (voir pp. 48-50) ; il tentait de pousser Jeanne à sa propre perte.

PIERRE MIGET

Je sais seulement et j'ai entendu dire qu'un homme alla lui parler pendant la nuit, vêtu comme un prisonnier, faisant semblant d'être un prisonnier du parti du roi de France et persuadant à Jeanne de persister dans ses assertions et que les Anglais n'oseraient pas lui faire du mal ; à ce que m'a dit Guillaume Manchon, l'un des notaires, ce fut un certain maître Jean *(sic)* Loiseleur qui faisait semblant d'être prisonnier.

Beaucoup de ceux qui assistaient au procès étaient fort irrités et trouvaient cette exécution très rigoureuse et mal faite ; et c'était l'opinion commune qu'il en avait été mal jugé.

Surtout, il y a eu cette scène de la torture. Voici le témoignage du bourreau.

MAUGIER LEPARMENTIER

(Clerc non marié, appariteur de la cour archiépiscopale de Rouen. — 56 ans.)

J'ai connu Jeanne au moment où elle fut amenée à la ville de Rouen, et je l'ai vue au château de Rouen, où moi et mon compagnon fûmes mandés pour mettre Jeanne à la torture. Elle fut alors interrogée quelque peu. Et elle répondait avec beaucoup de prudence, tant que les assistants s'en émerveillaient ; enfin nous nous retirâmes, moi et mon compagnon, sans avoir attenté à sa personne.

JEANNE N'A PAS EU D'AVOCAT

Pour tenir tête à tant de forces conjuguées, Jeanne était seule.
Et c'est une autre cause de nullité pour le procès de condamnation, que cette absence de défenseur qu'attestent les témoins.

PIERRE BOUCHER

... Je ne sais rien, si ce n'est qu'elle était seule, assise sur un siège ; et je l'ai entendue répondre sans être conseillée.

Martin Ladvenu

Je sais bien que Jeanne n'a eu ni directeur, ni conseiller, ni défenseur jusque vers la fin du procès, et que personne n'aurait osé se mêler de la conseiller, diriger ou défendre, à cause de la crainte des Anglais. J'ai entendu dire que quelques-uns qui allèrent au château sur l'ordre des juges, pour conseiller et diriger Jeanne, furent durement repoussés et menacés....

En voici un exemple :

Jean Fabri

Je ne sais rien, sinon que, au moment où l'on demandait à Jeanne si elle était en état de grâce, j'ai dit que ce n'était pas une question à poser à une telle femme ; alors l'évêque de Beauvais m'a dit : « Il vaudrait mieux pour vous que vous vous fussiez tu. »

... Je n'ai pas toujours été au jugement, mais, quand j'y ai été, je n'ai pas vu que Jeanne eût conseil, ou en ait demandé.

Son témoignage est sur ce point confirmé par d'autres témoins :

Jean Massieu

Jean Fabri, de l'ordre des ermites de Saint-Augustin, à présent évêque de Démétriade, voyant Jeanne souvent criblée de questions pour lui faire dire si elle était en état de grâce, et que, bien qu'elle eût fait des réponses satisfaisantes selon lui, cependant on persistait à l'interroger constamment à ce sujet, dit que c'était trop la harceler ; alors ceux qui interrogeaient lui dirent de se taire ; je ne sais pas qui le lui dit, je ne m'en souviens pas ; je sais cependant que l'abbé de Fécamp, à ce qu'il me semble,

18. Jean, comte de Dunois, dit "le Bâtard d'Orléans", le fidèle compagnon d'armes de Jeanne d'Arc.

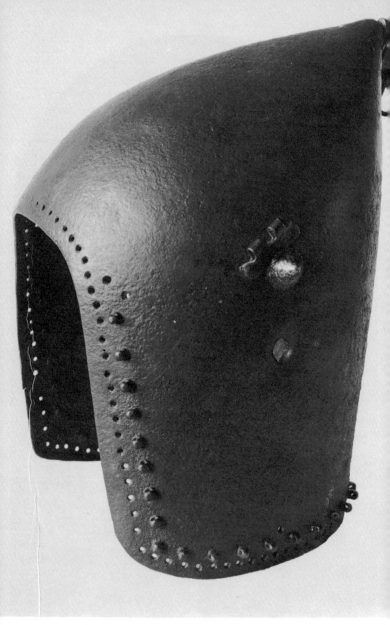

19. Bassinet à visière que Jeanne d'Arc aurait porté pendant les combats.

procédait en cette matière plus par haine de Jeanne ou par faveur pour les Anglais que par zèle de justice. De plus, comme maître Jean de Châtillon, alors archidiacre d'Évreux, avait dit à l'évêque et aux assesseurs que le procès tel qu'on le faisait lui semblait être nul, je ne me souviens pas pour quelle cause, il me fut défendu, à moi qui avais charge de convoquer les assesseurs et les conseillers, de convoquer plus jamais ce Châtillon au procès ; et depuis cette heure-là Châtillon n'y fut pas mêlé.

Maître Jean de la Fontaine fut commis pendant quelques jours à l'interroger ; et après avoir pris part au procès, il s'absenta, car il avait dit certaines choses qu'il lui semblait qu'on ne ferait pas dans ce procès. Maître Jean Lemaître, inquisiteur désigné pour ce procès, essaya plusieurs fois de se récuser, et fit son possible pour ne pas y assister ; mais il lui fut dit par certaines gens connus de lui que, s'il n'y prenait part, lui-même serait en danger de mort ; et il le fit sous la pression des Anglais, car je lui ai plusieurs fois entendu dire : « Je vois que, si l'on n'agit pas en cette matière selon la volonté des Anglais, c'est la mort qui menace. »

... Une fois Jean de Châtillon, comme des questions étaient faites à Jeanne, et que lui-même favorisait un peu Jeanne, disant qu'elle n'était peut-être pas tenue de répondre, ou autre chose dont je ne me souviens pas exactement : cela ne plut pas à monseigneur l'évêque de Beauvais, et à certains de ceux qui tenaient pour sa cause et sur ces paroles il y eut grand tumulte, et l'évêque dit alors à ce Châtillon qu'il se taise et qu'il laisse parler les juges....

FRÈRE GUILLAUME DUVAL.
(Frère prêcheur du couvent Saint-Jacques de Rouen. — 45 ans.)

Quand on faisait le procès de Jeanne, je pris part à une session avec Isambart de la Pierre ; quand nous ne trouvions lieu propre à nous asseoir en l'assemblée, nous allions nous asseoir à la table auprès de la Pucelle; et, quand on l'interrogeait et examinait, frère Isambart l'avertissait de ce qu'elle devait dire en la touchant ou faisant quelque signe. La session faite, avec frère Isambart et maître Jean de la Fontaine, je fus député pour la visiter et conseiller ce jour-là après dîner ; nous vînmes ensemble au château de Rouen pour la visiter et admonester ; et là trouvâmes le comte de Warwick qui assaillit le frère Isambart avec grand dépit et indignation, mordantes injures et opprobres contumélieux, en lui disant : « Pourquoi touches-tu le matin cette méchante, en lui faisant tant de signes ? Par la morbleu, vilain, si je m'aperçois plus que tu mettes peine de la délivrer et avertir de son profit, je te ferai jeter en Seine. » Pourquoi les deux compagnons d'Isambart s'enfuirent de peur en leur couvent. Toutes ces choses je les ai vues et ouïes et non davantage, car je ne fus pas présent au procès.

Sur les difficultés et les dangers qu'encoururent, pour avoir conseillé Jeanne, Martin Ladvenu, Isambart de la Pierre, et Jean de la Fontaine, nous avons enfin le témoignage de :

Guillaume Manchon

Maître Jean de la Fontaine, depuis le commencement du procès jusqu'à la semaine d'après Pâques 1431, fut lieutenant (substitut) de monseigneur de Beauvais pour l'interroger en l'absence de l'évêque ; néanmoins il était toujours présent avec l'évêque aux débats du procès. Et la Pucelle était fort sommée de se soumettre à l'Église par ce La Fontaine et frère Isambart de la Pierre et Martin Ladvenu, par lesquels elle fut avertie qu'elle devait croire et tenir que c'était notre Saint-Père le pape et ceux qui président en l'Église militante, et qu'elle ne devait point faire de doute de se soumettre à notre Saint-Père le pape et au saint concile, car il y avait, tant de son parti que d'ailleurs, plusieurs notables clercs et que, si ainsi elle ne faisait, elle se mettrait en grand danger ; et le lendemain qu'elle fut ainsi avertie elle dit qu'elle se voudrait bien soumettre à notre Saint-Père le pape et au sacré concile.

Quand monseigneur de Beauvais ouït cette parole, il demanda qui avait été lui parler le jour d'avant, et manda le garde anglais de la Pucelle, auquel il demanda qui lui avait parlé ; ce garde répondit que ç'avait été ledit La Fontaine et les deux religieux, et pour ce, en l'absence de La Fontaine et des religieux, l'évêque se courrouça très fort contre Jean Lemaître, vicaire de l'inquisiteur, en les menaçant très fort de leur faire déplaisir. Et quand La Fontaine eut de ce connaissance, et qu'il était menacé pour cette cause, il partit de cette cité de Rouen, et depuis n'y retourna ; et quant aux deux religieux, si ce n'eût été Lemaître qui les excusa et supplia pour eux, en disant que si on leur faisait déplaisir, jamais il ne viendrait au procès, ils eussent été en péril de mort. Et dès lors il fut défendu de par monseigneur de Warwick que nul n'entrât vers la Pucelle, sinon monseigneur de Beauvais ou de par lui et toutes les fois qu'il plaisait à l'évêque d'aller vers elle ; mais le vicaire n'y eut point d'entrée sans lui.

JEANNE ÉTAIT-ELLE REBELLE A L'ÉGLISE ?

Quant à la substance même des interrogatoires, voici l'opinion des témoins qui ont été ses juges :

GUILLAUME DE LA CHAMBRE

Je n'ai connu Jeanne que pendant le procès qui fut soulevé contre elle, pendant lequel j'ai été souvent appelé avec d'autres docteurs et praticiens. A mon sens, c'était une bonne jeune fille, car j'ai entendu dire ensuite par maître Pierre Maurice qu'il l'avait entendue en confession et qu'il n'avait jamais entendu telle confession ni d'un docteur ni de qui que ce soit, et que, étant donné cette confession, il pensait qu'elle marchait selon Dieu de façon juste et sainte.

Quant au zèle qui animait les juges, je m'en rapporte à leur conscience ; je sais cependant que je n'eusse pas donné mon opinion au procès, et pourtant j'y ai souscrit, parce que je l'ai fait forcé par l'évêque de Beauvais ; plusieurs fois je m'en suis excusé envers l'évêque, disant que ce n'était pas ma profession que de donner mon opinion sur cette matière ; finalement il m'a été dit que si je ne souscrivais pas comme l'avaient fait les autres, je me repentirais de m'être trouvé à Rouen ; et c'est pourquoi j'ai souscrit. Des menaces furent portées contre maître Jean Lohier et maître Nicolas de Houppeville, sous peine d'être noyés parce qu'ils n'avaient pas voulu assister au procès....

PIERRE MIGET

Lui aussi est sceptique en ce qui concerne les révélations, et pourtant Jeanne ne lui a pas fait l'effet d'être hérétique.

Je n'ai vu Jeanne... qu'au moment où elle a été amenée à Rouen, et dans cette ville je l'ai vue plusieurs fois pendant le procès mené contre elle. Il me semble qu'elle répondait en catholique et de façon prudente sur ce qui regarde la foi, eu égard à son âge et à son état, bien qu'il m'ait semblé qu'elle insistait trop sur les visions qu'elle disait avoir ; elle me paraissait très simple et que, si elle avait eu sa liberté, elle eût été aussi bonne catholique que n'importe quelle autre bonne catholique....

Il insiste au cours d'une autre déposition.

D'après les réponses de Jeanne, je n'ai rien su d'elle qui ne fût catholique, si ce n'est ces révélations qu'elle disait avoir eues des saints, et l'avoir pour dit ; mais je l'ai entendue dire que son cœur était à Dieu et que c'est à Dieu et à l'Église qu'elle voulait obéir.

L'APPEL AU PAPE

Et voici le point capital : Jeanne a déclaré se soumettre au pape ; elle a même expressément fait appel au pape, mais, contre toutes les règles des tribunaux d'Inquisition, cet appel n'a pas été enregistré. Et ce sont encore deux causes de nullité : Jeanne a récusé ses juges, elle en a appelé au pape, et rien n'a été fait.

GUILLAUME DE LA CHAMBRE

Je me souviens bien qu'une fois, étant interrogée par l'évêque et quelques-uns des assesseurs, elle dit que cet évêque et les autres n'étaient pas ses juges.

J'ai entendu Jeanne dire qu'elle se soumettait à notre seigneur le pape....

PIERRE MIGET

Je me souviens bien que Jeanne a dit plusieurs fois que pour ses faits et ses dits elle s'en rapportait à notre seigneur le pape.

RICHARD DU GROUCHET

J'ai vu et entendu, lors du jugement, que, comme on demandait à Jeanne si elle voulait se soumettre à l'évêque de Beauvais et à certains de ceux qui étaient là, en les nommant, Jeanne répondait que non, et qu'elle se soumettait au pape et à l'Église catholique, demandant qu'on la conduise au pape. Comme on lui disait que l'on enverrait son procès au pape pour qu'il en juge, elle répondait qu'elle ne voulait pas que l'on fasse ainsi, car elle ne savait pas ce qu'ils mettraient dans le procès ; mais qu'elle voulait qu'on l'y conduise pour qu'elle soit interrogée par le pape.

Je ne sais pas s'il fut mis ou écrit dans le procès qu'elle ne se soumettait pas à l'Église et je n'ai pas vu qu'on ait empêché de le mettre ; mais je sais qu'en ma présence Jeanne s'est toujours soumise au jugement du pape et de l'Église....

C'est sur l'ordre formel de Cauchon que l'appel au pape n'a été ni exécuté, ni enregistré.

Isambart de la Pierre

Jeanne, interrogée si elle voulait se soumettre à notre père le pape, répondit que oui, pourvu qu'elle soit menée et conduite à lui ; mais qu'elle ne voulait pas se soumettre à ceux qui étaient présents, c'est-à-dire à l'évêque de Beauvais, car c'étaient ses ennemis mortels ; et comme je la persuadais qu'elle se soumette au concile général alors rassemblé [1], auquel étaient beaucoup de prélats et docteurs du parti du roi de France, cela entendu, Jeanne dit qu'elle se soumettait au concile ; alors l'évêque de Beauvais m'interpella violemment, en disant : « Taisez-vous, par le diable ! » Cela entendu, maître Guillaume Manchon, notaire du procès, demanda à l'évêque s'il devait écrire cette soumission. Cet évêque répondit que non, que ce n'était pas nécessaire. Et Jeanne lui dit : « Ah ! vous écrivez bien ce qui est contre moi, et vous ne voulez pas

1. Concile de Bâle.

écrire ce qui est pour moi. » Et je crois que cela ne fut pas écrit, d'où il y eut grand murmure dans l'assemblée....

L'EXAMEN DE VIRGINITÉ

Les juges de Poitiers avaient fait examiner Jeanne pour savoir si elle était vierge, et nous avons dit plus haut l'importance de cet examen. Si elle n'avait pas été trouvée vierge, Jeanne, qui se faisait appeler la Pucelle, aurait été convaincue d'imposture. De plus, c'est, comme nous l'avons vu, une garantie de sa mission que de n'appartenir qu'à Dieu, dont elle se dit l'envoyée. Et comme les Anglais n'ont cessé de mettre en doute cette pureté — si extraordinaire, en effet, chez cette fille qui vivait au milieu des soldats et couchait avec eux « à la paillade » —, cet examen prenait, à Rouen, une importance décisive. Si décisive que, lorsque son résultat fut rapporté à Cauchon, il se garda bien d'en faire mention.

JEAN FABRI

Je ne sais si elle a été examinée ou non, mais je sais bien qu'une fois comme on lui demandait pourquoi elle s'appelait la Pucelle et si elle était telle, elle répondit : « Je puis bien dire que je suis telle et, si vous ne me croyez pas, faites-moi examiner par des femmes », et elle se disait prête à subir cet examen pourvu qu'il soit fait par des femmes honnêtes, comme c'est la coutume.

GUILLAUME DE LA CHAMBRE

Il donne son avis en tant que médecin.

J'ai entendu dire qu'on avait examiné Jeanne pour savoir si elle était vierge ou non, et qu'elle fut trouvée telle ; et je sais, autant qu'on peut le savoir selon l'art de médecine, qu'elle était vierge et intacte, car je l'ai vue quasi nue, lorsque je l'ai examinée à un moment où elle était malade. Je lui ai palpé les reins et elle était très ferme autant que j'ai pu le constater à son aspect.

Jean Marcel

J'ai entendu dire que la dame de Bedford [1] avait fait examiner Jeanne pour savoir si elle était vierge ou non, et qu'elle fut trouvée vierge ; et j'ai entendu dire par un nommé Jeannotin Simon, tailleur, que la duchesse de Bedford lui avait fait faire pour Jeanne une tunique de femme, et quand il voulut la lui essayer, il lui prit doucement le sein. Elle en fut indignée et donna à Jeannotin un soufflet.

> Des précisions sont fournies à ce sujet par l'un des notaires ; elles témoignent de l'importance que les Anglais attachaient à cet examen.

Boisguillaume

J'ai entendu dire par plusieurs, dont je ne me souviens plus, que Jeanne fut examinée par des matrones et qu'elle fut trouvée vierge ; et que cet examen avait été fait sur l'ordre de la duchesse de Bedford, et que le duc de Bedford se tenait en un lieu secret d'où il voyait examiner Jeanne.

Jean Massieu

Je sais bien qu'elle a été examinée pour savoir si elle était vierge ou non par des matrones et sages-femmes, et

---

1. Anne de Bourgogne, fille de Jean sans Peur et femme du duc de Bedford, régent de France pendant la minorité de Henry VI.

cela, sur l'ordre de la duchesse de Bedford, et notamment par Anna Bavon et une autre matrone dont je ne me rappelle pas le nom. Après cet examen, elles ont déclaré qu'elle était vierge et intacte, et cela je l'ai entendu dire par Anna elle-même ; à cause de quoi la duchesse de Bedford a fait défendre aux gardiens et aux autres qu'ils ne lui fissent quelque violence.

LA COMÉDIE DE L'ABJURATION

Cauchon cherchait évidemment à obtenir de Jeanne le désaveu de sa mission, et un désaveu public. Cette pensée l'obsédera jusqu'à la mort de Jeanne, et encore après. Il crut certainement, lorsqu'il imagina la mise en scène du cimetière Saint-Ouen, qu'il parviendrait à ses fins. Jeanne est amenée sur une tribune face à celle où se tiennent les juges et les assesseurs. C'est la première fois que la foule peut l'apercevoir, et nombreux sont les témoins qui disent, comme Jean Marcel : « Je l'ai vue pour la première fois quand elle fut prêchée à Saint-Ouen. »
L'un des universitaires les plus en vue, maître Guillaume Érard, ami intime de Cauchon, qui devait mourir en Angleterre, vers 1439, fut désigné pour lui faire un sermon d'exhortation. Il s'agissait de la convaincre d'abjurer ses prétendues erreurs contre la foi et de la déterminer à reprendre ses habits féminins. Citons à la décharge d'Érard ce passage de la déposition de son ancien serviteur :

JEAN DE LENOZOLLES

... Revenu à Rouen aux environs de la Pentecôte, j'ai trouvé mon maître qui me dit qu'il était chargé de faire un sermon pour Jeanne, et que cela lui déplaisait fort ; il me disait qu'il voudrait être en Flandre....

Pourtant, au matin du 24 mai, Érard avait retrouvé toute son éloquence de maître en Sorbonne :

ISAMBART DE LA PIERRE

Je me suis trouvé à la première prédication que lui fit maître Guillaume Érard, qui prit pour thème : « Le rameau ne peut produire du fruit, s'il n'est demeuré à la vigne », disant qu'en France il n'y avait jamais eu tel monstre comme l'était Jeanne, qui était magicienne, hérétique, schismatique, et que le roi, qui lui était favorable, était semblable à elle et qu'il avait voulu récupérer son royaume grâce à une telle femme hérétique ; à cause de cela je crois qu'ils furent poussés, entre autres, par le désir de diffamer la majesté royale.

C'est aussi l'opinion de :

MARTIN LADVENU

... J'ai été présent lors de la première sentence et du sermon fait à Saint-Ouen par maître Guillaume Érard. Et je crois fermement que tout ce qui a été fait l'a été en haine du très chrétien roi de France, et pour le diffamer ; car, dans son sermon, maître Guillaume Érard s'écria dans un passage de ce sermon : « Oh ! maison de France ! tu n'avais jamais connu de monstres jusqu'ici ; mais à présent, te voilà déshonorée en prêtant foi à cette femme, magicienne, hérétique, superstitieuse. » A quoi Jeanne répondit : *« Ne parle point de mon roi, il est bon chrétien. »*....

Les détails de la scène nous sont donnés par :

JEAN MASSIEU

Quand elle fut menée à Saint-Ouen pour être prêchée par maître Guillaume Érard, durant le prêchement, environ la moitié, après que Jeanne eut été fort blâmée par les paroles dudit prêcheur, il commença à s'écrier à haute voix, disant : « Ah ! France ! tu es bien abusée ; tu as toujours été la chambre très chrétienne (le pays très chrétien) ; et Charles, qui se dit roi et de toi gouverneur, s'est adhéré comme hérétique et schismatique aux paroles et faits d'une femme inutile, diffamée et de tout déshonneur pleine ; et non pas lui seulement, mais tout le clergé de son obéissance et seigneurie par lequel elle a été examinée et non reprise, comme elle l'a dit. » ... Puis, s'adressant à Jeanne, il dit en levant le doigt : « C'est à toi, Jeanne, à qui je parle, et te dis que ton roi est hérétique et schismatique. » A quoi elle répondit : « Par ma foi, sire, révérence gardée, car je vous ose bien dire et jurer sur peine de ma vie que c'est le plus noble chrétien de tous les chrétiens, et qui mieux aime la foi et l'Église, et n'est point tel que vous dites. » Et lors, le prêcheur me dit : « Fais-la taire. »

> Il se trouvait, en effet, à côté de Jeanne, sur l'estrade, car il était chargé de lui lire la fameuse cédule d'abjuration [1].

Quand Jeanne fut requise de signer cette cédule, il y eut grand murmure parmi ceux qui étaient présents, au point que j'ai entendu l'évêque dire à quelqu'un : « Vous ferez réparation pour cela », assurant qu'une injure lui avait été faite, et qu'il ne procéderait pas davantage si on ne lui en faisait excuse. Pendant ce temps, j'avertissais Jeanne du péril qui la menaçait au sujet de la signature de cette cédule ; et je voyais bien que Jeanne ne comprenait pas

1. Voir plus haut : Le procès du procès, p. 58.

cette cédule, ni le péril qui la menaçait. Alors Jeanne, pressée de la signer, répondit : « Que cette cédule soit vue par les clercs et par l'Église, entre les mains desquels je dois être mise ; s'ils me donnent conseil que je la doive signer, et de faire ce qui m'est dit, je le ferai volontiers. » Alors maître Guillaume Érard lui dit : « Fais-le maintenant, sinon aujourd'hui tu finiras tes jours par le feu. » Alors, Jeanne répondit qu'elle préférait signer plutôt que d'être brûlée. Et à ce moment-là il y eut grand tumulte dans la foule qui était là, et des pierres furent jetées ; par qui, je n'en sais rien....

L'ancien clerc (secrétaire) de Jean Beaupère, ajoute deux détails très significatifs en montrant Cauchon recevant les ordres de Henri Beaufort, cardinal de Winchester, et en ajoutant que, sur la place, un bûcher était préparé.

JEAN MONNET
(Chanoine de Paris, professeur en théologie. — 50 ans.)

J'ai été au sermon fait à Saint-Ouen et me trouvais moi-même sur la tribune, assis aux pieds de maître Jean Beaupère. Quand le sermon fut fini, comme on commençait à lire la sentence, Jeanne dit que, si elle était conseillée par des clercs, et selon leur conscience, à ce qu'il lui semblerait, elle ferait volontiers ce qui lui serait conseillé ; cela entendu, l'évêque de Beauvais demanda au cardinal d'Angleterre, qui était là, ce qu'il devait faire, étant donné la soumission de Jeanne. Le cardinal répondit alors à l'évêque qu'il devait recevoir Jeanne à pénitence. Alors, on retira cette sentence que l'on avait commencé à lire et Jeanne fut reçue à pénitence. J'ai vu alors une cédule d'abjuration qu'on lut, et il me semble que c'était une petite cédule d'environ six ou sept lignes ; et je me souviens bien qu'elle s'en rapportait à la conscience des juges pour savoir si elle devait se rétracter ou non. Le jour où cela fut fait, on disait que le bourreau était sur la place, attendant qu'elle soit livrée à la justice séculière....

> Le bûcher avait été préparé, et le bourreau se tenait là. Pourtant, en principe, la peine du feu n'était applicable qu'aux relaps. Cauchon avait-il tendu ses filets uniquement pour faire, par la suite, de Jeanne, une relapse ? Ce n'est pas impossible.

GUILLAUME DU DÉSERT[1]

J'ai été présent au premier sermon fait à Saint-Ouen ; j'y ai vu et entendu l'abjuration faite par Jeanne, se soumettant à la détermination, jugement et mandement de l'Église. Il y avait là un docteur anglais qui assistait à ce sermon et qui était mécontent de ce qu'on reçoive l'abjuration de Jeanne, et comme elle riait en prononçant certains mots de cette abjuration, il dit à l'évêque de Beauvais, le juge, qu'il faisait mal d'admettre cette abjuration et que c'était une dérision. L'évêque, furieux, répondit qu'il mentait et qu'étant juge en cause de foi, il devait plutôt chercher son salut que sa mort....

> Les Anglais, en effet, n'avaient rien compris à la manœuvre.

JEAN FAVÉ
(Maître ès arts et licencié en lois (en droit), maître des requêtes du roi.)

... On disait qu'un procès était mené contre elle en matière de foi et que les Anglais prirent l'initiative du procès et payèrent le salaire des docteurs et des autres

1. Assesseur au procès de condamnation.

appelés au procès. En ce qui concerne la crainte et les pressions exercées, après la première prédication, au moment où on la ramenait en prison au château de Rouen, les pages se moquaient de Jeanne, et les Anglais, leurs maîtres, les laissaient faire ; et à ce que j'ai entendu dire, les principaux Anglais étaient très indignés contre l'évêque de Beauvais, les docteurs et autres assesseurs au procès, parce qu'elle n'avait pas été convaincue et condamnée et livrée au supplice ; j'ai même entendu dire que certains Anglais, dans leur indignation, levèrent leur épée pour frapper l'évêque et les docteurs revenant du château — mais ils ne les frappèrent pas —, disant que le roi avait bien mal dépensé son argent avec eux. J'ai entendu des gens raconter en outre que comme le comte de Warwick, après cette seconde prédication, se plaignait à l'évêque et aux docteurs, disant qu'il en allait mal pour le roi, parce que Jeanne leur échappait, l'un d'entre eux lui répondit : « Seigneur, n'ayez souci ; nous la rattraperons bien. »....

Après cette prétendue abjuration, Jeanne fut par sentence condamnée à la prison perpétuelle.

Les commissaires chargés de la réhabilitation devaient s'étonner de cette conclusion : « Qu'est-ce qui poussa les juges à la condamner à la prison perpétuelle, attendu qu'ils lui avaient promis qu'elle n'aurait pas de châtiment ? » Telle est la question qu'ils posent au notaire Guillaume Manchon lors de l'un des interrogatoires. « Je crois, répond-il, que cela arriva à cause de la diversité des puissances [1] ; et parce qu'ils craignaient qu'elle ne s'évadât. »

Quoi qu'il en soit, la véritable sentence de condamnation fut prononcée ce jour-là par Cauchon, lorsque, au contraire de ce qu'implorait Jeanne, il la fit reconduire en prison laïque. C'est encore Manchon qui raconte la scène :

---

1. C'est-à-dire : à cause des deux puissances qui se partageaient alors la France.

GUILLAUME MANCHON

Au départ du prêchement de Saint-Ouen, après l'abjuration de la Pucelle, pour ce que Loiseleur lui disait : « Jeanne, vous avez fait une bonne journée, s'il plaît à Dieu, et vous avez sauvé votre âme », elle demanda : « Or çà, entre vous gens d'Église, menez-moi en vos prisons, et que je ne sois plus en la main de ces Anglais. » Sur quoi monseigneur de Beauvais répondit : « Menez-la où vous l'avez prise » ; pourquoi fut ramenée au château d'où elle était partie.

L'HABIT D'HOMME

C'était l'un des rares points précis de la fameuse cédule d'abjuration, que Jeanne renonçait désormais à porter l'habit d'homme. Moyennant quoi, ce ne devait être qu'un jeu de la faire déclarer relapse, en l'obligeant d'une façon ou d'une autre à reprendre cet habit.

JEAN MASSIEU

... Ce jour après dîner, en la présence du conseil de l'Église, elle déposa l'habit d'homme et prit habit de femme, ainsi qu'ordonné lui était. C'était alors jeudi ou vendredi après la Pentecôte, et fut mis l'habit d'homme en un sac en la même chambre. Et quand vint le dimanche matin suivant, qui était jour de la Trinité, qu'elle se dut lever, comme elle me le rapporta, elle demanda aux Anglais ses gardes : « Déferrez-moi, je me lèverai. » Et alors un des Anglais lui ôta ses habillements de femme qu'elle avait sur elle, et ils vidèrent le sac dans lequel était l'habit d'homme, et jetèrent cet habit sur elle, en lui disant : « Lève-toi. » Et cachèrent l'habit de femme dans le sac. Et à ce qu'elle disait, elle se vêtit de l'habit d'homme qu'ils lui avaient baillé, en disant : « Messieurs, vous savez qu'il m'est défendu : sans faute je ne le prendrai point. » Et néanmoins ne lui en voulurent bailler d'autre, tant qu'en ce débat demeura jusqu'à l'heure de midi ; et finalement, pour nécessité de corps, fut contrainte de sortir dehors et prendre cet habit ; et après qu'elle fut retournée, ne lui en voulurent point bailler d'autre, nonobstant quelque supplication ou requête qu'elle en fît.

D'autres ont donné de l'événement une version un peu différente :

MARTIN LADVENU

Quant à savoir si quelqu'un s'approcha d'elle, secrètement, de nuit, j'ai entendu de la bouche de Jeanne qu'un grand seigneur anglais entra dans la prison de Jeanne et tenta de la prendre par force ; cela était cause, disait-elle, qu'elle avait repris l'habit d'homme....

PIERRE CUSQUEL

Les gens disaient que sa condamnation n'avait pas d'autre cause, sinon qu'elle avait repris l'habit d'homme et qu'elle n'aurait pas porté et ne portait cet habit d'homme, si ce n'est pour ne pas se rendre aux soldats avec qui elle était. Une fois, dans la prison, je lui ai demandé pourquoi elle portait cet habit d'homme, et c'est ce qu'elle m'a répondu.

LE BRAS SÉCULIER

Vivement menée par Cauchon, la cause de relapse fut entendue le 29 mai ; rappelons que, sur quarante

juges, trente-six se rangèrent à l'avis de l'abbé de
Fécamp, qui voulait que l'on relût à Jeanne la cédule
d'abjuration pour être sûr qu'elle l'avait bien comprise. Cauchon passa outre, et, le lendemain, il allait
commettre une ultime irrégularité : une fois « livré
au bras séculier », en effet, le condamné devait recevoir sa sentence du tribunal séculier. Dans le cas de
Jeanne, il n'y eut pas de sentence, mais elle fut aussitôt remise au bourreau. Et, contrairement à toutes les
règles de la procédure, les ecclésiastiques, Cauchon
tout au moins, assistèrent au supplice : il espérait
encore l'entendre se rétracter.

Martin Ladvenu

Il était évident pour les juges qu'elle s'était soumise à la
détermination de l'Église et qu'elle était fidèle et catholique et repentante, et c'est par la permission et sur l'ordre
des juges que j'ai donné à Jeanne le corps du Christ. Elle a
été livrée comme relapse [1] aux juges séculiers, et je crois
que, si elle avait tenu le parti des Anglais, on n'aurait pas
ainsi procédé contre elle. Je suis certain qu'après qu'elle
eut été délaissée par l'Église, elle fut prise par les soldats
anglais qui étaient là en grand nombre, et sans aucune
sentence du juge séculier, bien que le bailli de Rouen et le
conseil de la cour laïque fussent là ; je le sais, car j'ai toujours été avec Jeanne, depuis le château jusqu'au moment
où elle rendit l'esprit, et c'est moi qui lui avais administré, sur l'ordre des juges, les sacrements de Pénitence et
d'Eucharistie.

Laurent Guesdon

J'ai été au dernier sermon fait sur le Vieux-Marché de
Rouen ; j'y étais avec le bailli, car, à ce moment-là, j'étais
lieutenant du bailli. La sentence fut prononcée comme quoi

1. Parce qu'elle avait remis malgré elle ses vêtements d'homme.

Jeanne était délaissée à la justice séculière. Aussitôt après cette sentence, immédiatement et sans délai, elle fut remise aux mains du bailli et, sans que le bailli ou moi-même, à qui il appartenait de prononcer la sentence, en eussions prononcé une, le bourreau, sans plus, prit Jeanne et la conduisit à l'endroit où le bois était préparé ; et elle fut brûlée. Et il me semble que ce ne fut pas bien procédé, car, peu après, un malfaiteur appelé Georges Folenfant fut de même remis par la justice ecclésiastique à la justice séculière par sentence ; après cette sentence, ce Georges fut conduit « à la cohue » (à l'auditoire du bailliage) et là il fut condamné par la justice séculière, et ne fut pas immédiatement conduit au supplice.

JEANNE EN APPELLE DEVANT DIEU

Un témoin nous a rapporté les plaintes et la protestation solennelle de Jeanne lorsqu'on vint lui annoncer de quel supplice elle allait mourir.

Frère Jean Toutmouillé
(Frère prêcheur du couvent Saint-Jacques de Rouen.)

Le jour que Jeanne fut délaissée au jugement séculier et livrée à combustion, je me trouvai le matin en la prison avec frère Martin Ladvenu, que l'évêque de Beauvais avait envoyé vers elle pour lui annoncer la mort prochaine et pour l'induire à vraie contrition et pénitence, et aussi pour l'ouïr en confession ; ce que ledit Ladvenu fit fort soigneusement et charitablement. Et quand il annonça à la pauvre femme la mort dont elle devait mourir ce jour-là, qu'ainsi ses juges l'avaient ordonné et entendu, et ouï la dure et cruelle mort qui lui était prochaine, elle commença à s'écrier douloureusement, et pitoyablement se tirer et arracher les cheveux : « Hélas ! me traite-t-on ainsi horriblement et cruellement, qu'il faille que mon corps net en entier, qui ne fut jamais corrompu, soit aujourd'hui consumé et rendu en cendres ! Ah ! j'aimerais mieux être décapitée sept fois que d'être ainsi brûlée. Hélas ! si j'eusse été en la prison ecclésiastique à laquelle je m'étais soumise et que j'eusse été gardée par des gens d'Église, non pas par mes ennemis et adversaires, il ne me fût pas si misérablement méchu comme il est. Oh ! J'en appelle devant Dieu, le grand juge, des grands torts et ingravances qu'on me fait. » Et elle se complaignait merveilleusement en ce lieu des oppressions et violences qu'on lui avait faites en la prison par les geôliers et par les autres qu'on avait fait entrer contre elle.

Après ces complaintes, survint l'évêque dénommé auquel elle dit incontinent : « Évêque, je meurs par vous. » Il lui commença à remontrer en disant : « Ah ! Jeanne, prenez-en patience, vous mourrez pour ce que vous n'avez tenu ce que vous nous aviez promis et que vous êtes retournée à votre premier maléfice. » Et la pauvre Pucelle lui répondit « Hélas ! si vous m'eussiez mise aux prisons de cour d'Église, et rendue entre les mains des concierges ecclésiastiques compétents et convenables, ce ne fût pas advenu : pourquoi j'appelle de vous devant Dieu. »

Cela fait, je sortis hors et n'en ouïs plus rien.

SA MORT. SA DERNIÈRE COMMUNION

Par un extraordinaire paradoxe, Jeanne, déclarée hérétique et excommuniée, fut néanmoins autorisée à recevoir les derniers sacrements.

JEAN MASSIEU

Le mercredi au matin, jour où mourut Jeanne, frère Martin Ladvenu l'entendit en confession, et la confession de Jeanne entendue, il m'envoya à l'évêque de Beauvais, pour lui notifier qu'il l'avait entendue en confession et qu'elle demandait que le sacrement de l'Eucharistie lui soit donné. L'évêque réunit quelques personnes à ce sujet ; après leur délibération, il me dit de dire à frère Martin qu'il lui donne le sacrement de l'Eucharistie, et tout ce qu'elle demanderait.

LES DERNIERS MOMENTS

> Au cours d'une autre déposition, le même Jean Massieu a raconté toute la scène du supplice, à laquelle il assista.

... Le mercredi, jour qu'elle fut condamnée et avant qu'elle partît du château, lui fut apporté le corps de Jésus-Christ, irrévérencieusement, sans étole ni lumière, ce dont frère Martin, qui l'avait confessée, fut mal content. Et pour ce, je fus renvoyé querir une étole et de la lumière, et ainsi frère Martin l'administra. Et ce fait, elle fut menée au Vieux-Marché, et à côté d'elle étaient frère Martin et moi, accompagnés de plus de huit cents hommes de guerre ayant haches et glaives. Et elle, étant au Vieux-Marché, après la prédication en laquelle elle eut grande constance, et fort paisiblement l'ouït, montrant grands signes et évidences et claires apparences de sa contrition, pénitence et ferveur de foi, tant par les pieuses et dévotes lamentations et invocations de la bénie Trinité, et de la bénite glorieuse Vierge Marie, et de tous les bénis saints du paradis, en nommant expressément plusieurs de ces saints, en lesquels dévotion, lamentations et vraie confession de la foi ; en requérant aussi à toute manière de gens, de quelques condition et état qu'ils fussent, tant de son parti que d'autres, merci (pardon) très humblement, en requérant qu'ils voulussent prier pour elle, en leur pardonnant le mal qu'ils lui avaient

fait, elle persévéra et continua très long espace de temps,
comme d'une demi-heure et jusqu'à la fin. Dont les juges
assistants et même plusieurs Anglais furent provoqués à
grandes larmes et pleurs, et de fait très amèrement en
pleurèrent ; et quelques-uns et plusieurs de ces mêmes
Anglais reconnurent et confessèrent le nom de Dieu,
voyant si notable fin et étant joyeux d'avoir été à la fin
disant qu'elle avait été une bonne femme (femme de bien).
Et quand elle fut délaissée par l'Église, j'étais encore avec
elle, et à grande dévotion elle demanda à avoir la croix, et
ce oyant, un Anglais, qui était là présent, en fit une petite
en bois, du bout d'un bâton qu'il lui bailla, et dévotement
la reçut et baisa, en faisant pieuse lamentation et recogni-
tion à Dieu notre Rédempteur qui avait souffert en la croix
pour notre rédemption, de laquelle croix elle avait le signe
et représentation, et mit cette croix en son sein, entre sa
chair et ses vêtements, et outre demanda humblement que
je lui fisse avoir la croix de l'église, afin que continuellement elle la pût voir jusqu'à la mort, et je fis tant que le
clerc de la paroisse de Saint-Sauveur la lui apporta ; laquelle
apportée, elle l'embrassa fort étroitement et longuement et
la détint jusqu'à ce qu'elle fût liée à l'attache. Et tandis
qu'elle faisait ses dévotions et pieuses lamentations, je fus
fort pressé par les Anglais, et mêmement par l'un de leurs
capitaines, de la leur laisser en main, pour plus tôt la faire
mourir, me disant à moi qui selon mon entendement la
réconfortait en l'échafaud : « Comment, prêtre, nous ferez-
vous ici dîner ? » Et incontinent, sans aucune forme ou
signe de jugement, l'envoyèrent au feu, en disant au maître
de l'œuvre : « Fais ton office. » Et ainsi fut menée et attachée en continuant les louanges et lamentations dévotes
envers Dieu et les saints, dont le dernier mot, en trépassant,
cria à haute voix : « Jésus. »

Cette déposition est complétée par celle de **Martin**

Ladvenu, qui lui aussi soutint Jeanne jusqu'au dernier moment.

MARTIN LADVENU

Le jour de la mort de Jeanne, au matin, par la permission et l'ordre des juges et avant que la sentence ait été portée, j'ai entendu Jeanne en confession, et je lui ai administré le corps du Christ, qu'elle a reçu humblement, très dévotement et avec beaucoup de larmes, comme je ne le saurais raconter. Et depuis cette heure je ne l'ai pas quittée jusqu'au moment où elle rendit l'esprit ; et presque tous ceux qui étaient là pleuraient de pitié, et surtout l'évêque de Thérouanne (Louis de Luxembourg). Et je ne doute pas qu'elle ne soit morte catholiquement ; je voudrais en effet que mon âme soit où je crois qu'est l'âme de Jeanne.

Après la sentence, elle est descendue de la chaire dans laquelle elle avait écouté le sermon et a été conduite par le bourreau sans autre sentence de juge laïque au lieu où le bois était préparé pour la brûler. Ce bois était sur un échafaud, et en-dessous le bourreau mit le feu. Et quand Jeanne aperçut le feu, elle me dit de descendre et de lever la croix du Seigneur bien haut pour qu'elle puisse la voir, ce que je fis.

Toujours jusqu'à la fin de sa vie, elle a maintenu et assuré que les voix qu'elle avait eues étaient de Dieu, et que tout ce qu'elle avait fait, elle l'avait fait sur l'ordre de Dieu, et qu'elle ne croyait pas qu'elle eût été trompée par ses voix ; et que les révélations qu'elle avait eues étaient de Dieu. Et n'en sais point davantage.

JEAN FABRI

... J'ai été au sermon fait au Vieux-Marché par maître Nicolas Midy et, à ce qu'il me semble, c'est en catholique qu'elle a fini ses jours, criant : « Jésus, Jésus », et elle pleurait tant, faisant de pieuses lamentations, que je ne crois pas qu'il y ait homme ayant le cœur si dur qu'il n'ait été poussé aux larmes s'il eût été présent ; le seigneur évêque de Thérouanne et tous les assistants pleuraient d'extrême pitié. Et je me souviens bien qu'en ce dernier sermon au Vieux-Marché Jeanne pria tous les prêtres ici présents qu'ils lui donnent chacun une messe. Et je ne restai pas jusqu'à la fin, mais je me retirai, car je n'aurais pu en voir davantage.

Pierre Boucher

... Au moment où on la liait, elle implorait et invoquait spécialement saint Michel. Je l'ai vue finir en bonne chrétienne, et la plupart des assistants — il y en avait peut-être dix mille — pleuraient et se lamentaient, disant que c'était grande pitié....

Guillaume de la Chambre

... J'ai été présent à la dernière prédication faite au Vieux-Marché de Rouen par maître Nicolas Midy ; après la fin de ce sermon Jeanne fut brûlée ; le bois était déjà prêt pour la brûler, et elle faisait si pieuses lamentations et exclamations que beaucoup pleuraient ; mais quelques Anglais riaient. Je l'ai entendue dire ces paroles ou à peu près : « *Ah ! Rouen ! j'ai grand peur que tu n'aies à souffrir de ma mort.* » Puis elle commença à crier Jésus et à invoquer saint Michel et enfin elle fut étouffée par le feu.

Pierre Miget

Le jour où elle fut remise à la justice séculière, elle commença à crier et à se lamenter, invoquant le nom du Seigneur Jésus... ; et moi je n'ai pas pu voir cela et me suis retiré, ému de pitié jusqu'aux larmes, et beaucoup firent ainsi, en particulier l'évêque de Thérouanne, qui mourut cardinal de Thérouanne [1].

Jean Riquier

... Maître Pierre Maurice lui rendit visite le matin, avant qu'elle soit conduite au sermon sur le Vieux-Marché ; et Jeanne lui dit : « Maître Pierre, où serai-je ce soir ? » Et maître Pierre lui répondit : « N'avez-vous pas bon espoir en Dieu ? » Elle dit que oui, et que, Dieu aidant, elle serait en paradis ; cela, je le tiens de maître Pierre lui-même. Quand Jeanne vit mettre le feu au bois, elle commença à crier à haute voix : « Jésus, Jésus ! » Et toujours jusqu'à sa mort elle cria : « Jésus ! » Et lorsqu'elle fut morte, comme les Anglais avaient peur qu'on ne dise qu'elle s'était évadée, ils dirent au bourreau de repousser un peu le feu en arrière pour que les assistants puissent la voir morte, afin qu'on ne dise pas qu'elle s'était évadée....

... J'ai entendu maître Jean Alépée, alors chanoine de Rouen, présent à l'exécution de Jeanne, pleurant en abondance, dire en ma présence et en présence d'autres autour de moi : « Je voudrais que mon âme fût où je crois qu'est l'âme de cette femme. »

Pierre Cusquel

Je n'ai pas été présent à la dernière prédication, à la condamnation et à l'exécution de Jeanne, parce que mon cœur n'aurait pu le supporter et souffrir, par pitié pour Jeanne ; mais j'ai bien entendu dire qu'elle a reçu le corps du Seigneur avant sa condamnation....

1. Louis de Luxembourg, frère de celui qui la livra aux Anglais.

J'ai entendu dire que maître Jean Tressard, secrétaire du roi d'Angleterre, revenant du supplice de Jeanne, affligé et gémissant, pleurait lamentablement sur ce qu'il avait vu en ce lieu, et disait en effet : « Nous sommes tous perdus, car c'est une bonne et sainte personne qui a été brûlée » ; et qu'il pensait que son âme était entre les mains de Dieu, et que, quand elle était au milieu des flammes, elle avait toujours clamé le nom du Seigneur Jésus....

... C'était la renommée commune, et quasi tout le peuple murmurait qu'on avait fait à Jeanne grand tort et injustice.... Après la mort de Jeanne, les Anglais firent ramasser ses cendres et les jeter dans la Seine, parce qu'ils craignaient qu'elle ne s'évadât, ou que certains ne croient qu'elle s'était évadée.

> Ultime précaution : il fallait qu'au vu et au su de tous Jeanne fût bien morte, et aussi qu'on ne pût faire des reliques de ses cendres.

MAUGIER LEPARMENTIER

... Le jour où Jeanne fut brûlée, le bois était préparé pour la brûler avant que le sermon soit fini et que la sentence ait été prononcée. Et aussitôt la sentence portée par l'évêque, sans aucun délai elle fut conduite vers le feu, et je n'ai pas vu qu'il y ait eu aucune sentence portée par le juge laïque ; mais elle fut immédiatement conduite au feu ; une fois dans le feu, elle cria plus de six fois : « Jésus », et surtout en son dernier souffle elle cria d'une voix forte : « Jésus ! » au point que tous les assistants purent l'entendre ; presque tous pleuraient de pitié. Et j'ai entendu dire que les cendres après sa combustion furent rassemblées et jetées dans la Seine.

> Mais on n'a pas pu empêcher la voix populaire de la proclamer martyre, et de répéter des faits prodigieux.

Jean Massieu

J'ai entendu dire par Jean Fleury, clerc du bailli et greffier, que le bourreau lui avait rapporté qu'une fois le corps brûlé au feu et réduit en cendres, son cœur était demeuré intact et plein de sang. Et il lui fut dit de réunir les cendres et tout ce qui restait d'elle, et de les jeter dans la Seine ; ce qu'il fit.

Thomas Marie

Beaucoup m'ont dit que l'on avait vu le nom de Jésus écrit dans la flamme du feu dont elle fut brûlée.

Isambart de la Pierre

L'un des Anglais, un soldat, qui la détestait extraordinairement et qui avait juré que de sa propre main il porterait un fagot au bûcher de Jeanne, au moment où il le faisait et entendait Jeanne criant le nom de Jésus à son dernier moment, demeura tout frappé de stupeur et comme en extase, et fut conduit à une taverne près du Vieux-Marché, pour que, la boisson aidant, les forces lui reviennent. Et après avoir déjeuné, avec un frère de l'ordre des frères prêcheurs, cet Anglais confessa par la bouche de ce frère, qui était Anglais, qu'il avait gravement péché, et qu'il se repentait de ce qu'il avait fait contre Jeanne, qu'il tenait pour une sainte femme ; car, à ce qu'il lui semblait, cet Anglais avait vu lui-même, au moment où Jeanne rendait l'esprit, une colombe blanche sortant du côté de France. Et le bourreau [1], après déjeuner, ce même jour, vint au couvent des frères prêcheurs et me dit, ainsi qu'à frère Martin Ladvenu, qu'il craignait beaucoup d'être damné car il avait brûlé une sainte femme.

1. Il se nommait Geoffroy Therage.

Cauchon n'avait pas eu la rétractation souhaitée. Il réfléchit quelques jours et, le 7 juin 1431, une semaine après la mort de Jeanne, il réunissait sept témoins pour leur faire déclarer qu'elle avait, avant de mourir, renié ses voix. Il voulut obliger Guillaume Manchon à enregistrer ces déclarations pour les faire figurer au procès. Celui-ci s'y refusa. C'est par sa déposition que nous terminons.

Guillaume Manchon

Je fus à la continuation du procès jusqu'à la fin, sauf à quelque examen de gens qui lui parlèrent à part, comme personnes privées, néanmoins monseigneur de Beauvais me voulut contraindre de signer cela, laquelle chose je ne voulus faire [1].

Je vis amener Jeanne à l'échafaud, et y avait le nombre de sept à huit cents [2] hommes de guerre autour d'elle, portant glaives et bâtons, tellement qu'il n'y avait homme qui fût assez hardi pour parler à elle, excepté frère Ladvenu et maître Jean Massieu. Patiemment elle ouït le sermon tout au long, après fit sa regraciation, ses prières et lamentations, très notablement et dévotement, tellement que les juges, prélats et tous les autres assistants furent provoqués à grands pleurs et larmes de lui voir faire ses pitoyables regrets et douloureuses complaintes. Et jamais ne pleurai tant pour chose qui m'advint, et par un mois après ne m'en pouvais bonnement apaiser.

D'une partie de l'argent que j'avais eu au procès, j'achetai un petit missel, que j'ai encore, afin que j'eusse cause de prier pour elle. Et comme finale pénitence, je n'en vis jamais plus grand signe chez un chrétien....

---

1. Allusion à ces témoignages posthumes que Manchon refusa d'enregistrer.
2. Le chiffre est certainement exagéré. Ladvenu dit : cent vingt.

CHAPITRE IX

LE PROCÈS DES JUGES

Dans les pages qui précèdent, nous avons cité de nombreux passages des dépositions émanant de personnages qui avaient été, au procès de condamnation, sinon juges, du moins assesseurs : Richard du Grouchet, Guillaume du Désert, Jean Fabri, Pierre Miget, Jean Tiphaine, Guillaume de la Chambre — tous assez piètres individus, entraînés par le courant du moment et tremblant pour leur personne. Leurs témoignages valent surtout par l'intérêt des faits qu'ils racontent.

A côté de cela, certaines dépositions méritaient d'être rapportées en entier : il n'est pas mauvais, en effet, de saisir par quelques exemples pris sur le vif l'attitude de ces juges mis ainsi face à face avec la terrible responsabilité qu'ils ont endossée vingt-cinq années plus tôt. Le moins qu'on en puisse dire, c'est qu'ils font triste figure ; ils refusent de plaider coupables, mais toutes leurs réponses trahissent l'embarras et la mauvaise conscience.

Rien de plus saisissant que de comparer leurs réponses avec celles que Jeanne leur avait faites au moment où ils étaient ses juges ; pas un de ses mots, au procès de condamnation, qui n'exprimât le courage, la fierté, parfois une magnifique insolence (« Prenez garde, vous qui vous dites mon juge »...) ; ici, par contraste, nous n'allons assister qu'à de pitoyables dérobades : ils ne savent pas, ils n'ont rien fait, ils ne se souviennent plus ; elle est éloquente, cette confrontation dernière de Jeanne avec ses juges.

André Marguerie

(Chanoine de Rouen, archidiacre du Petit-Caux, ex-conseiller du roi d'Angleterre. — 76 ans.)

Ce n'est d'ailleurs pas le plus coupable parmi les anciens juges, il a désapprouvé la prison laïque et s'est fait rudoyer par Cauchon ; mais il ment quand il dit qu'il « n'a pas beaucoup assisté au procès » ; les procès-verbaux le mentionnent, au contraire, à presque toutes les séances.

Nous donnerons entre crochets, avant chacune de ses réponses, le résumé de l'article auquel elle se rapporte ; on trouvera le détail de ces articles en annexe.

[*Sur la haine des Anglais, et leurs pressions.*]

Les soldats anglais détestaient Jeanne et désiraient sa mort, à ce que je crois. Je crois qu'il y en avait plusieurs qui cherchaient à la faire mourir, pour qu'elle ne puisse plus leur nuire.

J'ai entendu dire que Jeanne a été prise près de Compiègne dans le diocèse de Beauvais ; elle a été amenée dans cette cité de Rouen, et enfermée au château de Rouen, où un procès a été mené contre elle par l'évêque de Beauvais et le vice-inquisiteur aux frais des Anglais, mais, si ce fut sous leur pression, je ne sais.

J'ai entendu dire que quelques-uns se sont attiré des reproches parce qu'ils n'avaient pas assez bien parlé selon la volonté des Anglais, mais je ne sache pas que quiconque ait été pour cela en péril, bien que j'aie entendu dire que maître Nicolas de Houppeville n'a pas donné son opinion.

[*Sur les contraintes exercées sur les notaires.*]

Je ne saurais déposer sur cet article, ni sur le suivant, car j'ai peu été au jugement.

[*Sur le manque d'avocat pour Jeanne.*]

Je ne sais rien.

[*Sur sa détention.*]

Je ne l'ai pas vue dans sa prison, mais je crois qu'elle fut gardée par des Anglais, car ce sont eux qui avaient la garde du château dans lequel elle avait été incarcérée.

Au cours d'un second interrogatoire, il ajoute pourtant :

... En cela, il m'a toujours semblé que l'on procédait mal, en la tenant entre les mains laïques au cours d'un procès sur matière de foi ; et surtout après la première sentence, quand elle fut condamnée aux prisons perpétuelles.

[*Sur l'attitude de Jeanne.*]

A mon jugement, Jeanne était prudente dans certaines de ses réponses.

[*Sur les provocations de Loiseleur.*]

Je ne sais rien.

[*Sur la dureté des interrogatoires.*]

Il est vraisemblable que cet article contient la vérité.

[*Sur l'examen de virginité.*]

Je crois qu'elle fut examinée pour savoir si elle était vierge ou non ; mais, en vérité, je n'oserais l'affirmer ; je sais cependant que, pendant le procès, on la tenait pour vierge.

[*Sur la foi de Jeanne.*]

Je ne sais rien.

[*Sur sa soumission à l'Église.*]

Je crois plutôt le contraire, car j'ai entendu dire parfois par Jeanne que sur certaines choses elle n'en croirait ni à son prélat ni au pape, ni à quiconque parce qu'elle tenait cela de Dieu. Et je crois que ce fut l'une des causes pour lesquelles il fut fait procès contre elle.

[*Sur la rédaction du procès.*]

Je ne sais rien.

[*Sur la sentence.*]

Je ne sais rien.

[*Sur la condamnation.*]

De ce qui fut fait je ne sais rien, ni si elle a été condamnée injustement, ni s'il y a eu quelque injustice faite dans le cours du procès.

[*Sur les circonstances du supplice.*]

Bien que j'aie assisté à la dernière prédication, je n'ai pas été présent à l'exécution, ému de compassion que j'étais; pour le reste, je ne sais rien, sinon que plusieurs des assistants, en particulier le cardinal de Luxembourg, alors évêque de Thérouanne, pleurèrent.

[*Sur les derniers moments de Jeanne.*]

Je ne sais rien de sa dévotion, mais elle semblait assez troublée, car elle disait : « *Rouen, Rouen, mourrai-je ci ?* »

[*Sur l'action des Anglais.*]

Je crois que quelques Anglais de peu d'importance agissaient par haine et par crainte, mais quant aux nobles hommes d'Église, je n'en crois rien. Certain chapelain du cardinal d'Angleterre, présent lors de la première prédication, dit à l'évêque de Beauvais qu'il favorisait trop Jeanne, et l'évêque répondit : « Vous mentez, car je ne voudrais favoriser quiconque dans une telle cause. » Et ce chapelain fut alors réprimandé par le cardinal d'Angleterre qui lui dit de se taire....

A ce qu'il me semble, sur l'ordre du cardinal d'Angleterre, après la mort de Jeanne, ses cendres furent réunies et jetées en Seine. Je ne sais rien d'autre.

NICOLAS CAVAL
(Chanoine de Rouen. — 60 ans.)

Ami personnel de Cauchon dont il fut l'exécuteur testamentaire. Prétend n'avoir entendu Jeanne qu'une

20. Jeanne d'Arc capturée et vendue aux Anglais. Miniature des "Vigiles de Charles VII". Elle fut prise devant Compiègne par Jean de Luxembourg, qui la revendit aux Anglais pour 10 000 livres.

21. Page d'un exemplaire du procès de condamnation contenant la réponse qui fournit le motif de condamnation de Jeanne d'Arc.

fois, alors qu'il a assisté comme assesseur à la plupart des audiences du procès de condamnation.

[*Sur la haine des Anglais.*]

Je crois que les Anglais n'avaient pas grande affection envers Jeanne.

[*Sur leurs pressions.*]

Je crois bien ce qui est contenu dans cet article.

[*Sur le début du procès.*]

Le bruit courant était que Jeanne était en prison dans le château de Rouen et qu'un procès pour cause de foi a été fait contre elle ; pour le reste, je ne sais que dire.

[*Sur le degré de liberté des juges.*]

Je ne sais pas.

[*Sur les contraintes exercées sur les notaires.*]

Là-dessus, je ne saurais déposer. Je crois que les notaires ont écrit fidèlement et en dehors de toute crainte.

[*Sur le manque d'avocat.*]

Je ne sais rien.

[*Sur la prison.*]

Jeanne était en prison dans le château de Rouen, pour le reste je ne sais rien.

[*Sur l'attitude de Jeanne.*]

Il me semble qu'elle était bien jeune ; quant à ses réponses, je l'ai entendue une fois seulement dans l'audience et elle parlait assez prudemment.

Au cours d'un second interrogatoire, il revient sur la question :

... J'ai vu Jeanne pendant le procès auquel j'ai participé pendant quelques jours ; je n'y ai cependant pas été mandé. Je l'ai vue une fois à l'audience ; elle répondait assez prudemment ; et elle avait très bonne mémoire, car, quand on lui demandait quelque chose, elle disait : « J'y ai déjà répondu et de telle façon », et elle faisait chercher par le notaire le jour auquel elle avait répondu ; et l'on trouvait tout comme elle le disait sans rien de plus ni de moins ; et l'on s'en émerveillait, étant donné son jeune âge.

[*Sur les provocations de Loiseleur.*]

Je ne sais rien, et n'ai rien entendu dire à ce sujet.

[*Sur les interrogatoires.*]

Je ne sais rien et m'en rapporte au procès.

[*Sur la sentence.*]

Je sais bien qu'elle a été brûlée ; si ce fut juste ou injuste, je m'en rapporte au procès.

[*Sur la condamnation.*]

Je ne sais rien.

[*Sur le supplice.*]

Je n'ai pas été présent à la condamnation, ni à l'exécution ; je n'ai pas vu la foule d'Anglais ; j'ai pourtant entendu dire par quelques-uns qu'elle clamait et invoquait le nom de Jésus à la fin de ses jours et qu'elle en a ému plusieurs jusqu'aux larmes.

[*Sur la haine des Anglais.*]

Je crois bien que les Anglais la craignaient avant de s'en emparer, mais si c'est pour les causes contenues dans l'article qu'ils ont fait un procès contre elle, je l'ignore.

[*Sur la renommée publique.*]

J'ai déposé plus haut tout ce que je sais.

JEAN BEAUPÈRE
(Chanoine de Rouen,
maître en théologie. — 70 ans.)

« Professeur insigne » de l'Université de Paris, il a été
délégué par elle pour la représenter au procès de
Jeanne, en même temps que Nicolas Midy, Pierre
Maurice, Gérard Feuillet, Jacques de Touraine et
Thomas de Courcelles, que nous retrouverons plus
loin. Ami personnel de Cauchon, il a comme lui fait
carrière sous l'égide de Bedford et s'est fait attribuer
de nombreux canonicats qui représentent autant de
fructueuses prébendes : à Rouen, à Besançon, à Sens,
à Paris, à Beauvais, à Laon, à Autun, à Lisieux, partout il exerce des charges qui lui rapportent des
bénéfices, bien que, manchot de la main droite, il
n'en puisse exercer les devoirs. Il a été l'un des pères
les plus influents et les plus écoutés au concile de
Bâle, le soutien de l'antipape Félix V, et, auprès de lui,
le représentant de l'Université de Paris.
Il a été chargé à plusieurs reprises de l'interrogatoire
au procès de condamnation, et visiblement il garde
rancune à Jeanne de ses fières réponses.
La déposition que nous donnons provient de l'enquête
royale de 1450 ; son texte nous a été transmis en
français.

... Au regard des apparitions dont il est fait mention
au procès de Jeanne, j'ai eu et j'ai plus grande conjecture
que ses apparitions étaient plus de cause naturelle et intention humaine que de cause surnaturelle ; toutefois de ce
principalement je me rapporte au procès.

Avant qu'elle fût menée à Saint-Ouen pour être prêchée,
au matin, j'entrai seul en la prison de Jeanne par permission, et l'avertis qu'elle serait tantôt menée à l'échafaud
pour être prêchée en lui disant que, si elle était bonne chrétienne, elle dirait sur l'échafaud que, tous ses faits et dits,
elle les mettait en l'ordonnance de notre mère la sainte

Église, et spécialement des juges ecclésiastiques. Elle répondit qu'ainsi ferait-elle. Et ainsi dit-elle sur l'échafaud, sur ce requise par maître Nicolas Midy. Et ce vu et considéré pour cette fois, elle fut renvoyée après son abjuration, bien que certains Anglais aient reproché à l'évêque de Beauvais et à ceux de Paris qu'ils favorisaient les erreurs de Jeanne.

Après cette abjuration et qu'elle eut son habit de femme, qu'elle reçut en la prison, le vendredi ou samedi après, il fut rapporté aux juges que Jeanne se repentait quelque peu d'avoir laissé l'habit d'homme et pris l'habit de femme. Et pour cela, monseigneur de Beauvais, juge, m'envoya, avec maître Nicolas Midy, en espérance de parler à Jeanne pour l'induire et admonester qu'elle persévérât et continuât le bon propos qu'elle avait eu en l'échafaud, et qu'elle prît garde qu'elle ne rechût. Mais nous ne pûmes trouver celui qui avait la clef de la prison et, tandis que nous attendions le garde de cette prison, il nous fut par certains Anglais, étant en la cour du château, dit paroles comminatoires, comme me le rapporta Midy ; c'est à savoir que qui nous jetterait tous deux dans la rivière, il serait bien employé. C'est pourquoi, ces paroles ouïes, nous nous en retournâmes, et sur le pont du château, Midy, comme il me le rapporta, ouït semblables paroles ou à peu près, par d'autres Anglais prononcées. Par quoi fûmes épouvantés et nous en vînmes sans parler à Jeanne.

Quant à l'innocence de Jeanne, elle était bien subtile de subtilité appartenante à femme, comme il me semblait ; et je n'ai point su, par aucune parole d'elle, qu'elle fût corrompue de corps.

Au regard de sa pénitence finale, je n'en saurais que dire ; car le lundi d'après l'abjuration, je partis de Rouen pour aller à Bâle, de par l'Université de Paris ; et elle fut condamnée le mercredi ensuivant ; par quoi je ne sus aucune nouvelle de sa condamnation, jusqu'à ce que j'en ouïs dire à Lille en Flandre.

JEAN DE MAILLY
(Évêque de Noyon. — 70 ans.)

Ex-conseiller du roi d'Angleterre ; il a assisté à la cérémonie du sacre de Henry VI à Paris, avec Louis de Luxembourg et Cauchon. Rallié au gouvernement de Charles VII dès l'entrée de celui-ci à Paris.

Il a pris une part active au procès, et, en homme prudent, a souscrit les lettres de sauvegarde que les principaux juges se sont fait octroyer le 12 juin 1431 (une quinzaine de jours après la mort de Jeanne) par le roi d'Angleterre. Mais aujourd'hui, comme pour Nicolas Caval, la mémoire lui fait étonnamment défaut.

... Je me souviens bien que, le jour avant la prédication faite à Saint-Ouen, j'ai été présent à une exhortation faite à Jeanne, mais je ne me souviens pas de ce qui fut fait et dit....

... Je ne me souviens pas des paroles prononcées par le prédicateur le jour de l'abjuration, cependant je me souviens bien que Jeanne dit ce jour-là ou le précédent que, s'il y avait quelque chose de mal dans ses dits ou ses faits, soit bien ou mal dit ou fait, cela ne venait que d'elle, et que son roi ne lui avait rien fait faire. Après ce sermon, j'ai vu qu'on ordonnait à Jeanne de dire ou de faire quelque chose, je crois que c'était l'abjuration ; on disait à Jeanne : « Jeanne, faites ce que l'on vous conseille ; voulez-vous vous faire mourir ? » Et, poussée par ces paroles vraisemblablement, elle fit son abjuration. Après cette abjuration, beaucoup disaient que ce n'était que farce, et qu'elle ne faisait qu'en rire. Entre autres un Anglais, docteur et prélat, qui était de la suite du cardinal d'Angleterre, dit à l'évêque de Beauvais qu'il procédait avec trop de partialité en cette affaire et qu'il se montrait favorable à Jeanne ; l'évêque de Beauvais lui répondit qu'il mentait, et alors le cardinal d'Angleterre dit au docteur de se taire. Par la suite, beaucoup des assistants disaient qu'ils ne se souciaient pas beaucoup de cette abjuration et que ce n'était que farce, et, à ce qu'il me semble, Jeanne elle-même ne se souciait guère de cette abjuration et n'en tenait pas compte, et, ce qu'elle fit dans cette abjuration, elle le fit poussée par les prières de ceux qui étaient là.

On interroge le témoin sur des lettres de garantie que le roi d'Angleterre donna à l'évêque de Beauvais et aux autres qui s'étaient entremis dans ce procès. De ces lettres, il ressort que l'évêque de Noyon avait été inclus dans la sauvegarde donnée.

Je crois bien qu'il y en eut mais je ne me souviens pas très bien ; je sais cependant que ce n'est pas à ses frais que l'évêque de Beauvais faisait ce procès, mais aux frais du roi d'Angleterre et que les dépenses qui y étaient faites l'étaient au compte des Anglais.

THOMAS DE COURCELLES
(Chanoine de Paris,
maître en théologie. — 56 ans.)

Universitaire modèle, excellent latiniste et parfait exemple de « tête bien faite ». Il a été, avec Nicolas Loiseleur, l'un des rares assesseurs qui aient émis un vote favorable à la torture lors du procès de condamnation. Chargé, d'ailleurs longtemps après l'exécution de Jeanne, de mettre en forme le procès et de le traduire en latin, il en a profité pour effacer son nom des votes compromettants, ce qui lui permet à présent d'affirmer, avec une imperturbable assurance, « qu'il n'a jamais délibéré au sujet d'un châtiment quelconque à infliger à Jeanne ».

Lui aussi a été l'une des lumières du concile de Bâle, où, au côté de Jean Beaupère, il a constamment mené la lutte contre le pouvoir pontifical ; il a pris une part active à l'élection de l'antipape Félix V, qui l'a récompensé en le nommant cardinal. Honneur éphémère, mais cet homme de sang-froid n'en a pas moins trouvé le moyen de se maintenir constamment en place. C'est lui qui sera chargé, en 1461, de prononcer, à Notre-Dame, l'oraison funèbre de Charles VII.

Sa déposition est une manière de chef-d'œuvre. Voyez en particulier comment il argumente quand on lui demande si Jeanne était par lui jugée hérétique, et sur l'examen de virginité.

.... Je crois que l'évêque (Cauchon) a accepté la charge de conduire le procès contre Jeanne en matière de foi parce qu'il était conseiller du roi d'Angleterre et parce qu'il était l'évêque de Beauvais et que Jeanne avait été prise et appréhendée sur son territoire. J'ai entendu dire qu'on avait remis un don à l'inquisiteur par l'intermédiaire d'un nommé Soreau [1], receveur, pour sa participation au procès ; mais quant à l'évêque, je ne sais pas s'il a reçu quelque chose. Au moment où Jeanne fut amenée à Rouen, je fus mandé (j'étais alors à Paris) par l'évêque de Beauvais, d'aller à Rouen pour ce procès ; j'y allai en compagnie des maîtres Nicolas Midy, Jacques de Touraine, Jean de Rouel et d'autres dont je ne me souviens plus, aux frais de ceux qui nous conduisaient, parmi lesquels était un certain Jean de Rivel (secrétaire du roi d'Angleterre). Je ne sais pas s'il y eut des informations préparatoires faites à Rouen ou au lieu d'origine de Jeanne ; je ne les ai pas vues ; au début du procès, et lorsque j'y ai été mêlé, il était seulement question que l'on disait qu'elle avait eu des voix et qu'elle assurait qu'elles étaient de Dieu.

On montre alors à Thomas de Courcelles le texte du procès, en lui faisant remarquer que certaines informations ont été lues en sa présence.

Je ne me souviens pas d'en avoir jamais entendu lire. Maître Jean Lohier vint ici à Rouen, et il fut ordonné de

---

1. Pierre Surreau, receveur général en Normandie.

lui communiquer le procès ; et après l'avoir lu, il me dit qu'il lui semblait qu'on ne devait pas procéder contre Jeanne en matière de foi sans informations préalables sur sa réputation, et qu'en droit une telle information était requise. Je me souviens bien que, dans ma première délibération, je n'ai jamais délibéré que Jeanne était hérétique, si ce n'est sous condition, au cas où elle s'obstinerait à soutenir qu'elle ne devait pas se soumettre à l'Église. Dans la dernière, autant que j'en puisse attester en conscience devant Dieu, il me semble que j'ai dit qu'elle était comme auparavant, et que si auparavant elle était hérétique, elle l'était encore, et je n'ai jamais dit positivement qu'elle était hérétique. Dans la première délibération, il y eut grande discussion et difficulté entre les opinants pour savoir si Jeanne devait être réputée hérétique. Je n'ai jamais délibéré au sujet d'un châtiment quelconque à infliger à Jeanne.

[Sur le manque d'avocat.]

Je ne me souviens de rien.

[Sur la prison.]

Jeanne était dans la prison du château sous la garde d'un nommé Jean Grilz et de ses serviteurs, et elle avait les fers aux pieds ; mais je ne sais pas si elle les avait toujours. Beaucoup des assesseurs étaient d'avis et auraient bien voulu que Jeanne fût remise aux mains de l'Église et dans des prisons ecclésiastiques, mais je ne me souviens pas qu'il en ait été question dans les délibérations.

Je n'ai jamais entendu délibérer que Jeanne devait être examinée pour savoir si elle était vierge ou non, bien qu'il me paraisse vraisemblable, par ce que j'ai entendu dire par l'évêque de Beauvais, qu'on l'avait trouvée vierge. Je crois que, si elle n'avait pas été trouvée vierge mais corrompue, on ne l'aurait pas tu au procès.

[*Sur les interrogatoires.*]

On posait de nombreuses questions à Jeanne, mais je ne me souviens pas lesquelles, si ce n'est qu'on lui demanda une fois si ceux de son parti lui baisaient les mains ; je ne me souviens pas que Jeanne se soit plainte des interrogatoires qu'on lui faisait.

Je me souviens bien qu'une fois il a été ordonné, après plusieurs interrogatoires faits à Jeanne, qu'à l'avenir les interrogatoires auraient lieu devant un petit nombre de gens ; mais qui le décida ou dans quelle intention, je n'en sais rien. Il me semble pourtant que maître Jean de la Fontaine était l'un de ceux qui étaient désignés pour l'interroger.

[*Sur la soumission de Jeanne à l'Église.*]

Je n'en sais rien.

Plusieurs fois Jeanne fut interrogée sur le fait de la soumission, et on lui demanda si elle voulait soumettre ses faits et ses dits à la détermination de l'Église ; à quoi elle fit plusieurs réponses qui sont contenues au procès auquel je m'en rapporte ; je n'en saurais rien dire d'autre.

[*Sur la sentence et les articles de la condamnation.*]

Je n'en sais rien.

Certains articles, au nombre de douze, furent rédigés et extraits des aveux et réponses de Jeanne. Ils furent faits, autant que j'en puisse vraisemblablement conjecturer, par le défunt maître Nicolas Midy ; c'est sur les douze articles ainsi extraits que toutes les délibérations et opinions furent faites et données. Mais je ne sais pas s'il fut délibéré qu'on les corrigerait, et s'ils furent corrigés.

Je sais seulement que j'ai entendu plusieurs fois de maître Nicolas Loiseleur [1] qu'il avait parlé avec Jeanne à plusieurs reprises sous un habit d'emprunt, mais je ne

1. Il était mort subitement à Bâle, en 1442.

sais pas ce qu'il lui disait ; en ce qui me concerne, il me dit qu'il était allé voir Jeanne et qu'il lui avait dit qu'il était prêtre. Je crois même qu'il entendit Jeanne en confession.

[*Sur les circonstances de la relapse et du supplice.*]

Peu avant la première prédication faite à Saint-Ouen, maître Jean de Châtillon, en ma présence, fit quelques exhortations à Jeanne ; et j'ai, de même, entendu dire par maître Pierre Maurice qu'il avait fraternellement exhorté Jeanne à se soumettre à l'Église. Je ne me souviens de rien d'autre.

... Après la première prédication, le bruit courut que Jeanne avait repris l'habit d'homme ; à cause de cela, l'évêque de Beauvais alla à la prison de Jeanne, et j'étais en sa compagnie. Il l'interrogea, lui demandant pourquoi elle avait repris l'habit d'homme ; elle lui répondit qu'elle l'avait repris, parce qu'il lui semblait plus convenable de porter l'habit d'homme avec des hommes, qu'un habit de femme.

J'ai été présent à la dernière prédication faite au Vieux-Marché, le jour où Jeanne mourut, mais je n'ai pas vu brûler Jeanne, car, aussitôt faite la prédication et portée la sentence, je me retirai. Avant cette prédication et sentence, elle avait reçu le sacrement de l'Eucharistie, à ce que je crois, car je n'étais pas présent quand elle le reçut. Et je ne sais rien d'autre.

> Le plus extraordinaire, pour nous, c'est encore de voir ces anciens juges, les complices ou tout au moins les instruments de Cauchon, s'en retourner tranquillement chez eux après leur déposition.
> Un moine italien, Philippe de Bergame, qui écrivit, à l'extrême fin du xvᵉ siècle, l'histoire de Jeanne et de sa réhabilitation, raconte que des poursuites furent entreprises contre ceux des juges qui survivaient, et que Louis XI (à qui il attribue le mérite de la réhabilitation) fit déterrer les restes de ceux qui étaient morts

pour les faire jeter au fumier. C'est pure invention, mais cela correspond mieux que la réalité aux réactions que nous attendrions.

Pourtant il ne faudrait pas trop se hâter d'attribuer cette absence de réactions, comme on l'a fait parfois, à une certaine indifférence. Charles VII avait proclamé une amnistie générale ; qu'il ait entièrement tenu parole, cela contribua sans doute pour beaucoup à la rapide pacification du pays ; il faut le dire à son honneur, aucune mesure de vengeance n'est venue faire tache sur sa victoire ; sa politique a été toute « de modération, de clémence et de ralliement ». D'ailleurs, le délit d'opinion et la raison d'État n'avaient pas, à l'époque, l'importance qu'on leur a attribuée depuis.

CHAPITRE X

LES ÂMES DROITES

FACE à cette peu reluisante galerie des juges, il est reposant de voir quelques silhouettes sympathiques. Elles sont malheureusement rares. Certes, dans l'ensemble, le chapitre de Rouen s'était montré réticent lors du procès de condamnation ; Cauchon aurait voulu lui faire approuver l'ensemble du procès, mais il y eut plusieurs essais de réunion infructueux : les chanoines se dérobaient. Enfin, une délibération eut lieu, le 14 avril 1431, et il en sortit une fin de non-recevoir : le chapitre se déclarait incompétent à juger tant que la question n'aurait pas été revue par l'Université de Paris et que Jeanne elle-même n'aurait pas reçu les explications et les conseils qui lui avaient fait défaut. Il en fut de cette délibération comme de toutes les autres pièces compromettantes : Cauchon omit de la faire transcrire au texte officiel du procès.

Nous connaissons, par la déposition de frère Isambart, que nous verrons plus loin, l'attitude courageuse de l'évêque d'Avranches, Jean de Saint-Avit ; l'année suivante, en 1432, ce prélat devait d'ailleurs être emprisonné, malgré son grand âge, comme coupable d'avoir voulu livrer Rouen à Charles VII.

De son côté, Guillaume Manchon, lors de sa première déposition faite durant l'enquête royale de 1450, avait mentionné l'attitude et les réponses d'un autre « résistant », Jean Lohier.

JEAN LOHIER
(Vu par Guillaume Manchon.)

Quand le procès fut commencé, maître Jean Lohier, solennel clerc normand, vint en cette ville de Rouen, et lui fut communiqué par l'évêque de Beauvais ce qui en était écrit. Lohier demanda délai de deux ou trois jours pour le voir. Il lui fut répondu qu'il devait sur-le-champ donner son opinion, et à ce fut contraint. Et maître Jean Lohier, quand il eut vu le procès, dit qu'il ne valait rien pour plusieurs causes :

Pour ce qu'il n'y avait point forme de procès ordinaire ;

— Il était traité en lieu clos et fermé où les assistants n'étaient pas en pleine et pure liberté de dire leur pure et pleine volonté ;

— On traitait en cette matière l'honneur du roi de France, dont elle tenait le parti, sans l'appeler, ni aucun qui fût de par lui ;

— Libelle ni articles n'avaient été remis, et cette femme qui était une simple fille n'avait aucun conseil pour répondre à tant de maîtres et docteurs, et en grande matière, spécialement celles qui touchent ses révélations, comme elle disait ;

— Et pour ce, lui semblait que le procès n'était valable.

Monseigneur de Beauvais fut fort indigné contre Lohier, et bien que monseigneur de Beauvais lui dît qu'il demeurât pour voir mener ledit procès, Lohier répondit qu'il ne demeurerait pas. Et incontinent monseigneur de Beauvais, alors logé en la maison où demeure à présent maître Jean Bidault, près de Saint-Nicolas-le-Paincteur, vint aux maîtres ; c'est à savoir maître Jean Beaupère, maîtres Jacques de Touraine, Nicolas Midy, Pierre Maurice, Thomas de Courcelles et Loiseleur, auxquels il dit : « Voilà Lohier qui nous veut bailler belles interlocutoires en notre procès ! Il veut tout calomnier, et dit qu'il ne vaut rien. Qui le voudrait croire, il faudrait tout recommencer et tout ce que nous avons fait ne vaudrait rien » ; en rapportant les causes pour lesquelles Lohier le voulait faire annuler, et disant : « On voit bien de quel pied il cloche. Par saint Jean ! Nous n'en ferons rien, et continuerons notre procès comme il est commencé. » C'était alors le samedi de relevée, en carême ; le lendemain matin, je parlai à Lohier en l'église Notre-Dame de Rouen et lui demandai ce qu'il lui semblait du procès de Jeanne ; il répondit : « Vous voyez la manière dont ils procèdent ; ils la prendront s'ils le peuvent par ses paroles, c'est à savoir dans les assertions où elle dit : « *Je sais de certain* » ce qui touche les apparitions ; mais si elle disait : « *Il me semble* », au lieu de : « *Je sais de certain* », il m'est avis qu'il n'est homme qui la pût condamner. Il semble qu'ils procèdent plus par haine qu'autrement ; et pour cette cause, je ne me tiendrai plus ici, car je n'y veux plus être. » Et de fait, il a toujours demeuré depuis en cour de Rome et il y est mort doyen de la Rote [1].

Enfin, on devait voir comparaître au procès l'une de ces « âmes droites », qui avaient eu le courage de tenir tête aux menaces.

NICOLAS DE HOUPPEVILLE
(Bachelier en théologie. — 60 ans.)

Les autres témoins ont été unanimes à attester sa fière attitude et les dangers qu'il a courus.

[*Sur les pressions anglaises.*]

Je crois que cet article est vrai ; et je n'ai jamais estimé que ce soit par zèle de la foi ou pour la ramener dans la bonne voie que les Anglais ont fait cela. C'était ce que chacun disait dans toute la ville.

Je sais bien que Jeanne a été amenée en cette cité de Rouen par les Anglais, et qu'elle a été mise en prison au château de Rouen ; le procès a été fait aux frais des Anglais, à ce que je crois ; quant à la crainte et aux pressions, je n'en crois rien en ce qui concerne les juges ; je pense qu'au

---

1. Tribunal où se jugent les appels en cour de Rome.

contraire ils l'ont fait volontairement, et surtout l'évêque de Beauvais, que j'ai vu revenir après être allé la chercher, et rendant compte de sa légation au roi et au seigneur de Warwick, disant avec joie et en exultant des mots que je n'ai pas compris ; puis il a parlé ensuite en secret au seigneur de Warwick ; ce qu'il lui a dit, je n'en sais rien.

[*Sur les menaces faites aux juges.*]

A mon sens, les juges et les assesseurs agissaient pour la plus grande partie volontairement ; quant aux autres, je crois que la plupart agissaient par crainte ; surtout parce que j'ai entendu dire par maître Pierre Minier, qu'il avait donné son opinion par écrit, laquelle avait déplu à l'évêque de Beauvais, et qu'elle avait été repoussée en lui disant qu'il ne s'en aille pas mêler dans l'avis qu'il donnait le droit avec la théologie, et qu'il laisse le droit aux juristes. En outre, j'ai entendu dire que des menaces ont été portées par le comte de Warwick au frère Isambart de la Pierre, de l'ordre des frères prêcheurs, qui a été au procès, disant qu'il le ferait noyer s'il ne se taisait, parce qu'il conseillait Jeanne et guidait les paroles qu'elle répétait ensuite aux notaires ; je crois que c'est de la bouche de frère Jean Lemaître, alors sous-inquisiteur, que j'ai entendu dire cela.

Moi-même j'ai été appelé un jour, au début du procès, et ne suis pas venu parce que j'en ai été empêché pour autre cause ; lorsque je suis venu un second jour, je n'ai pas été reçu, j'ai même été mis à la porte par le seigneur évêque de Beauvais ; cela parce que j'avais dit auparavant, lorsque j'en conférais avec maître Michel (*sic*) Colles, qu'il y avait danger à intenter ce procès pour plusieurs causes ; cette parole fut rapportée à l'évêque ; c'est pourquoi l'évêque me fit mettre dans les prisons royales, à Rouen, dont j'ai été délivré à la prière du seigneur alors abbé de Fécamp. J'ai entendu dire que, par conseil de certaines gens que l'évêque avait convoqués pour cela, il fut délibéré de m'envoyer en exil en Angleterre ou ailleurs, hors de la cité de Rouen, ce qui aurait été fait sans l'intervention de l'abbé et de quelques-uns de mes amis. Je sais d'autre part, avec certitude, que ce sous-inquisiteur était dans une grande crainte, et je l'ai plusieurs fois vu perplexe pendant le procès.

[*Sur les interrogatoires.*]

Je n'ai pas été au procès, mais j'ai entendu dire par maître Jean Lemaître que Jeanne s'est plainte une fois des questions difficiles qu'on lui posait et qu'on la harcelait par trop en lui posant des questions sur des choses qui ne regardaient pas le procès.

[*Sur les menaces faites aux notaires.*]

J'ai entendu dire — ce sont des bruits qui couraient — que l'on empêchait les notaires d'écrire certaines de ses paroles. Cet article est vrai : c'est ce que l'on disait dans la cité de Rouen.

[*Sur la prison.*]

Je sais que Jeanne était dans les prisons du château, et qu'elle était gardée seulement par des Anglais ; pour le reste, telle était la rumeur publique.

[*Sur Jeanne.*]

Je crois que Jeanne avait l'âge indiqué dans cet article et que tout ce qu'on y dit était vrai ; et que la constance que montra Jeanne faisait dire à plusieurs qu'elle avait eu un secours spirituel.

Le bruit courait dans cette cité de Rouen que certains, feignant d'être des soldats du parti du roi de France, avaient été secrètement introduits avec elle, et la persuadaient de ne pas se soumettre au jugement de l'Église ; le bruit courait que c'est à cause de ces persuasions que Jeanne, par la suite, varia dans sa soumission à l'Église....

A mon sens, selon le sentiment que j'en ai eu alors et que j'en ai encore, on doit appeler tout cela persécutions volontaires et passionnées plutôt que jugement....

J'ai vu Jeanne tout en pleurs sortant du château pour être conduite au lieu du supplice et de la dernière prédication, au milieu de cent vingt hommes ou environ, dont les uns portaient des masses d'armes et les autres des glaives ; alors, ému de compassion, je n'ai pas voulu aller jusqu'au lieu du supplice.

[*Sur les circonstances de l'exécution.*]

C'est vrai, à en croire la renommée et rumeur publique dans cette cité de Rouen ; mais je n'en ai rien entendu, car je n'ai pas assisté à l'exécution.

[*Sur la haine des Anglais.*]

Je crois que cet article contient la vérité ; et c'est ce qu'on disait dans cette cité de Rouen, à savoir que les Anglais agissaient par haine et par crainte et aussi pour déshonorer le roi de France.

[*Sur la renommée publique.*]

C'est la vérité et il n'y eut même là-dessus aucune voix discordante.

Au cours d'une autre déposition, il précise ainsi les dangers qu'il a courus.

... Vers le début de ce procès, j'ai pris part à certaines délibérations, dans lesquelles j'ai été d'avis que ni l'évêque, ni ceux qui voulaient prendre la charge de juges ne pouvaient être juges ; et cela ne me semblait pas une bonne manière de procéder, que ceux qui étaient du parti contraire fussent juges, attendu qu'elle avait déjà été examinée par le clergé de Poitiers et par l'archevêque de Reims, qui était métropolitain de l'évêque de Beauvais lui-même. A cause de cette délibération, j'ai soulevé une grande indignation de la part de l'évêque, au point qu'il m'a fait citer devant lui. J'ai donc comparu devant lui, lui assurant que je ne lui étais pas soumis et que ce n'était pas lui qui était mon juge, mais l'official de Rouen ; et ainsi je me suis retiré. Finalement cependant, alors que je voulais comparaître pour cette cause devant l'official de Rouen, j'ai été pris et conduit au château, et de là aux prisons du roi ; et comme je demandais pour quelle cause j'étais détenu, on me dit que c'était à la requête de l'évêque de Beauvais....

LES TÉMOINS DES DERNIERS MOMENTS

Nous terminons sur la déposition des deux frères prêcheurs qui ont assisté Jeanne sur l'échafaud. Ils ont comparu à plusieurs reprises devant les commissaires de la réhabilitation, et nous les avons déjà largement cités. Mais ici il s'agit de leur toute première déposition, celle qu'ils firent devant Guillaume Bouillé, chargé de conduire l'enquête royale de 1450. Comme cette enquête ne comportait pas de questionnaire, et que les témoins étaient seulement invités à raconter leurs souvenirs, le ton en est plus personnel ; d'autre part, elle nous est parvenue en français, ce qui rend le témoignage plus direct. Il n'était donc pas sans intérêt de la mettre sous les yeux des lecteurs.

Martin Ladvenu

... Plusieurs se sont comparus au jugement plus par l'amour des Anglais et la faveur qu'ils avaient envers eux que pour le bon zèle de justice et de foi catholique. Principalement je le dis du courage (zèle) et de l'affection excessive de messire Pierre Cauchon, alors évêque de Beauvais, alléguant sur lui deux signes d'envie (partialité). Le premier : quand l'évêque se portait pour juge, il commanda que Jeanne soit gardée en prison séculière et entre les mains de ses ennemis mortels ; quoiqu'il eût bien pu la faire détenir et garder en prison ecclésiastique, toutefois a-t-il permis depuis le commencement du procès jusqu'à la consommation qu'elle soit tourmentée et traitée cruellement en prison séculière. En outre, en la première session ou instance, l'évêque allégué requit et demanda le conseil de toute l'assistance pour savoir lequel était le plus convenable, de la garder et détenir en prison séculière ou aux prisons de l'Église ; sur quoi il fut délibéré qu'il était plus décent de la garder aux prisons ecclésiastiques qu'aux autres ; or répondit cet évêque qu'il ne ferait pas cela, de peur de déplaire aux Anglais. Le second signe est que le jour où l'évêque, avec plusieurs, la déclara hérétique, récidivée et retournée à son méfait pour ce qu'elle avait dedans la prison repris l'habit d'homme, sortant de la prison il avisa le comte de Warwick et grande multitude d'Anglais autour de lui, auxquels en riant dit à haute voix intelligible : « *Farewell, farewell,* c'est fait, faites bonne chère », ou paroles semblables.

On lui proposait et demandait questions trop difficiles, pour la prendre à ses paroles et à son jugement ; car c'était une pauvre femme assez simple qui à grand peine savait *Pater Noster* et *Ave Maria.*

La simple Pucelle me révéla qu'après son abjuration et renonciation on l'avait tourmentée violemment en la prison, molestée, battue et maltraitée ; et qu'un mylord d'Angleterre l'avait forcée ; elle disait publiquement que c'était la cause pour laquelle elle avait repris l'habit d'homme ; et environ la fin dit à l'évêque de Beauvais : « Hélas ! je meurs par vous, car si m'eussiez donnée à garder dans les prisons de l'Église, je ne fusse pas ici. »

Quand elle fut dernièrement prêchée au Vieux-Marché, et abandonnée à justice séculière, combien que les juges séculiers fussent assis sur un échafaud, toutefois elle ne fut nullement condamnée par aucun de ces juges, mais sans condamnation par deux sergents fut contrainte de descendre de son échafaud et menée par les sergents jusqu'au lieu où elle devait être brûlée, et par eux livrée entre les mains des bourreaux. Et en signe de ce (en comparaison avec cela), peu de temps après, un appelé Georges Folenfant fut appréhendé à cause de la foi et en crime d'hérésie, qui fut semblablement délaissé à justice séculière. A cette cause les juges de la foi, c'est à savoir messire Louis de Luxembourg, archevêque de Rouen, et frère Guillaume Duval, vicaire de l'inquisiteur de la foi, m'envoyèrent au bailli de Rouen pour l'avertir qu'il ne serait pas fait dudit Georges comme il avait été fait de la Pucelle, qui sans sentence finale et jugement définitif fut au feu consommée.

Le bourreau, après la combustion, environ à quatre heures après none, disait que jamais n'avait tant craint à faire l'exécution d'aucun criminel qu'il avait eu pour la combustion de la Pucelle pour plusieurs causes :

— Premièrement pour le grand bruit et renom de celle-ci ;

— Secondement pour la cruelle manière de la lier et afficher, car les Anglais firent faire un haut échafaud de plâtre et, ainsi que le rapportait l'exécuteur, il ne la pouvait bonnement ni facilement expédier ni atteindre à elle, de quoi il était fort marri, et avait grande compassion de la forme et cruelle manière dont on la faisait mourir.

Quant à sa grande et admirable contrition, repentance et continuelle confession, elle appela toujours le nom de Jésus, et invoqua dévotement l'aide des saints et saintes de paradis, ainsi comme frère Isambart qui toujours l'avait convoyée à son trépas et adressée en la voie du salut, a ci-devant déposé.

ISAMBART DE LA PIERRE

... Une fois, moi et plusieurs autres, admonestions et sollicitions Jeanne de se soumettre à l'Église. Sur quoi elle répondit que volontiers se soumettait au Saint-Père, requérant être menée à lui, et point ne se soumettrait au jugement de ses ennemis. Et à cette heure-là je lui conseillai de se soumettre au concile de Bâle, et Jeanne me demanda ce que c'était que général concile. Je répondis que c'était congrégation de toute l'Église universelle et la Chrétienté, et qu'en ce concile y en avait autant de sa part que de la part des Anglais. Cela ouï et entendu, elle commença à crier : « Oh ! puisqu'en ce lieu sont quelques-uns de notre parti, je veux bien me rendre et soumettre à votre concile de Bâle. » Et tout incontinent, par grand dépit et indignation, l'évêque de Beauvais commença à crier : « Taisez-vous par le diable ! » et dit au notaire qu'il se gardât bien d'écrire la soumission qu'elle avait faite au général concile de Bâle. A raison de ces choses et plusieurs autres, les Anglais et leurs officiers me menacèrent horriblement, tellement que si je ne me taisais me jetteraient en Seine.

Après qu'elle eut renoncé et abjuré, et repris habit d'homme, moi et plusieurs autres fûmes présents, quand Jeanne s'excusait de ce qu'elle avait revêtu habit d'homme, en disant et affirmant publiquement que les Anglais lui avaient fait faire beaucoup de tort et de violence en la prison quand elle était revêtue d'habit de femme. Et de fait, je la vis éplorée, son visage plein de larmes, défigurée et outragée de telle sorte que j'en eus pitié et compassion.

Devant toute l'assistance, lorsqu'on la réputait hérétique, obstinée et recheue (relapse), elle répondit publiquement : « Si vous, messeigneurs de l'Église, m'eussiez menée et gardée en vos prisons, par aventure ne me fût-il pas ainsi. »

Après l'issue et la fin de cette session et instance, le seigneur évêque de Beauvais dit aux Anglais qui dehors attendaient : « *Farewell*, faites bonne chère ; c'est fait. »

On demandait et proposait à la pauvre Jeanne interrogatoires trop difficiles, subtils et cauteleux, tellement que les grands clercs et gens bien lettrés qui étaient là présents à grand peine y eussent su donner réponse ; par quoi plusieurs de l'assistance en murmuraient.

Moi-même en personne je fus par devers l'évêque d'Avranches [1], fort ancien bon clerc, qui comme les autres avait été requis et prié sur ce cas de donner son opinion. Pour ce, l'évêque m'interrogea, demandant ce que disait et déterminait monseigneur saint Thomas touchant la soumission que l'on doit faire à l'Église. Je donnai par écrit à cet évêque la détermination de saint Thomas, lequel dit : « En choses douteuses qui regardent la foi, on doit toujours recourir au pape ou au général concile. » Le bon évêque fut de cette opinion et sembla être tout mal content de la délibération qu'on avait faite par deçà de cela. Cette détermination n'a pas été mise par écrit, ce qu'on a laissé par malice.

Après sa confession et perception du sacrement de l'autel, on donna la sentence contre elle, et fut déclarée hérétique et excommuniée.

J'ai bien vu et clairement aperçu, car j'ai toujours été présent, assistant à toute la déduction et conclusion du procès, que le juge séculier ne l'a point condamnée à mort ou à consomption de feu ; et, bien que le juge laïque et séculier se soit comparu et trouvé au lieu même où elle fut prêchée dernièrement et délaissée à justice séculière, toutefois sans jugement ou conclusion de ce juge elle a été livrée entre les mains du bourreau et brûlée, en disant au bourreau tant seulement, sans autre sentence : « Fais ton devoir. »

Jeanne eut en la fin si grande contrition et si belle repentance que c'était une chose admirable, disant paroles si dévotes, pieuses et catholiques que tous ceux qui la regardaient, en grande multitude, pleuraient à chaudes larmes,

1. Jean de Saint-Avit, qui en 1432 devait être emprisonné à Rouen, soupçonné d'avoir voulu livrer la ville aux Français.

tellement que le cardinal d'Angleterre (l'évêque de Winchester) et plusieurs autres Anglais furent contraints pleurer et en avoir compassion.

La pieuse femme me demanda, requit et supplia, comme j'étais près d'elle en sa fin, que j'aille en l'église prochaine et lui apporte la croix pour la tenir élevée, droit devant ses yeux jusques au pas de la mort, afin que la croix où Dieu pendit fût en sa vie continuellement devant sa vue. Et de plus, étant dedans la flamme, jamais elle ne cessa jusqu'en la fin de clamer et confesser à haute voix le saint nom de Jésus, en implorant et invoquant sans cesse l'aide des saints et saintes du paradis ; et encore, qui plus est, en rendant son esprit et inclinant la tête, proféra le nom de Jésus en signe qu'elle était fervente en la foi de Dieu, ainsi que nous le lisons de saint Ignace et plusieurs autres martyrs.

Incontinent après l'exécution, le bourreau vint à moi et à mon compagnon frère Martin Ladvenu, frappé et ému d'une merveilleuse repentance et terrible contrition, comme tout désespéré, craignant de ne savoir jamais impétrer pardon et indulgence envers Dieu de ce qu'il avait fait à cette sainte femme. Et disait et affirmait ce bourreau que nonobstant l'huile, le soufre et le charbon qu'il avait appliqués contre les entrailles et le cœur de Jeanne, toutefois il n'avait pu aucunement consumer ni mettre en cendres les entrailles ni le cœur, de quoi était autant étonné comme d'un miracle tout évident.

CHAPITRE XI

LE DERNIER ACTE

Les auditions de témoins s'étaient terminées à Rouen le 14 mai 1456. Il s'agissait alors de réunir et de classer toutes les preuves qu'avait apportées l'enquête. Jean Bréhal fut chargé de ce travail. A la fin de mai, il se rendait encore une fois à Rouen, où, le 30, reprenaient les audiences. Elles n'étaient plus désormais que simples formalités : on fit une dernière fois appel à une contradiction qui ne se produisit pas, et, le 2 juin, les témoignages recueillis au cours de l'enquête furent déclarés acquis au tribunal. Le 5, le procureur de la famille d'Arc, Guillaume Prévosteau, remit entre les mains du tribunal toutes les pièces qu'il possédait, et dont plusieurs avaient déjà été produites dès le mois de décembre. Enfin, le 10 juin, après une dernière assignation, les documents du procès se trouvèrent réunis entre les mains de l'inquisiteur.

Rentré aussitôt à Paris, il se mit à l'œuvre de classement et de revision de l'ensemble du procès à laquelle il a donné le nom de *Recollectio*. C'est un véritable volume (208 pages d'impression serrée) dans lequel le « cas Jeanne d'Arc » se trouve, informations en main, méthodiquement discuté. Le *Summarium*, premier ouvrage de Bréhal concernant le procès, n'était qu'un exposé des faits, la confrontation des réponses de Jeanne avec les allégations des juges. Ici, c'est l'enquêteur qui parle, et avec lui le juriste et le théologien. Point par point, il réfute le premier procès. D'abord en lavant Jeanne des accusations portées contre elle ; c'est l'objet de la première partie, dans laquelle il est question successivement des apparitions, révélations et prédictions, de la conduite de Jeanne envers ses parents, de l'habit d'homme, de la soumission à l'Église et de la prétendue récidive. Puis en attaquant, dans le fond et la forme, le jugement de Rouen : incompétence du juge et sa partialité, détention en prison laïque, causes de récusation alléguées par Jeanne elle-même, rôle du sous-inquisiteur, rédaction tendancieuse ou résolument mensongère des articles qui servirent de base aux délibérations, fausse abjuration entraînant une fausse récidive, forme des interrogatoires, absence de défenseur pour l'accusée, irrégularités de la sentence. Sur ce dernier point, en particulier, Bréhal relevait cette décision paradoxale selon laquelle on avait admis à recevoir le sacrement de l'Eucharistie une prétendue hérétique et excommuniée.

On n'a pas toujours jugé l'œuvre de Bréhal à son exacte valeur. Quicherat ne l'a pas comprise dans son édition des textes relatifs au procès [1], et Anatole France a cru pouvoir l'exécuter en quelques mots [2]. En réalité, si l'on se donne la peine de la parcourir, fût-ce rapidement, on s'aperçoit qu'il s'agit d'une œuvre parfaitement satisfaisante pour l'esprit, dans sa rigoureuse logique. Chaque point douteux ou controversé, soit dans les paroles de Jeanne, soit dans les allégations des juges, fait l'objet d'une discussion méthodique, étayée sur la doctrine des Pères et Docteurs de l'Église dont l'ouvrage contient plus de neuf cents citations ; il en est de même pour les formes de droit et de procédure. Avec le recul du temps, on pourrait presque s'étonner qu'une cause aussi claire que celle de Jeanne d'Arc ait nécessité un travail aussi approfondi, mais c'est précisément après ce travail de Jean Bréhal que sa clarté est apparue. Avant la *Recollectio*, Jeanne n'est encore qu'une hérétique ; la conclusion de l'ouvrage en fait déjà une sainte.

Cela, d'autant mieux qu'à travers l'argumentation du juriste et du théologien perce une évidente émotion — qui était, il faut le remarquer, totalement absente du

1. La *Recollectio* a été publiée par les RR. PP. Belon et Balme à la suite de leur ouvrage sur *Jean Bréhal, grand inquisiteur de France, et la Réhabilitation de Jeanne d'Arc*, auquel nous avons emprunté tout ce qui concerne l'activité de l'inquisiteur (Paris, 1893).

2. Il cite, pour s'en moquer, la page dans laquelle Bréhal parle du rôle des nombres dans la vie de Jeanne (trait tout à fait caractéristique de l'époque et qui n'est pas sans présenter un côté séduisant), mais il omet de parler des 207 pages dans lesquelles l'argumentation de l'auteur s'appuie sur la doctrine de saint Thomas et de saint Augustin, qui n'a pas la réputation d'être si simplette.

22. Le procès de condamnation de Jeanne d'Arc. Miniature d'un manuscrit anonyme du XVᵉ siècle. L'instruction dura quatre semaines et le procès lui-même deux mois. Le nombre des membres du tribunal s'éleva jusqu'à quatre-vingt-quinze.

23. Jeanne d'Arc au supplice. Miniature des "Vigiles de Charles VII". Jeanne fut brûlée à Rouen, le 30 mai 1431, et ses cendres jetées à la Seine.

24. Lettres patentes de Charles VII anoblissant Jeanne d'Arc et sa famille. L'un des rares signes de reconnaissance de celui qu'elle avait tant obligé.

premier ouvrage du même Bréhal consacré à Jeanne, le *Summarium* cité plus haut. Manifestement, il a été peu à peu conquis par cette héroïne qu'il n'a pas connue, et à laquelle il a dévoué cinq années de sa vie. A la fin du chapitre dans lequel il a examiné les réponses relatives aux apparitions, il ne cache pas son admiration pour ces réponses de Jeanne : « ... Sur tout cela elle répond avec tant de sagacité et de prudence que non seulement ses réponses dissipent tout soupçon d'erreur ou d'artifice, mais qu'en elle chaque mot témoigne de la plus religieuse piété. » Ou encore, au moment où il termine l'étude du fond même du procès, il s'écrie : « C'est à bon droit qu'elle a toujours cru à ses voix, car il est vrai que, comme elles le lui avaient promis, Jeanne a été délivrée de la prison corporelle par le martyre et par une grande victoire, celle de la patience. »

Les commissaires consacrèrent le mois de juin à l'étude des documents et de la *Recollectio*. Le 18, ils reçurent la visite de Jean d'Arc, accompagné de Guillaume Prévosteau et du promoteur Simon Chapitault : les demandeurs s'impatientaient ; on les rassura. Les dates de l'audience finale allaient être incessamment fixées. En effet, dès le 24, aux portes des églises de Rouen, étaient affichées des citations pour le 1er juillet ; elles invitaient, une dernière fois, les contradicteurs éventuels à la réhabilitation à venir exposer ce qu'ils savaient de l'affaire. Aucun ne s'étant présenté au jour dit, la parole fut donnée, en une audience solennelle, le 2 juillet, à la partie civile. Simon Chapitault, puis Guillaume Prévosteau supplièrent les juges de se rendre à leurs raisons et de prononcer, au nom du Saint-Siège, la réhabilitation de Jeanne.

Le 7 juillet 1456, à huit heures du matin, l'archevêque de Reims, Jean Jouvenel des Ursins, prenait place au siège présidentiel, dans la grande salle du palais archiépiscopal de Rouen ; à ses côtés se rangeaient les deux autres commissaires, l'évêque de Paris Guillaume Chartier et l'évêque de Coutances Richard Olivier, ainsi que l'inquisiteur Jean Bréhal ; au banc se tenait le promoteur Simon Chapitault ; à la barre Jean d'Arc, assisté de l'avocat Pierre Maugier et du dévoué Guillaume Prévosteau. Une foule imposante, clercs et laïques, remplissait la salle, et l'on se montrait, au premier rang, celui qui avait reçu la dernière confession de Jeanne, frère Martin Ladvenu. Une fois expédiées les formalités d'usage, l'archevêque de Reims, au nom de la commission pontificale, lut la sentence : « ... Nous, siégeant à notre tribunal et ayant Dieu seul devant les yeux... disons, prononçons, décrétons et déclarons que lesdits procès et sentence (de condamnation), entachés de dol, de calomnie, d'iniquité, de contradiction et d'erreur manifeste en fait et en droit, y compris l'abjuration, l'exécution et toutes leurs conséquences, ont été et sont nuls, sans valeur, sans effet et anéantis.... »

L'un des exemplaires des articles d'accusation ayant servi de base au procès fut lacéré symboliquement. L'arrêt ainsi prononcé fut promulgué le même jour sur la place Saint-Ouen, où avait eu lieu la fameuse « abjuration », et le lendemain sur le lieu du supplice, au Vieux-Marché. Des processions solennelles marquèrent ce jour non seulement à Rouen, mais dans tout le royaume.

Il ne restait plus qu'à aller informer officiellement, de la conclusion de l'affaire, les autorités en cause, soit le roi et le pape. Jean Bréhal, accompagné du fidèle Guillaume Bouillé, se mit en route. Au passage, tous deux présidèrent les fêtes qui eurent lieu, à Orléans en liesse, le 21 juillet. La municipalité se mit en frais en leur honneur : les comptes de la ville nous ont conservé le souvenir du banquet qu'on leur offrit, et pour lequel on fit l'achat de « dix pintes et chopines de vin... douze poussins, deux lapereaux, douze pigeons et deux levrauts ». De là ils se rendirent à Rome, après avoir rendu compte de leur mission à Charles VII, qui dans sa joie leur fit octroyer cinq cents livres pour les indemniser de leurs travaux et de leurs frais de voyage.

Deux ans plus tard, en 1458, Isabelle Romée mourait à Orléans. Elle avait accompli jusqu'au bout sa tâche maternelle : le jour où sa fille s'était mise en route pour son incroyable aventure, elle avait, mêlée à la foule, entrepris le pèlerinage du Puy, et finalement c'était elle qui avait fait accomplir à Jeanne sa dernière étape, sa rentrée solennelle dans l'Église, d'où les mauvais docteurs avaient cru l'expulser.

Au procès de son innocence
Y a des choses singulières ;
Et c'est une grande plaisance
De voir toutes les deux matières.

Ledit procès est enchaîné
En la librairie Notre-Dame
De Paris, et lui fut donné
Par l'évêque, dont Dieu ait l'âme[1].

Le poète qui s'exprime ainsi, Martial d'Auvergne, termine sur ce procès de réhabilitation le long passage qu'il consacre à Jeanne dans son œuvre : *Les Vigiles du roi Charles VII.*

Ce n'est pas, en effet, sans « une grande plaisance » que l'on suit l'évolution de la cause de Jeanne au cours de son procès de réhabilitation. Même si celui-ci fut ouvert — comme tant d'historiens modernes se sont plu à le répéter — dans un dessein purement politique, et pour complaire au roi, il a incontestablement dépassé ce but et entraîné les enquêteurs eux-mêmes plus loin qu'ils ne le soupçonnaient. Ils croyaient avoir à trancher une question d'ordre juridique, ou tout au plus théologique : ils se sont trouvés finalement devant un problème d'ordre divin.

L'idée que Jeanne pouvait être une sainte est répandue aujourd'hui, mais, à l'époque où Jean Bréhal entreprit sa première enquête, très peu de gens connaissaient avec certitude les détails de l'arrivée de Jeanne à Chinon, ou ceux du siège d'Orléans ; personne, sauf les anciens juges, ne connaissait l'appel au pape, qui, en fait, pour une conscience catholique, transformait toute la cause et suffisait à écarter tout soupçon de rébellion envers l'Église ; jusque-là, pour des croyants convaincus, si enthousiastes fussent-ils des exploits de l'héroïne, une ombre pouvait toujours subsister. C'est le procès de réhabilitation qui a permis de faire la lumière, et pour cela il n'a pas fallu moins de cinq années de travaux et de cent quinze témoignages venus de tous les coins de France.

---

1. L'évêque Guillaume Chartier, l'un des commissaires de la réhabilitation, avait fait don à la bibliothèque de Notre-Dame de l'un des exemplaires authentiques du procès, celui qui se trouve aujourd'hui à la Bibliothèque nationale et a servi de base à l'édition Quicherat.

En revanche, le jour où l'archevêque de Reims prononça la sentence qui réhabilitait Jeanne, il dut avoir le
sentiment qu'au lieu de clore l'affaire il l'ouvrait sur de
nouvelles perspectives. Et déjà, quelles que soient les
limites dans lesquelles la prudence ecclésiastique ait
voulu la maintenir, la vénération populaire, elle, anticipait
allégrement sur les formalités d'un dernier procès, le procès de béatification et de canonisation.

Celui-là devait se faire attendre près de cinq siècles.
Pourquoi ? L'histoire de Jeanne après sa mort est une
autre histoire, mais, sans tenter de l'esquisser, on peut se
demander si les temps qui allaient suivre étaient capables
de la sentir : pouvait-on réellement comprendre Jeanne
à l'époque classique — une époque où l'on brisait les
vitraux des cathédrales pour les remplacer par des vitres
blanches, où le terme de « gothique » était l'équivalent de
« barbare », où tout ce qui s'était passé avant Ronsard
n'était que « siècles grossiers » ? L'argument vaut ce qu'il
vaut, mais les faits sont là : de *La Pucelle* de Chapelain à
celle de Voltaire, on ne voit pas que Jeanne ait éveillé
aux siècles classiques le moindre sentiment d'intelligente
sympathie.

Il reste que, lorsqu'en 1909 fut proclamée la béatification de Jeanne, et en 1920 sa canonisation, c'est au
procès de réhabilitation, à l'œuvre de Jean Bréhal, à la
précieuse somme d'enquêtes et de témoignages recueillis
par lui que l'on eut recours. Tout ce que l'on demandait
s'y trouvait contenu ; tout avait déjà été dit. Le drame
du XVe siècle, redevenu plus vivant, plus proche que
jamais, avait trouvé un dénouement conforme à la foi
populaire.

ANNEXES

I

LE PREMIER INTERROGATOIRE DE LA RÉHABILITATION.

Il s'agit de l'interrogatoire en douze articles rédigé pour l'enquête ecclésiastique de 1452 ; ce premier interrogatoire en douze articles n'a été utilisé que deux jours, les 2 et 3 mai 1452 ; aussitôt après on dressa l'interrogatoire en vingt-sept articles, que l'on trouvera plus loin (annexe II) et qui servit réellement de base à l'enquête. (Voir l'Introduction, p. 28.)

L'interrogatoire n'est pas rédigé sous forme de questionnaire, mais, selon l'usage, sous forme d'articles à propos desquels le témoin qui dépose est appelé à donner son avis.

S'ensuit la teneur des articles sur lesquels furent examinés les témoins ci-dessous par le révérendissime père dans le Christ, le seigneur cardinal d'Estouteville, cardinal-prêtre du titre de Saint-Martin des Monts, légat du Saint-Siège apostolique dans le royaume de France, et le vénérable frère Jean Bréhal, professeur en théologie, l'un des inquisiteurs de l'hérésie au royaume de France, touchant le fait de Jeanne dite la Pucelle :

I. Que le défunt seigneur Pierre Cauchon, alors évêque de Beauvais, était poussé par un zèle déréglé en faisant le procès contre la défunte Jeanne, dite vulgairement la Pucelle ; et que, parce que Jeanne avait été dans l'armée contre les Anglais, lui-même la poursuivait et la haïssait, cherchant sa mort par tous les moyens qu'il pouvait trouver ;

II. Que ledit évêque requit au seigneur duc de Bourgogne et au seigneur comte de Ligny (Jean de Luxembourg) par des lettres de sommation, dans lesquelles il demande d'abord que Jeanne soit livrée au roi d'Angleterre, l'Église ne venant en cela qu'en second lieu. Et de nouveau il demandait qu'elle lui soit donnée et délivrée ; et cela, en promettant à ceux qui la détenaient ou la gardaient de leur verser six mille francs, puis dix mille francs ; ne s'inquiétant pas de ce qu'il donnait, pourvu qu'il l'ait ;

III. Que les Anglais la craignaient vivement et cherchaient pour cela, par tous les moyens possibles, à la livrer à la mort, pour mettre fin à ses jours et pour que cesse la terreur qu'elle leur inspirait ;

IV. Que l'évêque favorisait le parti des Anglais ; et qu'avant qu'il connaisse la cause, il permit que Jeanne fût placée, dès le début même de son procès, au château de Rouen, en prison séculière et aux mains des ennemis, bien qu'il y eût de bonnes et décentes prisons ecclésiastiques dans lesquelles elle eût pu être gardée légitimement et enfermée, comme le sont les criminels coupables en matière de foi ;

V. Que l'évêque n'était pas juge compétent, comme Jeanne elle-même l'a souvent contesté, en le récusant ;

VI. Que Jeanne était une simple fille, bonne et catholique, désirant fréquemment confesser ses péchés et ouïr la messe, de sorte qu'en sa fin il apparut nettement à ceux qui y assistaient qu'elle était fidèle et chrétienne ;

VII. Que Jeanne a déclaré plusieurs fois en jugement qu'elle soumettait tous ses faits et tous ses dits au jugement de l'Église et de notre seigneur le pape, et que ce qu'elle disait semblait plus procéder du bon Esprit que du mauvais ;

VIII. Que Jeanne ne comprit pas ce qu'était l'Église, quand on l'interrogeait au sujet de sa soumission à l'Église, et qu'elle ne prenait pas ce terme pour l'assemblée des fidèles, mais croyait et comprenait que cette Église au sujet de laquelle on l'interrogeait, était les ecclésiastiques qui étaient là, et qui favorisaient le parti des Anglais ;

IX. Pourquoi elle fut condamnée comme relapse, alors qu'elle voulait se soumettre à l'Église ;

X. Après qu'elle fut condamnée à reprendre et vêtir l'habit de femme, qu'elle fut forcée de reprendre l'habit d'homme ; ce pourquoi les juges prétendus la jugèrent relapse, ne cherchant pas son repentir, mais sa mort ;

XI. Bien qu'il eût apparu aux juges que Jeanne s'était soumise aux jugements et déterminations de la Sainte Mère l'Église, et qu'elle était fidèle et catholique, néanmoins cependant les juges, favorisant exagérément les Anglais ou n'osant supporter la terreur (qu'ils inspiraient) et leurs pressions, la condamnèrent très injustement comme hérétique à la peine du feu ;

XII. Que toutes et chacune des choses susdites, à savoir la condamnation de Jeanne, la haine et la partialité déréglée des juges, furent et sont de notoriété publique et de populaire assertion, notoirement dites et connues dans la cité et le diocèse de Rouen et dans tout le royaume de France.

II

LE SECOND INTERROGATOIRE, OU LES VINGT-SEPT ARTICLES QUI
SERVIRENT DE BASE A L'ENQUÊTE DE RÉHABILITATION.
(Voir Introduction, pp. 28-32.)

I. Que Jeanne, parce qu'elle avait été au secours du très chrétien
roi de France et dans l'armée contre les Anglais, était par ces mêmes
Anglais poursuivie d'une haine mortelle et haïe, et qu'ils cherchaient
sa mort par tous les moyens. Et il en fut ainsi, et c'est chose vraie [1].

II. Comme Jeanne avait apporté de nombreux désastres dans
la guerre auxdits Anglais, ils la craignaient fortement, et pour
cela cherchaient, par tous les moyens possibles, à la livrer à la mort
et à mettre fin à ses jours de façon qu'elle ne puisse plus leur
nuire.

III. Que pour paraître donner à cela quelque couleur ou semblant
de justice, ils la conduisirent en cette cité de Rouen, tombée alors
sous le pouvoir tyrannique des Anglais ; et qu'ils firent en sorte que
soit institué contre elle, dans le château, détenue dans les prisons,
un prétendu procès sur cause de foi, par crainte et par pression.

IV. Que tant les juges, confesseurs et consulteurs, que le promoteur et autres intervenant dans ledit procès, à cause des menaces
très graves portées contre eux et de la terreur des Anglais, n'osaient
avoir libre jugement, mais qu'ils étaient contraints d'agir en toutes
choses selon la crainte et la pression des Anglais, s'ils voulaient
éviter de graves périls et même des périls de mort.

V. Que les notaires écrivant en ladite cause, par la crainte et
les menaces portées contre eux par les Anglais, ne pouvaient selon
la vérité de la chose, et selon que Jeanne parlait en vérité dans ses
réponses, écrire et rédiger leurs actes.

VI. Il n'était pas permis aux notaires, à cause de cette crainte,
et il leur était même expressément interdit, d'insérer dans leurs
actes les paroles prononcées par Jeanne qui étaient à son avantage.
Bien plus, ils étaient contraints d'omettre cela et forcés d'insérer
certaines choses qui étaient contre elle et que jamais elle n'avait
prononcées.

VII. Que par les mêmes craintes et terreurs, on ne trouvait personne qui osât conseiller Jeanne, ou promouvoir la cause pour elle,
ou l'excuser, ou l'instruire, ou la diriger ou la défendre de quelque autre façon ; bien plus, ceux qui parfois avancèrent quelques
paroles pour elle, souffrirent un très grave danger de mort, car les

---

[1]. Tous les articles se terminent par cette affirmation, que les témoins
sont invités à nier ou à confirmer.

283

Anglais voulurent les jeter au fleuve comme rebelles, ou les livrer à un autre genre de mort.

VIII. Qu'ils retenaient Jeanne en prisons privées ou laïques, enferrée aux pieds avec des fers et des chaînes ; et qu'ils défendaient que personne ne lui parle, afin qu'elle ne puisse en aucune façon se défendre, et avaient même placé des gardiens anglais.

IX. Que Jeanne était une jeune fille de dix-neuf ans ou environ, simple, ignorant le droit et l'appareil des jugements, et que par elle-même, sans être dirigée ou renseignée, elle n'était pas capable ou habile à se défendre en une cause si pénible et difficile.

X. Que les Anglais, désirant sa mort, allaient de nuit près de la prison, feignant de parler d'après des révélations, et l'exhortant à ce que, si elle voulait fuir la mort, elle ne se soumette aucunement au jugement de l'Église.

XI. Que les examinateurs, pour la prendre par ses paroles, lui posaient des interrogations et des questions difficiles et captieuses, et qu'ils l'interrogeaient la plupart du temps sur des choses dont elle ignorait tout à fait ce qu'il en était.

XII. Qu'ils la fatiguaient longtemps par leurs interrogatoires et examens, pour que, enfin vaincue par la fatigue, ils puissent dans ses réponses saisir d'elle quelque parole malheureuse.

XIII. Que souvent, en jugement ou au-dehors, dans ses réponses, Jeanne dit, affirma et protesta qu'elle-même ne voulait rien tenir contre la foi catholique ; et que si quelque chose avait dévié de la foi dans ses dits ou ses faits, elle-même voulait s'en rétracter et s'en tenir au jugement des clercs.

XIV. Que de même Jeanne, tant en jugement qu'au-dehors, a professé plusieurs fois qu'elle se soumettait, elle-même et tous ses faits, au jugement de l'Église et de notre seigneur le pape ; et il en fut ainsi, et c'est chose vraie ; et qu'elle serait mécontente s'il y avait quelque chose en elle qui puisse s'opposer à la foi catholique.

XV. Que les paroles de soumission à l'Église, bien qu'elles eussent été par elle souvent prononcées tant en jugement qu'au-dehors, les Anglais, et ceux qui favorisaient leur parti, ne permirent pas, mais défendirent qu'elles fussent insérées ou écrites dans les actes ou au prétendu procès. Et qu'ils s'arrangèrent pour qu'il en fût écrit autrement en celui-ci, bien que ce fût mensonger.

XVI. Que ce fut et c'est sans tenir compte de cela, que Jeanne a jamais affirmé qu'elle ne voulait pas se soumettre au jugement de notre Sainte Mère l'Église, même militante.

XVII. Dans le cas et l'occurrence auxquels il pourrait apparaître que Jeanne a prononcé des paroles relatives à sa non-soumission à l'Église, le promoteur dit qu'elle-même n'a pas compris ce qu'était l'Église et qu'elle ne prenait pas ce terme en tant qu'assemblée des fidèles ; mais croyait et comprenait que l'Église dont parlaient ceux qui l'interrogeaient était ces ecclésiastiques qui étaient là et qui avaient embrassé le parti des Anglais.

XVIII. Que le prétendu procès, écrit originairement en français, a été traduit en latin peu fidèlement, beaucoup de choses ayant été supprimées touchant la décharge de Jeanne, et plus encore ajoutées contre la vérité, qui aggravaient son cas. Et qu'ainsi ledit procès se trouve discorder d'avec son original en points nombreux et substantiels.

XIX. Que, ce qui précède ayant été reconnu, lesdits procès et sentences ne méritent pas le nom de jugement et sentence, car il ne peut être question de jugement là où les juges, les consulteurs et les assesseurs n'ont pas, par crainte, leur libre arbitre pour juger.

XX. Que, de ce qui précède, le prétendu procès est en plusieurs de ses parties mensonger, vicié, corrompu et n'est écrit de façon ni parfaite, ni fidèle ; et est autrement vicieux au point qu'aucune foi ne doit lui être accordée.

XXI. Que, ce qui précède et autres choses étant pesés, le procès et la sentence sont nuls et très injustes, puisqu'ils se trouvent avoir été tenus et faits sans que l'ordre obligatoire du droit ait été conservé, par des juges qui n'étaient pas les siens, et qui n'avaient pas juridiction dans une cause et sur une personne de cette sorte.

XXII. Que d'autre part même, lesdits procès et sentence sont entachés de nullité et d'injustice manifeste, parce qu'à Jeanne n'a été donnée, en une cause si grave, aucune faculté de se défendre ; bien plus, la défense elle-même, qui existe de droit naturel, lui a été totalement refusée par de multiples et insidieux moyens.

XXIII. Que, bien qu'il ait apparu clairement aux juges sus-nommés que Jeanne s'était soumise au jugement et à la détermination de notre Sainte Mère l'Église, et qu'elle était fidèle et catholique au point qu'ils décrétèrent que la communion du corps de Notre-Seigneur devait lui être donnée, néanmoins cependant, par leur zèle excessif pour les Anglais, ou ne voulant pas se dérober par crainte et pressions, ils la condamnèrent très injustement, comme hérétique, à la peine du feu.

XXIV. Que, sans qu'il y ait eu d'autre sentence du juge séculier, sur-le-champ, les Anglais, avec une nombreuse escorte de gens armés, animés contre elle d'une sorte de rage, la conduisirent au supplice.

XXV. Que Jeanne, continuellement, et notamment au moment de sa fin, s'est comportée de manière sainte et catholique, recommandant son âme à Dieu, et invoquant Jésus à haute voix jusqu'à son dernier souffle de vie ; de telle sorte qu'elle a provoqué chez tous les assistants, et même chez ses ennemis anglais, des effusions de larmes.

XXVI. Que chacune et toutes les choses qui précèdent, les

Anglais les perpétrèrent et les firent faire contre Jeanne, en fait et non juridiquement, par leurs pressions, parce qu'ils craignaient vivement Jeanne qui soutenait le parti du très chrétien roi de France, et qu'ils la haïssaient et la poursuivaient d'une haine capitale ; et cela afin que fût diffamé le très chrétien roi, pour s'être servi de l'aide d'une femme à ce point damnée.

XXVII. Que chacune et toutes choses qui précèdent furent et sont de publique renommée et de populaire assertion, et que c'est communément dit et connu dans tout le diocèse de Rouen, et dans tout le royaume de France.

III

L'INTERROGATOIRE FAIT AU PAYS LORRAIN.

I. Son lieu d'origine et sa paroisse ?

II. Qui furent ses parents, et de quel état, s'ils étaient bons catholiques et de bonne renommée ?

III. Qui furent ses parrains et marraines ?

IV. Dans son premier âge a-t-elle été convenablement élevée dans la foi et dans les mœurs, notamment selon ce qui convient à un tel âge et à la condition de sa personne ?

V. Sa manière d'être dans l'adolescence, depuis l'âge de sept ans jusqu'à son départ de la maison paternelle ?

VI. Fréquentait-elle l'église et les lieux saints, souvent et volontiers ?

VII. A quelle activité elle se donnait et s'occupait, dans ce temps de sa jeunesse ?

VIII. A ce moment-là, se confessait-elle volontiers et souvent ?

IX. Ce que dit la renommée publique de cet arbre que l'on appelle « des Dames » ; si les jeunes filles avaient l'habitude de s'y rassembler pour danser ; et mêmement de cette fontaine qui est près de l'arbre ; si Jeanne venait là avec les autres jeunes filles, et pour quelle raison et occasion elle s'y rendait ?

X. De quelle façon s'est-elle éloignée de son pays, et des étapes de sa route ?

XI. Si dans sa patrie d'origine il y eut quelques informations faites par autorité des juges au temps où elle fut captive à Compiègne et détenue par les Anglais ?

XII. Si, au moment où Jeanne s'enfuit une fois de son lieu d'origine à Neufchâteau, à cause des gens d'armes, elle a toujours été en compagnie de son père et de sa mère ?

IV

Nous avons pensé qu'il n'était pas sans intérêt de donner la liste des témoins qui déposèrent à Orléans le 16 mars 1456. (Voir pp. 119-140.)

Jean Luillier, bourgeois, cinquante-six ans.
Jean Hilaire, bourgeois, soixante-six ans.
Gilles de Saint-Mesmin, bourgeois, soixante-quatorze ans.
Jacques L'Esbahy, bourgeois, cinquante ans.
Guillaume Le Charron, bourgeois, cinquante-neuf ans.
Cosma de Commy, bourgeois, soixante-quatre ans.
Martin de Mauboudet, bourgeois, soixante-sept ans.
Jean Volant, bourgeois, soixante-dix ans.
Guillaume Poustieau, bourgeois, quarante-quatre ans.
Denis Roger, bourgeois, soixante-dix ans.
Jacques de Thou, bourgeois, cinquante ans.
Jean Carrelier, bourgeois, quarante-quatre ans.
Aignan de Saint-Mesmin, bourgeois, quatre-vingt-sept ans.
Jean de Champeaux, bourgeois, cinquante ans.
Pierre Jongault, bourgeois, cinquante ans.
Pierre Hue, bourgeois, cinquante ans.
Jean Aubert, bourgeois, cinquante-deux ans.
Guillaume Roulliart, bourgeois, quarante-six ans.
Genien Cabu, bourgeois, cinquante-neuf ans.
Pierre Vaillant, bourgeois, soixante ans.
Jean Coulon, bourgeois, cinquante-six ans.
Jean Beauharnais, bourgeois, cinquante ans.
Robert de Farciaulx, prêtre, chanoine de Saint-Aignan, soixante-dix-huit ans.
Pierre Compaing, prêtre, chanoine de Saint-Aignan, cinquante ans.
Pierre de la Censure, prêtre, chanoine de Saint-Aignan, soixante ans.
Raoul Godart, prêtre, prieur de Saint-Samson, cinquante ans.
Hervé Bonnard, prêtre, prieur de Saint-Magloire, soixante ans.
André Bordes, prêtre, chanoine de Saint-Aignan, soixante ans.
Jeanne, femme de Gilles de Saint-Mesmin, soixante-dix ans.
Jeanne, femme de Gui Boileau, soixante ans.
Guillemette, femme de Jean Coulon, cinquante et un ans.
Jeanne, veuve de Jean de Mouchy, cinquante ans.
Charlotte, femme de Guillaume Havet, trente-six ans.
Réginalde, veuve de Jean Huré, cinquante ans.
Pétronille, femme de Jean Beauharnais, cinquante ans.
Massée, femme d'Henri Fagoue, cinquante ans.

BIBLIOGRAPHIE

QUICHERAT (Jules) : *Procès de Condamnation et de Réhabilitation de Jeanne d'Arc, dite la Pucelle, publiés pour la première fois d'après les manuscrits de la Bibliothèque royale*, Paris, 1841, 5 vol. in-8°.

O'REILLY (Eugène) : *Les Deux Procès de Condamnation, les Enquêtes et la Sentence de Réhabilitation de Jeanne d'Arc*, Paris, 1868, 2 vol. in-8°.

FABRE (Joseph) : *Procès de Réhabilitation de Jeanne d'Arc, raconté et écrit d'après les textes officiels latins*, Paris, 1888, 2 vol. in-12. Rééd. 1912.

(Les deux ouvrages qui précèdent ne sont cités que pour mémoire, car ils ne pourraient servir de base à une étude sérieuse du procès de réhabilitation, pour laquelle la seule source valable reste, en dehors des manuscrits, l'édition Quicherat.)

En ce qui concerne le procès de condamnation, l'édition actuellement la plus récente, et la plus complète, est celle de :

DONCŒUR (R. P. Paul) : *La Minute française de l'Interrogatoire de Jeanne la Pucelle, d'après le réquisitoire de Jean d'Estivet et les manuscrits de d'Urfé et d'Orléans*, Melun, 1952. Établie avec la collaboration d'Yvonne Lanhers.

Pour les manuscrits du procès de réhabilitation, consulter :

CHAMPION (P.) : *Notice des Manuscrits du Procès de Réhabilitation de Jeanne d'Arc*, Paris, t. XXXVII de la *Bibliothèque du XVᵉ Siècle*.

Sur l'ensemble du procès :

BELON (R. P. M.-J.) et BALME (R. P. François) : *Jean Bréhal, grand inquisiteur de France, et la Réhabilitation de Jeanne d'Arc*, Paris, 1893, in-4°.

SOURCES DES ILLUSTRATIONS

1. La maison natale de Jeanne d'Arc à Domremy. (Photo Jean Roubier)
2. Judith, Holopherne et Jeanne d'Arc. Miniature du "Champion des Dames" de Martin Le Franc. Bibliothèque Nationale, Paris. (Photo Giraudon)
3. Page du registre du Conseil du Parlement de Paris. Archives Nationales, Paris. (Photo Giraudon)
4. Carte à jouer imprimée vers 1493. Bibliothèque de Dijon.
5. Portrait inédit de Jeanne d'Arc. Archives Nationales, Paris. (Photo Ségalat)
6. Jeanne d'Arc marchant au combat. Gravure sur bois de la "Mer des Ystoires". Bibliothèque Nationale, Paris.
7. Jeanne d'Arc, miniature de la "Vie des Femmes célèbres". Musée Dobrée, Nantes. (Photo Giraudon)
8. Signature de Jeanne d'Arc au bas d'une lettre aux habitants de Reims. Collection du comte de Malleyssoye, Melun. (Photo Giraudon)
9. Jeanne d'Arc conduite devant Charles VII. Miniature des "Vigiles de Charles VII". (Photo Giraudon)
10. Jeanne d'Arc à la cour de Charles VII. Miniature des "Chroniques de Charles VII". Bibliothèque de Rouen.
11. Rencontre de Jeanne d'Arc et de Charles VII. Miniature de la "Chronique abrégée des Rois de France". (Photo Giraudon)
12. Le siège d'Orléans. Miniature des "Vigiles de Charles VII". (Photo Giraudon)
13. Orléans au XVe siècle. Musée d'Orléans.
14. Le Fort des Tourelles à Orléans. Dessin du XVIe siècle. Bibliothèque Nationale, Paris.

15. La prise de Jargeau. Miniature des "Vigiles de Charles VII." (Photo Giraudon)

16. Le sacre de Charles VII à Reims. Miniature des "Vigiles de Charles VII". (Photo Giraudon)

17. Le siège de Paris. Miniature des "Vigiles de Charles VII". (Photo Giraudon)

18. Dunois, bâtard d'Orléans. Portrait de l'école de Jean Fouquet, vers 1470. Collection privée, Amboise.

19. Bassinet à visière qui aurait appartenu à Jeanne d'Arc. Metropolitan Museum of Art, New York. (Photo Giraudon)

20. Jeanne d'Arc capturée et vendue aux Anglais. Miniature des "Vigiles de Charles VII". (Photo Giraudon)

21. Page d'un exemplaire du procès de condamnation de Jeanne d'Arc. Bibliothèque Nationale, Paris.

22. Le procès de condamnation de Jeanne d'Arc. Miniature d'un manuscrit anonyme du XVe siècle. (Photo Giraudon)

23. Jeanne d'Arc au supplice. Miniature des "Vigiles de Charles VII". (Photo Giraudon)

24. Lettres patentes de Charles VII anoblissant Jeanne d'Arc et sa famille. Bibliothèque Nationale, Paris.

TABLE DES MATIÈRES

Préface VII

VIE ET MORT DE JEANNE D'ARC

Avant-propos 3
Introduction: Avant la réhabilitation 7

CHAPITRE PREMIER
Le procès du procès 41

CHAPITRE II
Les témoins de l'enfance 61

CHAPITRE III
Les compagnons de route 87

CHAPITRE IV
L'arrivée à Chinon et les juges de Poitiers 97

CHAPITRE V
Orléans 119

CHAPITRE VI
Les témoins de la vie quotidienne 143

CHAPITRE VII
Les premières prisons 183

CHAPITRE VIII
Les témoins de Rouen 189

CHAPITRE IX
Le procès des juges 245

CHAPITRE X
Les âmes droites 261

CHAPITRE XI
Le dernier acte 273

Annexes 279
Bibliographie 289
Sources des illustrations 291

*Cet ouvrage
réalisé d'après les maquettes
de Claude Buschini
est une production des Editions
Edito-Service S. A., Genève*

Imprimé en France